三浦悦子の世界〈17〉

[ヴァイオリン ウサギ]

ここは、香港の地下室。
ベルトコンベアがゴトゴトと音をたて、人形たちが
自ら私に注文し躰を変型させた人形のヴァイオリン
奇妙な音楽を奏でている。
廻る人形を造る手元を、はだか電球がゆらゆらと照らしている。
ここは、クラシカルな音楽とベルトコンベアの音が鳴り響く地下工房。

トーキングヘッズ叢書を名乗っていると、
当然のことながら、あのバンドを連想されることも少なくない。
もちろん、トーキング・ヘッズというバンド（バンド名には中黒が入ります）の
とりわけデヴィッド・バーンの
都会的なアヴァンギャルドさと、エスニックへの傾倒、
ライブ映画「ストップ・メイキング・センス」でおなじみの
奇矯なパフォーマンス……
それらへのリスペクトは、確かに、ある。

言うなれば、スタンスのあり方として
それらを受け継ごうとしているところもある、というか。

音楽はある意味、ライフスタイルそのものであり、
思想などとも深く関わってきた。

というか、力のない者にとって音楽は、
力あるものに対抗し、連帯を募る
有効な手段のひとつであった。

だから音楽は、さまざまな思想や人生、社会状況を表象した、
文化の結節点になってきた。

パンクや電子音楽、ノイズなどから、クラシックまで、
さまざまな見地から、
音楽から生まれてきたもの、
音楽を通して見えてくるものを探ってみる。

★写真：堀江ケニー、モデル：salasa

大阪万博EXPO'70で展示されたバシェの「音響彫刻」が50年ぶりに復元。岡本太郎の芸術空間で共振した！

●写真・文＝ケロッピー前田

50年ぶりに復元されたバシェの「音響彫刻」5点を一堂に集めた展覧会が川崎市岡本太郎美術館で行われた。
緊急事態宣言に伴う新型コロナウイルスの感染拡大防止のため、会期は予定よりもかなり短くなってしまったが、音響彫刻を使った演奏会は無観客で行われたものがYouTube動画として配信されている。（バシェ協会：http://baschet.jp.net）
音響彫刻とは、フランスの芸術家フランソワとベルナールのバシェ兄弟によって生み出されたもので、1970年の大阪万博で鉄鋼館ディレクターを務めた作曲家・武満徹がフランソワ・バシェを招聘したことで、国内で17基が制作され、鉄鋼館に展示された。
万博後、鉄鋼館は封鎖されていたが、2010年に「EXPO'70パビリオン」としてオープンすることになり、保管されていた音響彫刻は、大阪府（当時・万博

★「音と造形のレゾナンス――バシェ音響彫刻と岡本太郎の共振」（川崎市岡本太郎美術館）の展示風景
フランソワ・バシェ《高木フォーン》（左）《勝原フォーン》（右）。それを囲むように岡本太郎の作品が展示されている。

★ガラス棒が平行に並び、傍らに水入れ容器。
フランソワ・バシェ《髙木フォーン》

★フランソワ・バシェ《渡辺フォーン》

★フランソワ・バシェ《川上フォーン》
（左上から2番目の写真は、その演奏場面）

記念機構）、東京藝術大学、京都市立芸術大学が中心となって、修復が進められてきた。

今回の展覧会は、当時と変わらぬ造形美と音響を蘇らせたバシェの音響彫刻5点を、万博の象徴《太陽の塔》で知られる岡本太郎の作品空間に集め、50年の時を超え、素晴らしい共振を呼び起こそうと企画されたものである。

展示会場に足を踏み入れると、岡本太郎作品が「音響彫刻」を取り囲むように配置され、人工知能が奏でる「音響彫刻」の異界からの不思議な金属音の響きが会場内に充満していた。

バシェの音響彫刻作品をじっくりと観てみたい。

《渡辺フォーン》は、高さ4メートルに達する19本のスチール棒と背面に巨大なひとつの金属製のコーンを持ち、ずっしりと重い金属音が響く。

《川上フォーン》は、赤、白、黒のカラフルなコーンが特徴で、ねじ切りがある寸切棒が並び、叩いたり、擦ったりして発音させる。棒の中の数本には、放射線状に何本ものピアノ線が取り付けてあり、長い余韻のあるエコー効果を生み出す。さらに本体の左側には太いスプリングが2つ吊るされており、独特な濁った残響音が生み出される。すべてが重厚に作られている印象があるが、それらの繊細な金

★フランソワ・バシェ《桂フォーン》
弦楽器の要素や多彩な音を生み出す工夫が施されている。（上の写真２点）

属音を増幅するコーンは、意外にもボール紙でできている。

《桂フォーン》は、全体が横長で、中央部には寸切棒が円形に配置され、渦巻き型の針金、金属板が一列に並ぶ。中央の柱部分には弦が張ってあり、全体の振動を残響させるために長いピアノ線の束が放射線状に飛び出している。弦の部分は指で弾いたり、コントラバスのように弓で弾くこともでき、様々な音を生み出す要素に富んでいる。

《高木フォーン》は、設置された小さな器に水を入れ、湿らせた手で平行に並んだガラス棒を滑らかに擦ると振動がスチール棒に伝わり、高音で人の声のような不思議な音を響かせることができる。ガラス棒を用いたこの仕組みは「クリスタル・バシェ」と呼ばれ、音楽家ミシェル・ドヌーヴにより開発されている。その音は、ジャン・コクトーの映画『オルフェウスの遺言』(1960)や武満徹が音楽を担当した黒澤明の映画『どですかでん』(1970)などで聞くことができる。

《勝原フォーン》は、シルバーに輝く金属コーンが満開となった花ようにたくさん付けられている。ステンレスの縦弦が3ヶ所、ピアノ線がずらりと並ぶ横弦が1ヶ所、弦を弾いたり、弦で弾いて発音する。縦弦にはエレキギターにあるようなアームがあり、音程を揺らすこともできる。また、彫刻全体が打楽器のようにどこを叩いてもよく響くのである。

見ているだけだとちょっとわかりにくいが、造形的な美しさばかりでなく、音響的にも様々な音を出せるように工夫されているのだ。

バシェ兄弟についての音源や資料も展示されていたが、特に興味深かったのはドキュメンタリー映像だ。

バシェ兄弟は、第二次大戦中はフランスがナチスに占領されたことから、レジスタンスとしてそれに抵抗していた。戦

★(写真3点とも)
鉄骨館ホワイエのバシェ音響彫刻(資料提供・大阪府)

★晩年のフランソワ・バシェ

★愛弟子マルティ・ルイツの
演奏を聴くフランソワ

後になって、彼らがやりたいと思ったのは、みんなが楽しくなるような芸術だったのだ。

1920年生まれのフランソワ・バシェは彫刻家を目指すが、3歳年上の兄ベルナールが音響学を学んでいたことから音が出る彫刻作品に挑むようになる。

1950年代は録音機器を用いたミュージック・コンクレート、電子音楽などが盛んになっていたが、フランソワは、自分たちはあえて〝電気を使わずに〟まったく新しい音を生み出すような作品を作りたいと思ったという。

彼らの活動はまずは演奏会から始まった。1954年にラスリー兄弟と「ストラクチャー・ソノール・ラスリー・バシェ（Les Structures Sonores Lasry-Baschet）」を結成した彼らは、演奏会での実績を積むと、64年にはパリ装飾美術館で初めての展覧会を開催、翌年にはニューヨーク近代美術館に進出して国際的に活躍していく。

音響彫刻を観客に自由に演奏してもらうことを重視していた彼らは、噴水や風車などの音が出るパブリックアートや子供向けのワークショップにも熱心に取り組んでいた。

彼らは一般の人々に開かれた芸術を目指したが、そのことは、岡本太郎が《太陽の塔》や数々のパブリックアートなどでやろうとしたことと共通しているだろう。

今回の展覧会に合わせて、岡本太郎美術館がブックレットを作っている。そのなかで、武満徹は、誰にでもすぐに演奏できて、音が美しいことが素晴らしいと評している。

また、バシェの愛弟子で日本の修復プロジェクトにも尽力したマルティ・ルイツは、バシェ兄弟が参照した音響学者にエルンスト・クラドニの名前を挙げている。この人物は、物質の固有振動数を可視化するクラドニ図形で知られており、バシェ兄弟の音響彫刻にそのような研究が参照されていることは興味深い。

最後になってしまったが、岡本太郎の展示作品のなかでも大いに目立っていたのが《万博の鍵》である。この鍵は、万博開幕式において、プロデューサーを務める岡本太郎が、完成した《太陽の塔》の扉を開けるときに使ったものである。そんな〝鍵〟なんてなくても、万博は始められるという人もいるかもしれない。それでも、誰にでもわかる形で万博を開始するための〝儀式〟として、《万博の鍵》を制作した太郎に大いに共感させられるのだ。そして、そのような気持ちはバシェ兄弟とも通じるものだろう。素直に元気をもらえる展覧会であった。

★岡本太郎《万博の鍵》

※「音と造形のレゾナンス――バシェ音響彫刻と岡本太郎の共振」は、
2020年6月2日～7月12日に、川崎市岡本太郎美術館で開催された。

ダニエル・ジョンストン *Daniel Johnston*

音楽同様、ピュアでイビツなアートワーク

1990年代初頭のアメリカで、ローファイ・ミュージックなるものが出現した。酩酊したようなメロディに気の抜けたようなヴォーカル……自宅録音など低予算で作られた安っぽいサウンドは、だが、ギスギスした世の中から脱した別世界へトリップさせてくれる。
そのローファイ・ミュージックの先駆者として知られるダニエル・ジョンストンが昨年9月に亡くなった。享年58。内気な性格だったが幼い頃から芸術的な才能を見せ、音楽を作りマンガなどを描き、8mmも監督した。しかしキリスト教原理主義者の親の元では居場所がなく、兄の元に身を寄せ、カセットテープを作成し友人などに配り始めたのが80年代初め。やがてそのサウンドは、カート・コバーンやデヴィッド・ボウイなどに影響を与えるまでに広まっていったが、一方、精神的な病にも苦しめられ続けた。
そのダニエル・ジョンストンは、音楽活動と並行してアートワークも制作しており、その作品を一望する展覧会がヴァニラ画廊で開かれる。奇妙な生き物で占められたその世界は、音楽同様、ピュアでシンプル、だけどイビツ。無垢な気持ちで不可思議な世界へトリップしたい。(沙)

★ダニエル・ジョンストン追悼展 展示室A・B
2020年8月1日(土)～23日(日) 会期中無休
12:00～19:30(最終日は～17:20)
入場料1,000円(全日時間指定事前チケット制)
場所/東京・銀座 ヴァニラ画廊 Tel.03-5568-1233
http://www.vanilla-gallery.com/
※要予約/予約等詳細は上記サイトへ

恍惚のアヴァンギャルド音楽偏愛史
——ピンク・フロイド、テリー・ライリー、CAN、Nico…

◎文＝浦野玲子

★（上）ピンク・フロイド「原子心母」
（下）ピンク・フロイド「モア」（映画「モア」のサントラ）

初期ピンク・フロイドの幻影

映画とロックとマンガで自己形成したわたし。映画が先か、ロックミュージックが先か。映画の中で使われる、いわゆる「劇伴」の音楽に興味をもって、ミュージシャンや作曲家を追いかけていくことがある。

たとえば、ピンク・フロイドが関わった1969年の映画『モア』（バルベ・シュローデル監督）。いまはスペイン有数リゾートとして知られるイビサ島だが、70年前後は、ドラッグが蔓延する悪所、魔窟であり、世界中のヒッピーの憧れの聖地でもあった。『モア』はそれを象徴するような作品だった。

ピンク・フロイドのアンニュイで浮遊感、トリップ感のある音楽と、名撮影監督ネストール・アルメンドロスのかすかに退色したような甘美な映像（私が見たフィルムが傷んでいたせいかもしれない）は、まさにドラッグ体験を暗示しているようだった。

物語は、ヒッピーの若い男女が、ドラッグ・ディーラーである元ナチス将校と関わり、ヘロインやコカインなどドラッグの虜となり、身を持ち崩していくというもの。甘美な映像とは裏腹に絶望的で破滅的な青春映画だった。

この映画にインスパイアされたのか、ミケランジェロ・アントニオーニ監督も、ピンク・フロイドに劇伴を依頼し、『砂丘』を撮っている。

これはアメリカが舞台。大学紛争に身を投じ、偶発的に警官を射殺してしまった青年と偶然に出会った若い女性のつかの間の愛の物語だ。

ここでもドラッグやヒッピーカルチャーは重要なモチーフ。ラストのスローモーションで映し出される爆発シーンは、アメリカの物質主義を粉砕するようなイメージで、今も鮮明に記憶に残る。そのバックに流れるのがピンク・フロイドの音楽だ。それが該当するのかどうか不明だが、「51号の幻想」という曲名もカッコイイと思った。

ピンク・フロイドの名を知ったのは、「原子心母」が最初。デザイン集団「ヒプノシス」のあまりに有名な牛のジャケット写真に仰天し、その胸騒ぎを覚えるような不可思議な音を聴いて、さらに圧倒された。

余談だが、同世代の友人（男性）が臨終の際に聴きたい音楽として「原子心母」を挙げていた。なるほど！　軟派なわたしは、エリック・サティの「ジムノペディ」か、キース・ジャレットの「ケルン・コンサート」を聴きながら安らかに死にたいと思ったのだが、男性はシンフォニックというか、壮大でドラマチックな構成の「原子心母」を聴いて、功成り名を遂げた（またはその逆の）人生を振り返りたいと思うのだろうか？

ピンク・フロイドといえば、初期メンバーのシド・

バレットの存在が欠かせない。たとえば『夜明けの口笛吹き』など、彼が在籍したころのピンク・フロイドは、ミニマル・ミュージックにも通じるような実験的なロックをやっていた。

シド・バレットはもっとアヴァンギャルドを、もっと先鋭的な音作りを、第六感、第七感まで刺激するような音楽を求めて、LSDなどドラッグ体験にはまってしまったのだろう。

とにかく、オルダス・ハックスリーが提唱したようにドラッグや幻覚剤によって「知覚の扉」を開き、意識革命を目指そうとしていた時代である。世の知識人や文化人といわれる人たちもこぞってLSDにトライしていたようだ。

筆者の大学時代、アメリカ帰りのキザな心理学の教授も講義中、「LSDを摂取して、知覚や身体がどう変容するか試したんだよ」などと得意げに話していた。たしか皆川博子の本にも、筆者がリスペクトする詩人の故多田智満子も詩想の体験としてLSDを嗜んだことがあったというエピソードが記されていた。

★「ピンク・フロイド＆シド・バレット・ストーリー 完全版」(DVD／BBCのドキュメンタリーで、初期のライブ映像も見ることができる)

シド・バレット在籍時のピンク・フロイドは、ライブパフォーマンスの映像を見ても、今でいうプロジェクト・マッピングのようなサイケデリックな映像を流したり、奇矯な発声をしたり、今なお斬新でアヴァンギャルドだ。

彼らの伝記映画では、関係者がシド・バレットの音作りについて「シンプルにして予測不能」と評している。わたしの音楽志向・嗜好は、まさにそれに尽きる。

だから、『原子心母』や『狂気』も、いま聴くとクラシック音楽のように作り込んだプログレッシブ・ロック色が強く、いささか引いてしまうことがある。後年の「ザ・ウォール」にいたっては、実験精神どころか、ロックですらなく、重厚長大な音楽産業の権化のように思えてしまう。

あまりにアヴァンギャルド志向だったシド・バレットは、「ミイラ取りがミイラになる」かのようにドラッグで身を滅ぼしてしまった。残念。

テリー・ライリーの法悦

ミニマル・ミュージックの代名詞、テリー・ライリーの音楽を知ったのは、これまた映画だ。1971年の『眼を閉じて』(ジョエル・サントーニ監督)で劇伴を担当していたのだ。日本では77年に公開された。そのときのチラシには「テリー・リレー」と表記されている。「ギョエテとは俺のことかとゲーテ言い」といった類の問題か。テリー・ライリーの音楽と気づかぬままの人も多いかもしれない。

余談だが、ジョエル・サントーニ監督は『モア』のバルベ・シュローデル(ついでにいえば、こちらもバベット・シュローダーという表記されることもある)とはポスト・ヌーベルバーグ世代のお仲間らしい。バルベ・シュローデルから16ミリカメラを借り、ネストール・アルメンドロスの助言を得て、処女作となるドキュメンタリー映画を撮ったのだというのだ。蛇の道は蛇、すべてつながっているのだなあ…と再認識した。

『眼を閉じて』は、ある演劇青年が仲間の自殺をきっかけに、自分の生き方を変えようと思い立つ。その過程で「休息用めがね」という不思議なメガネを買った。これをかけると何も見えなくな

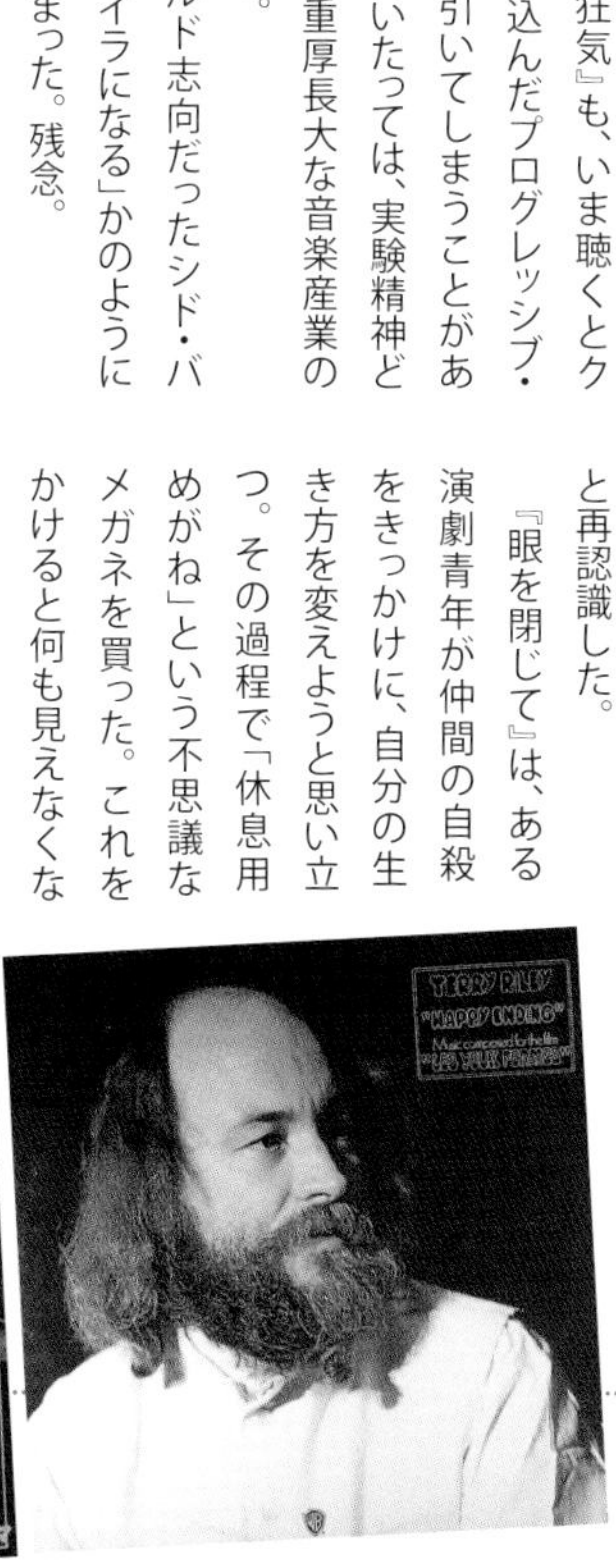

★(右)テリー・ライリー「ハッピー・エンディング」
(左)映画「眼を閉じて」チラシ

る。いわば盲人の感覚を知る装置だ。このメガネを始終装着していると、しだいに妄想と現実の区別がつかなくなり、狂気の世界に足を踏み入れてしまうというもの。

テリー・ライリーの「ハッピー・エンディング」というアルバムは、この映画のサントラ盤として製作されたものだという。映画の内容も、テリー・ライリーの音楽も定かには覚えていないのだが、たぶん、その当時のわたしはひどく感動したのだろう。アカデミックな音楽の専門家によれば、『眼を閉じて』の音楽は、あくまでも劇伴であることを重視し、テリー・ライリー本来のミニマル・ミュージック性は抑え気味だという。

だが、「インC」も「ア・レインボウ・イン・カーヴド・エアー」も知らなかった素人のわたしにとっては、わかりやすく、なおかつ今までに聴いたことのない音楽であると感じた。

ちょうど、この映画の公開と前後して、テリー・ライリーが来日し、7月23日に狭山湖畔にあったユネスコ村で「コンテンポラリー・ミュージック・トゥデイ」というオールナイトコンサートを行った。

その時の出演者はテリー・ライリーをはじめ、高橋悠治、三枝成章などの現代作曲家、日本のロックのゴッドマザーといわれる金子マリ（RIZEのドラマーであり、いまやNHKの朝ドラに大河にとひっぱりだこの俳優の金子ノブアキのおかあさん）とバックスバニー等々、錚々たるミュージシャン、作曲家が出演していた。

方向音痴のわたしは西武線の彼方、狭山湖畔のユネスコ村まで辿り着くかどうかさえ不安だったが、なんとか野外ステージに到着し、夏の夕方から翌朝しらじら明けまで、人生初の野外コンサートを楽しんだ（映画『ウッドストック』を見て以来、憧れだった）。

残念ながらオペラグラスも双眼鏡も持参しなかったので、すり鉢型の野外ホールの上の席からは演者はぼんやりとしか見えなかったが、真夜中ごろテリー・ライリーが登場し、ゆったりとした東洋音楽的な旋律が漂うように流れ始めた。当時、ヨガや座禅をかじっていたこともあり、ちょっとしたメディテーション感、星空を眺めながら宇宙と一体化するようなコズミック感を味わった。

テリー・ライリーのミニマル・ミュージックは、現代音楽というジャンルを飛び越え、ザ・フーやピンク・フロイドをはじめ、ロックミュージックへ大きな影響を与えた。また、イギリスの「カーヴド・エアー」というプログレ・バンドがある。これは、まさに「ア・レインボウ・イン・カーヴド・エアー」に由来するのだという。知らなかった。

映画『エクソシスト』の「チューブラーベルズ」で有名なマイク・オールドフィールドや、トム・ヴァーライン率いる「テレヴィジョン」、後述するが、ドイツの「タンジェリン・ドリーム」や「CAN」もテリー・ライリーの影響を受けているだろう。

ジャーマン・プログレとの邂逅

1977年は忙しかった。テリー・ライリーの野外コンサートにも行ったし、秋は「西ドイツ新作映画祭」にも足しげく通った（たぶん上映作品コンプリート）。

当時は、まだ東西ドイツに分断されていた時代。20年代、『カリガリ博士』や『メトロポリス』といった表現主義をはじめドイツ映画は黄金時代を迎えていたが、ナチスドイツの台頭、そして敗戦により長らく低迷していた。

戦後、日本で見ることのできたドイツ映画といえば、俗悪なポルノ映画というような時代が続いた。その間、西ドイツでは「オーバーハウゼン宣言」など新しい映画の動きはあったものの、いわゆるアート系映画が制作されるまでに機は熟していなかったのだろう。

それが、60年代後半から世界同時革命的に起こった若者の反乱とともに、西ドイツでも若い映画

★「西ドイツ新作映画祭1977」パンフ

人による新感覚の映画が相次いで制作されるようになった。

これらの西ドイツ映画は、フランスのヌーベルバーグの向こうを張って、「ノイエ・ヴェレ（新しい波）」と称された。

ヴィム・ヴェンダースやヴェルナー・ヘルツォーク、フォルカー・シューレンドルフ、そして早世したライナー・ベルナー・ファスビンダーなどの映画が相次いで紹介された。

このノイエ・ヴェレと合わせるかのように、ジャーマン・ロックも相次いで紹介されるようになったのではなかったか。

西ドイツ当時の映画もロックも、アメリカやイギリスにはない影や闇があるように思えた。それは、ドアーズのジム・モリソンやピンク・フロイドのシド・バレットのような天才、カリスマでさえも醸し出せないもの。敗戦国であり、分断国家ならではの重苦しさ、アウシュビッツに象徴されるホロコーストへの負い目といった精神のダークサイドが影を落としていたのかもしれない。

まあ、ドイツ・ロックというと、スコーピオンズなどの武骨なヘヴィ・メタのイメージが先行するが、もっと知的な音楽群、ジャーマン・プログレッシブロックがある。

個人的には、プログレッシブ・ロックと称される音楽はあまり好きではない。ピンク・フロイドが元祖かもしれないが、その後に続くＥＬ＆Ｐやイエスなどは、たとえばシンフォニック・ロックなどといわれるようなクラシック寄りの大迎な楽曲が多く、ちっともアヴァンギャルドではないように思えるからだ。

★（右）映画「アギーレ・神の怒り」「フィツカラルド」チラシ
（絵はスズキコージ）

（左）ポポル・ヴー「ガラスの心」


ただ、ジャーマン・プログレも百花繚乱。タンジェリン・ドリーム、クラフトワーク、クラスター、アモン・デュール、グルグル、クラウス・シュッルツェ、ファウスト、ノイ……と枚挙にいとまがない。

そのなかで、映画つながりで好きなのは、「ポポル・ヴー」である。グループ名を南米グアテマラの神話からとっている彼らは、ヴェルナー・ヘルツォークと相性がよいらしく、『アギーレ・神の怒り』や『フィッツカラルド』、『ノスフェラトゥ』などの音楽を担当している。

ポポル・ヴーの音楽は、どこか東洋的、エキゾチックな響きを持ち、異邦人としての西欧人が南米の密林（に象徴される異空間）を征服しようと挑みつつ、闇の奥にからめとられていくような濃密な空気感を感じる。

わたしが最も好きなポポル・ヴーの音楽は、『ガラスの心』というヘルツォーク作品の劇伴だ。映画そのものを観ていないし、曲名も忘れたが、ガラス玉がシャラシャラと鳴るような繊細で荘厳な楽曲に心ふるえた（レコードを持っていたが、断捨離で手放してしまった）。

日本人ボーカリスト、ダモ鈴木が在籍した「ＣＡＮ」も大好きなグループだ。『モンスター・ムービー』や『タゴ・マゴ』、『フューチャー・デイズ』などが名盤とされるが、わたしは『サウンドトラックス』がいいと思う。それは、文字通り、劇伴ばかりを集めたアルバムで、ほどよく抒情性があり、短くわかりやすい楽曲が多いからだ。

『サウンドトラックス』のなかで最も長尺なのが、「マザー・スカイ」という14分30秒の曲。これはイエジー・スコリモフスキの『早春』（原題『DEEP END』）で使われた。ミニマル・ミュージック風に延々と「マザー・スカイ」というを繰り返しであり、ピンク・フロイドの「シー・エミリー・プレー」や「ユージン、斧に気をつけろ」を彷彿とさせるメロディと、ミニマル・ミュージックのように旋回する音、そしてダモ鈴木のノイズのようなしゃがれ声が耳に残る。

ダモ鈴木の声が好きすぎて、97年渋谷オンエアウエストの「ダモズ・ネットワーク」というライブにも出かけた。そこには、なんとCANのメンバー、ミヒャエル・カローリやグル・グルのドラマー、マニ・ノイマイヤーまで出演していた！　感激!!

アヴァンギャルドな女歌手

アヴァンギャルド音楽として、男性の表現者を列挙してきたが、女性にもスゴイ人たちがいる。オノ・ヨーコやパティ・スミスなどはいうまでもない。だが、この人たちはあまりにビッグネームすぎるし、なんだかんだいっているうちに文化功労者のようになり、ある種の権威になってしまっているのがちょっとつまらない。

私が好きなのは、アナーキーで破天荒で、「まっすぐ歪んでいく」ような人たち。その代表格と思うのが、なんといってもNico（ニコ）である。

彼女は「ヴェルヴェット・アンダーグラウンド」のミューズといわれたドイツ人。フランスの映画監督フィリップ・ガレルのミューズでもあった。さかのぼれば、アラン・ドロンとの間に一子をもうけている。もとは長身で美貌のモデル。フェリーニ監督の『甘い生活』にもチョイ役で出ている。

アンディ・ウォーホールのデザインで有名な『ヴェルヴェット・アンダーグラウンド&ニコ』、通称「バナナ・アルバム」では、ルー・リードが彼女のために「オール・トゥモローズ・パーティ」や「アイル・ビー・ユア・ミラー」、「宿命の女」を作った。ドイツ訛りで突き放したように唄うヘタウマともいえるこの3曲は絶品だ。

ヴェルヴェッツを離れ、ソロデビューした『チェルシー・ガール』、『マーブル・インデックス』、そして一時期、恋人だったというドアーズのジム・モリソンの曲をカバーした『ジ・エンド』。さらに、フィリップ・ガレルの映像を使った『デザート・ショア』（たぶん『内なる傷痕』という映画）。いずれも「シンプルにして予測不能」な感覚に満ち、ダークサイドの巫女のような存在感があり、聴いているうちに身体の底から脱力してしまう。

彼女のドラッグまみれの人生、まるで転がる石のような数奇な生涯を描いた『ニコ・イコン』というドキュメンタリーも必見である。これを見ると、つい対比してしまうのが、ジェーン・バーキンだ。金髪碧眼、長身のモデル上がりのふたり。ニコもドラッグをやっていなければ、オサレな渋谷系（これも古い？）文化人のようになれたかもしれない。まあ、ジェーン・バーキンの甘ったるい歌では満足できないが。

初期パンク界では、ニナ・ハーゲンの存在も大きい。いまや「パンクの母」と呼ばれているらしい。もとは東ドイツ出身。東独の反体制詩人であり、歌い手としても有名だったヴォルフ・ビアマンが養父ということを知ってびっくりしたものだ。

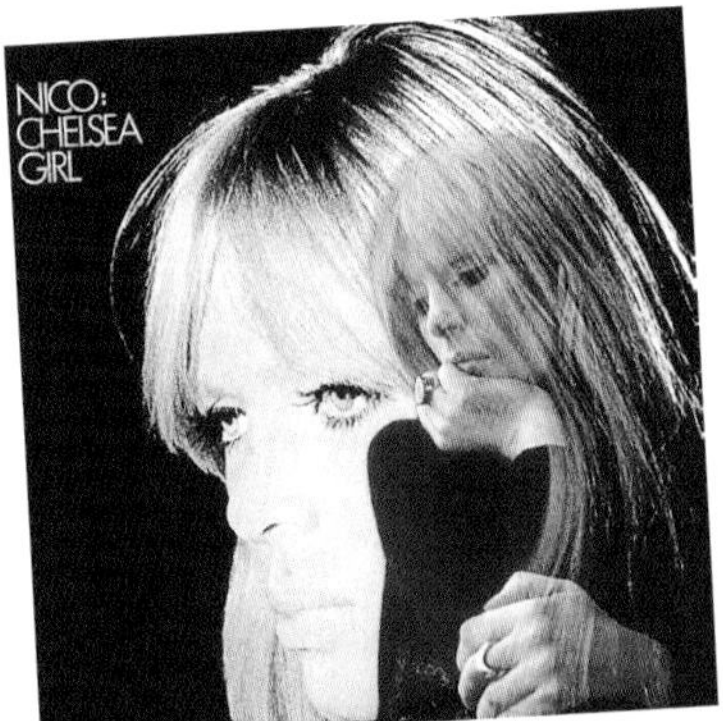

★（上）Nico「チェルシー・ガール」
（下）ニナ・ハーゲン「ウンバ・ハーゲン」

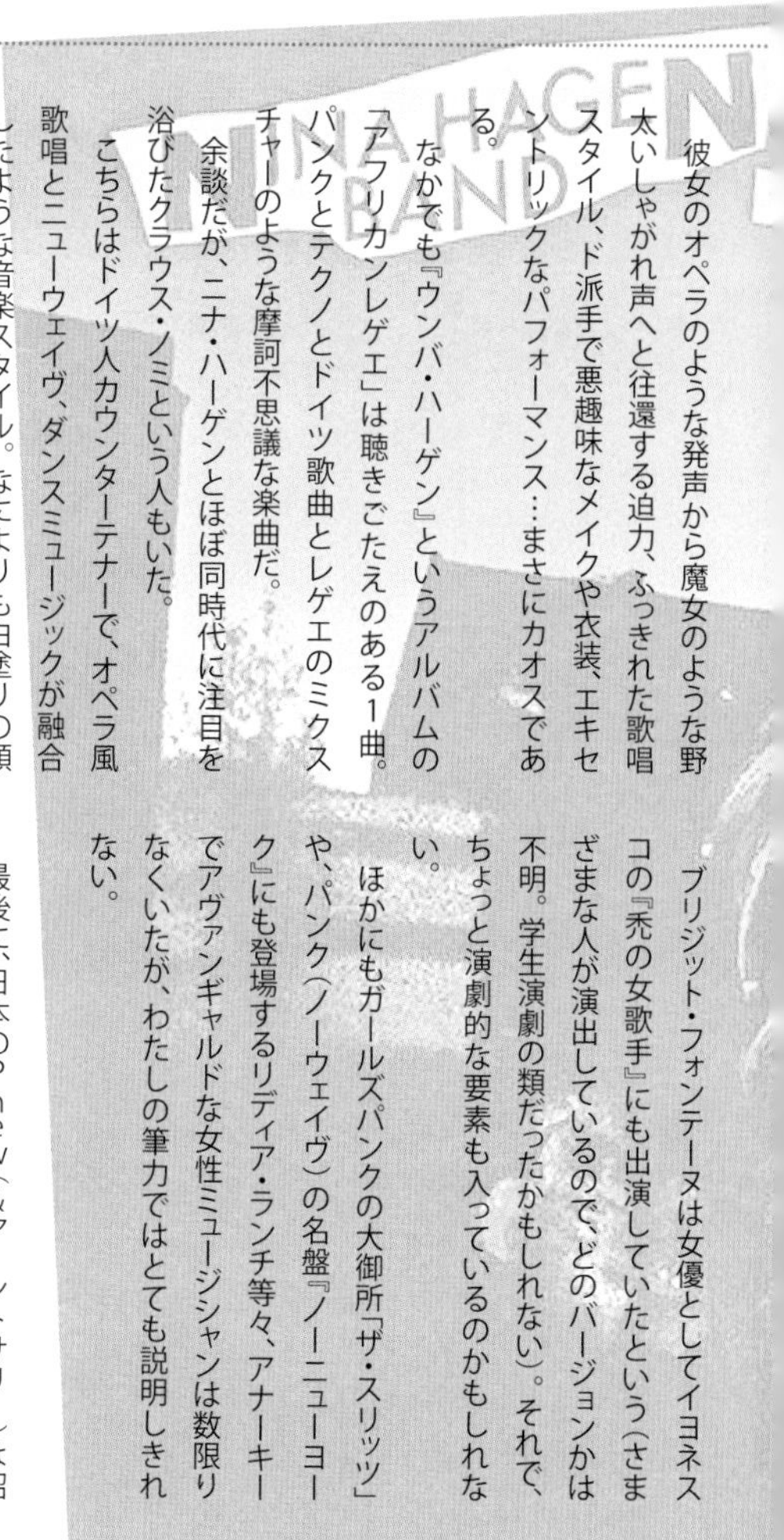

彼女のオペラのような発声から魔女のような野太いしゃがれ声へと往還する迫力、ふっきれた歌唱スタイル、ド派手で悪趣味なメイクや衣装、エキセントリックなパフォーマンス…まさにカオスである。

なかでも『ウンバ・ハーゲン』というアルバムの「アフリカンレゲエ」は聴きごたえのある1曲。パンクとテクノとドイツ歌曲とレゲエのミクスチャーのような摩訶不思議な楽曲だ。

余談だが、ニナ・ハーゲンとほぼ同時代に注目を浴びたクラウス・ノミという人もいた。

こちらはドイツ人カウンターテナーで、オペラ風歌唱とニューウェイヴ、ダンスミュージックが融合したような音楽スタイル。なによりも白塗りの顔にビリケンさんのようなトンガリ頭、奇抜な衣装とパフォーマンスが記憶に残る。惜しくもエイズで早世してしまった。

フランスでは、ブリジット・フォンテーヌが60年代アヴァンギャルドの先駆者だろうか。ジャケットも凝っている『ブリジット・フォンテーヌは…』、『ラジオのように』は、シャンソンの伝統を基盤に、フリージャズ、ロック等々、さまざまな要素を取り入れ、ポップでありながら退廃的でアナーキーな雰囲気を醸し出す。

けっして声高ではないけれど、フランス的いけず精神（京都風の）と実験的精神にあふれ、ゴダールの映画にも通じるような芸風だったと思う。

ブリジット・フォンテーヌは女優としてイヨネスコの『禿の女歌手』にも出演していたという（さまざまな人が演出しているので、どのバージョンかは不明。学生演劇の類だったかもしれない）。それで、ちょっと演劇的な要素も入っているのかもしれない。

ほかにもガールズパンクの大御所「ザ・スリッツ」や、パンク（ノーウェイヴ）の名盤『ノーニューヨーク』にも登場するリディア・ランチ等々、アナーキーでアヴァンギャルドな女性ミュージシャンは数限りなくいたが、わたしの筆力ではとても説明しきれない。

最後に、日本のPhew（&アーントサリー）は紹介しておきたい。70年代後半から80年代の日本のパンクシーン・ニューウェイヴシーンの中で、ちょっと異色の存在だった。この人もけっして歌がうまいわけではない。クールなポエトリー・リーディング的歌唱スタイルとシンプルなメロディとリリックがいい。シュールで詩的でアンニュイ。

抒情的でもある「日が朽ちて」や「醒めた火事場で」をはじめ、「♪死んだ後の美辞麗句、天才なんてだれでもなれる、鉄道自殺すればいいだけ…」と投げやりに歌う「ローレライ」は圧巻。ニコの歌以上に体がぐずぐずに頽れてしまう。

ソロとしては、坂本龍一プロデュースのシングル『終曲／うらはら』を発表。さらに、あのCANのホルガー・チューカイ、ヤキ・リーベツァイトを配して『Phew』を制作。もう、マニア垂涎！ つい最近までそのレコードはお宝として所有していたが、いつのまにかほとんどCD化されていることを知り、これまた手放してしまった。いまもマニアの間では、それなりの高値が付いているらしい。

いまとなっては、前衛も異端もごったまぜ。ユーチューブでは、ほぼあらゆる音楽が聴けるし、Phewの歌にもあるように「すべて売り物」であり、天が下に新しきものなし。永遠のアヴァンギャルドは存在しない。いろいろな音楽を聴いてきたが、すべて老人の夢物語、邯鄲の夢のような気もしてくる。だが、折に触れてかつて愛した音楽を聴き返すと、心がうずいたり、体が勝手に動きだす（はたから見れば、老婆がついに気が触れた…と思われるかもしれない）。いまもなお、ドアーズのジム・モリソンの歌のように「音楽は唯一の友だち」でもあるのだ。

★アーント・サリー「アーント・サリー」

音楽の死、死の音楽の始まりとしての〈インダストリアル・ノイズ〉

◎文＝石川雷太

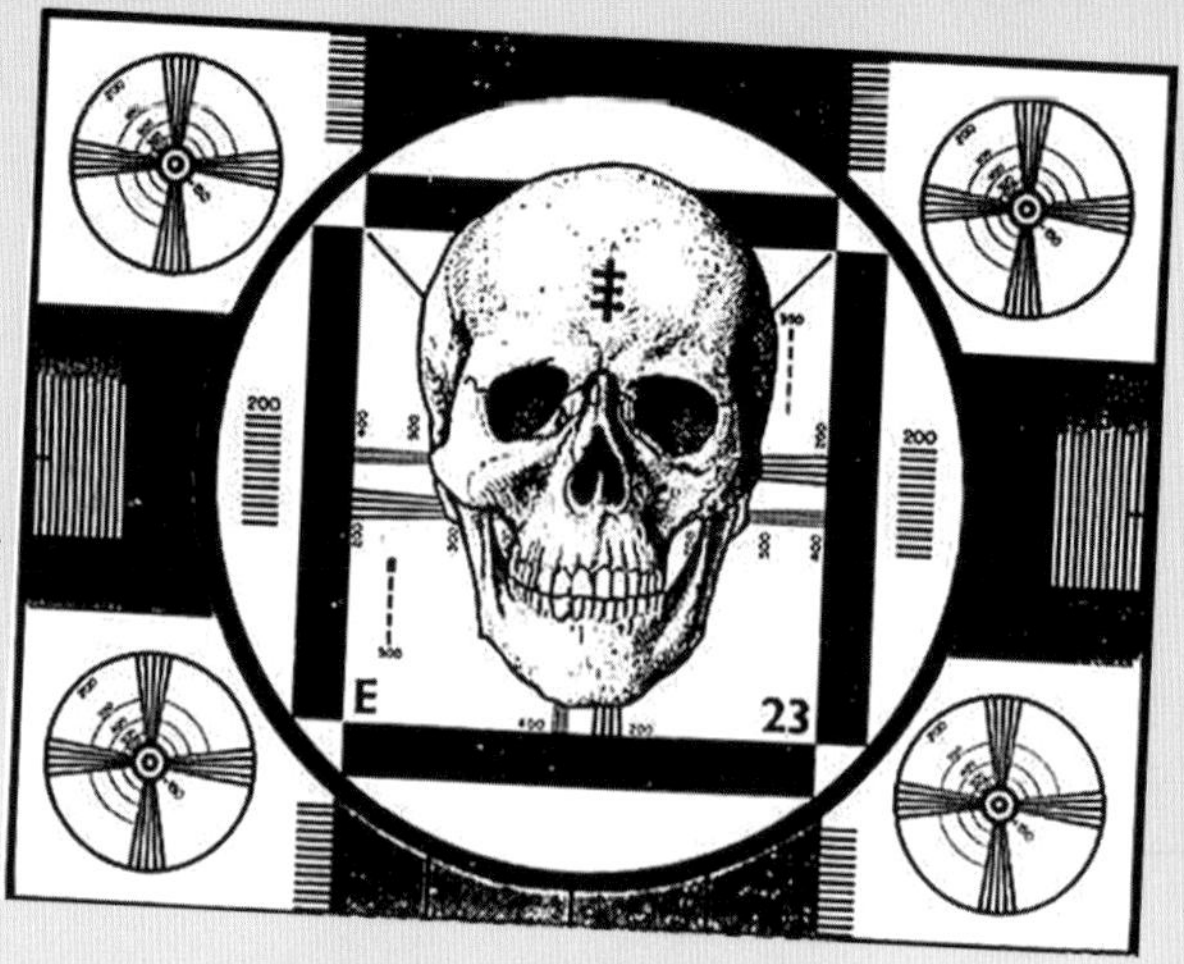

★サイキックTVのビデオ「First transmission」（1982）より

ジェネシス・P・オーリッジが生んだ「インダストリアル」というジャンルと思想

この3月のジェネシス・P・オーリッジの訃報はショッキングなニュースだった。ジェネシスは1970年代後半以後、世界のアンダーグラウンド音楽を牽引し、後世に多大な影響を及ぼしたたカルト・アーティストだ。ノイズ、インダストリアル、インディーズ、パフォーマンスといった現在のラディカル・アートへと連なる流れを遡行する時、極めて大きな存在として彼が立ち現れてくる。2020年3月14日、持病の白血病により50年に渡る活動に終止符を打った。享年70。その活動で最も知られているものは、スロッビング・グリッスルとインダストリアル・レコードだろう。現在まで語り継がれる「インダストリアル」というジャンルと思想はここから始まっている。

ジェネシスは、1969年に、当時の交際相手でありストリップやモデルの仕事をしていたコージー・ファニ・トゥッティらと、クーム・トラン

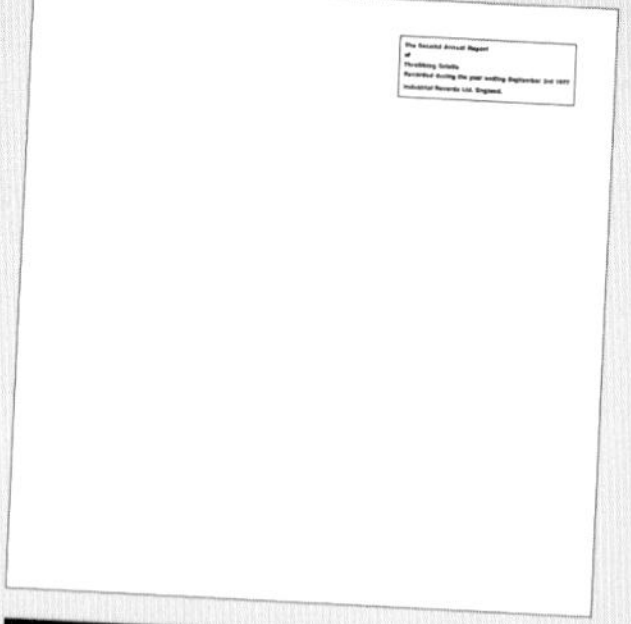

★（上から）
COUM TRANSMISSIONS / Home Aged & The 18 Month Hope
Throbbing Gristle / The Second Annual Report（1977）
Throbbing Gristle / 20 jazz funk greats（1979）

スミッション（COUM Transmissions）を結成する。クームは、自らの血液や精液を使用した性魔術的パフォーマンスを行っており、当初からオカルティズムと身体性に軸が置かれていたことを伺わせる。この傾向は後に結成するスロッビング・グリッスル、サイキックTVにも通底する。

スロッビング・グリッスル（Throbbing Gristle、以下TG）、「勃起したペニス」の隠語を冠するこのバンドは、ジェネシス、コージーに、クリス・カーター（後にクリス&コージーとして活動）、ピーター・クリストファーソン（後にCOIL）が加わり、75年にイギリスのキングストン・アポン・ハルで結成される。77年、自らが主宰するインダストリアル・レコードから、ファーストアルバム「The Second Annual Report」をリリースする。

パンクをも伝統的な音楽として否定する、反ポップ=反商業主義の極北ともいうべき彼らの音楽は、完膚なきまでに破壊された音楽の断片を再構築したようなゴミの塊であり、憎悪の叫び声、兵器の音のコラージュ、胸の悪くなるような電子音、グルーヴ感を無視した無機質なデジタルビートなど、私たちに精神的にも身体的にも極度の緊張を強いるものばかりだ。それらは人に奉仕する音楽ではなく、時には人を傷つけ、社会や人間そのものを問う、あたかもバランスを無視して暴走する機械文明が生み出した工場廃液のような音楽である。

TG解散後、81年、ジェネシスは、ピーター・クリストファーソン、オルタナティブTV（Alternative TV）のアレックス・ファーガソンらとサイキックTV（Psychic TV、以下PTV）を結成。初期メンバーとして、ジョン・バランス（後にCOIL）、デビット・チベット（Current 93）なども参加している。PTVは20世紀の魔術師アレイスター・クロウリーによる〈法の書〉の「汝の欲する所を為せ、それが汝の法とならん」との言説をスローガンとする教団テンプル・オブ・サイキック・ユース（Thee Temple ov Psychick Youth）の音楽部門であり、多くの賛同者とともに秘教的な活動を行ったとされる。

その音楽はその儀式のためのツールとして位置づけられ、TGとは打って変わり、フォーク、ストリングス、アンビエント、ミニマル、民族音楽、現代音楽など、あらゆるスタイルが取り入れられた。こうしたことからも、PTVの目的が単なる「音楽を作ること」ではないことは明白で、精

★（上から）
Psychic TV / テンプルの預言 Force the Hand of Chance（1981）
Psychic TV / Dreams Less Sweet（1983）
Psychic TV / Tekno Acid Beat（1988）
Psychic TV / kondole（1993）

★エリック・ニードリングとインゴ・ニーアマンによるドキュメンタリー
「The Future of Art」(2010)でインタビューを受けるジェネシス／You Tubeで視聴可能

神の変革／変容を目的としていた。ファーストアルバム「テンプルの預言／Force the Hand of Chance」のボーナスレコード「サイキックTVのテーマ」に収録された「チベット産、人間の大腿骨トランペット23本の演奏」「ガイアナの集団自殺の時に、ジョーンズタウンで作られたレコーディング」は特に恐ろしく、精神の崩壊を促しかねない音楽だ。

また、ファーストとセカンドアルバム「Dreams Less Sweet」(1983)では心理的な効果の強化のため、ヒューゴ・ズッカレリの立体音響＝ホロフォニクス録音の技術が導入されており、ヘッドホンで聴くと、耳元で猛犬の鳴き声が聴こえたり、生きたまま棺桶で埋葬される様子を体験することができる。80年代後半からはハウス・ミュージックに傾倒、まさかのクラフトワークや女性の喘ぎ声がサンプリングされた「Tekno Acid Beat」(1988)、イルカの声をフューチャーしたアンビエントサウンドの「Kondole」(1993)等、サイケデリック・テクノのアルバムを大量にリリースしている。こうしたオカルティズムとテクノロジーの混在は特異である。

余談だが、86年、雑誌「フールズメイト」の企画で来日した際にフロントアクトをやる予定だったハナタラシ(山塚アイ)が、爆破予告とともに会場にダイナマイトを持ち込みライブが中止になった話はよく知られている。ジェネシスは激怒していたらしい。

音楽の死、死の音楽の始まり

ＴＧが主宰したインダストリアル・レコードは、１９７６年に設立。主にＴＧの作品を中心に数十枚のリリースがある。ＴＧは２００４年の再結成後も、スタジオ・アルバム「TG NOW」(2004)、「Part Two：The Endless Not」(2007)、ライブ・アルバム「The third mind movements」(2009)などをリリースしている。

ＴＧの他、ＳＰＫ、キャバレーボルテール(Cabaret Voltaire)、Monte Cazazza、Clock DVAなど、同様の志向性を持つ多くの重要なアーティストの作品もリリース。また、１９５０年代のビート・ジェネレーションの作家、ウィリアム・S・バロウズの朗読をカットアップした作品などもあり、サイケデリック、ジャンク、ノイズといったアヴァンギャルド文化を連係した功績は大きい。ちなみに、ジェネシスとバロウズは西ドイツのカルト映画「デコーダー」(1984)でも共演している。

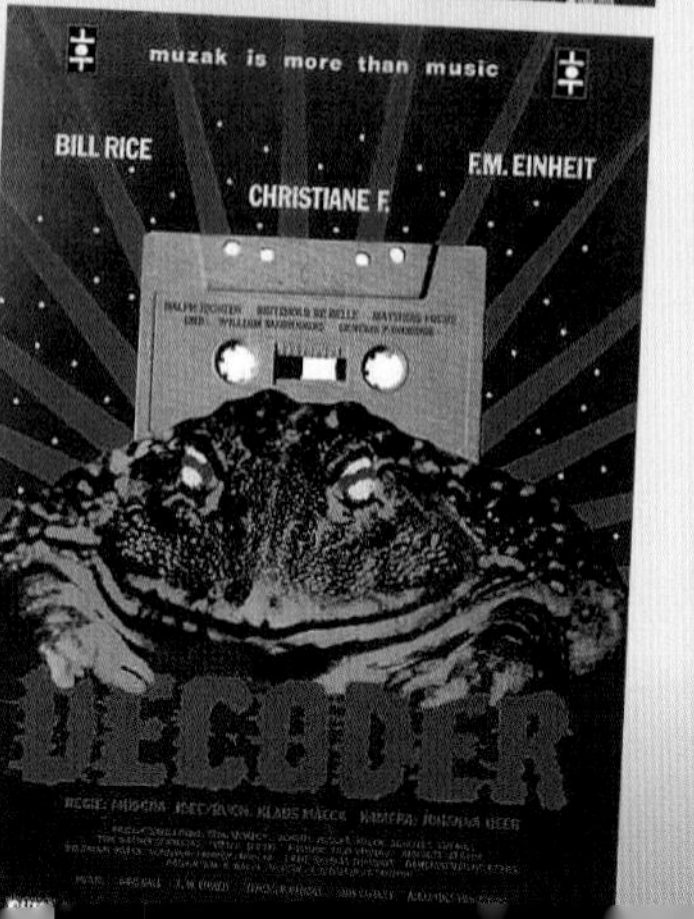

★(上から)
Cabaret Voltaire / The Voice of America (1980)
映画「デコーダー」のポスター

彼らに共通するのは、音楽の既存の構造や様式、既成概念に左右されることなく自分たちの音楽（反音楽?）を再構築しているという点だ。TGのファーストアルバム『The Second Annual Report』のジャケットには「INDUSTRIAL MUSIC FOR INDUSTRIAL PEOPLE」という言葉が付されているが、これは工業製品のように日々量産さ れるされる大衆音楽、コントロールされたポップカルチャーに対する皮肉であり、ライブやレコードから叩き出される〈ノイズ〉はそれらに対する宣戦布告だと言えるだろう。

70年代後半から80年代初頭、TGやその周辺の動きに呼応するように、世界の至る場所で破壊的な表現やインディペンデントなムーヴメントが同時多発的に生まれている。ザ・ポップ・グループ、スウェル・マップス、ヴァージン・プリューンズなどパンクの影響下でよりフリーでエクスペリメンタルな音楽性を持つバンドを紹介したラフ・トレード・レコード（Rough Trade Records）、後にTG、PTV、SPKなどの再発盤や、アインシュテュルツェンデ・ノイバウテン、DAF、ライバッハ、パナソニックなど、ノイズ・インダストリアル系のバンドを多数リリースするミュート・レコード（Mute Records）、これらのインディーズ・レーベルも78年にスタートしている。

日本では、77年に創刊された雑誌「フールズメイト」がTGやその周辺のインダストリアルの動向を詳しく紹介していた。編集長の北村昌士は後にトランス・レコードを設立、自らのバンドYBO^{2}を始め、映画「鉄男」のサントラで知られる石川忠の在籍していたZeitlich Vergelter など日本のノイズ・インダストリアルの音源をリリースする。また、「フールズメイト」の執筆者でもあった秋田昌美によるメルツバウ（MERZBOW）、後にアルケミー・レコードを設立するJOJO広重による非常階段が、音楽的構造を木っ端微塵に破壊したような轟音と圧倒的な音圧が支配する日本独自のノイズ演奏を始めたのもこの時期である。

西ベルリンでは、78年頃から、パンクとニューウェーブの影響下で奇形的に進化したアンダーグラウンドなアーティスト達により、ノイエ・ドイッチェ・ヴェレ（Neue Deutsche Welle、新しいドイツの波）と呼ばれるムーヴメントが起こった。アナログシーケンサーの暴力的なまでに単調で無機的なリズムに「ムッソリーニで踊れ！」と繰り返し歌を乗せたDAFがよく知られているが、80年に活動を始めるアインシュテュルツェ

★（上から）
DAF / Die Kleinen Und Die Bösen（1980）
Einstürzende Neubauten / KOLLAPS（1981）／ジャケットの表
同ジャケットの裏

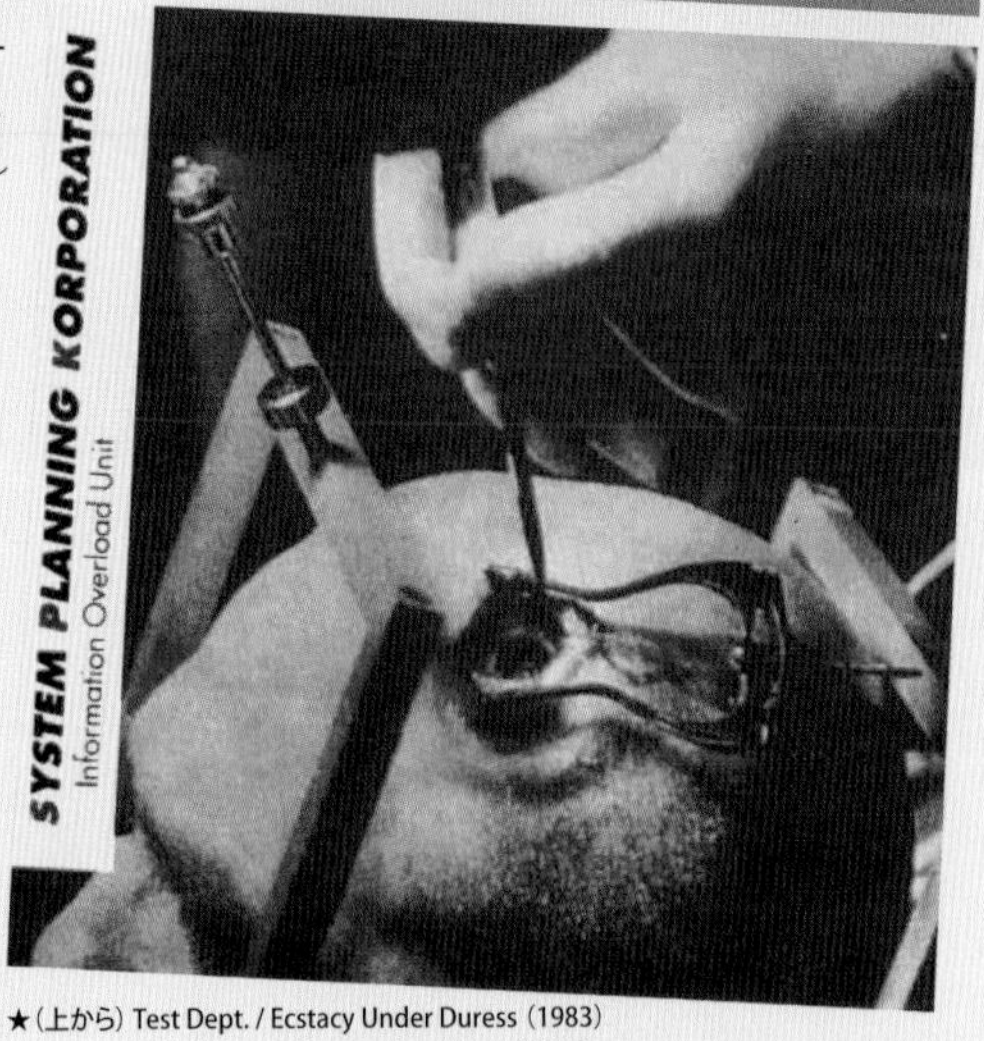

★(上から) Test Dept. / Ecstacy Under Duress (1983)
SPK / Information Overload Unit (1981)

ンデ・ノイバウテン(Einstürzende Neubauten)は特に異彩を放っていた。「崩壊する新建築」という意味のバンド名を持つこのグループの音楽は、屑鉄、鉄板、ポリタンク、工業用スプリング、電気ドリル、鑿岩機、コンクリートミキサー、ショッピングカート等々、およそ楽器とは呼べないものによる演奏(?)と、金属的な叫びと語りによって構成される。まさにノイズよるノイズであり、音楽の死によって立つ音楽だ。廃墟や高速道路の高架下で行われるそのパフォーマンスは、ダダ的であり、崩壊する都市にこそ相応しく「美しい」。

　屑鉄やスクラップを叩くスタイルはメタル・パーカッションと呼ばれ、インダストリアルを特徴づける大きな要素のひとつだ。同様の傾向を持つグループとしては、SPK、テストデパートメント(Test Department/Test Dept.)などがある。これは非音楽的なものを音楽の中に引き込み、音で「音楽」を破壊する行為だと言える。既存の「音楽」という表面を瓦解させ事物の本質に私たちを直面させる行為だ。特にSPKは、メタルパーカッションの金属ノイズに加え、さらに、非人間的なもの、犯罪やポルノ、戦争や死体の写真、こうした暴力的なヴィジュアルを積極的に取り込み並列させることで、私たちが盲目的に信じている「自明の世界」の幻想性を暴こうとした。

　SPKは、フランスの現代思想家、ジャン・ボードリヤールの著書「象徴交換と死」のシミュラクル理論を援用し、過激かつ破滅的な自らの表現を「ポスト・インダストル・エイジによる高度資本主義のシミュラクルへのアタックである」と説明している。こうしたコンセプトは、意識的無意識的の差はあれ、他のインダストリアルの表現者にも共通するものだろう。

　先程のクーム・トランスミッション、TG、PTVも同様に、その軸足は言うまでもなく〈身体〉、そして無意識へと連続する精神を含めた〈物質〉の側にある。これは優れたアート/芸術の根本的で絶対的な条件である。私たち人も物質も、シミュラクル(=虚像/幻想)ではないし、国家や巨大資本のための単なる消費財ではない。私たちの文明は、時を経るごとに記号化され漂白され、非人間化、非物質化に向かっている。事あるごとに個人の行動やデータがビッグデータに蓄積され、私たちの存在、世界の存在そのものが巨大資本に搾取されつつある現在、改めて私たちの存在そのものを問い、常に身体に絡みつきそれを形骸化しようとする〈敵〉を破壊するために、初期インダストリアル・ノイズが行った表現~思想~闘争が再び必要な時なのではないだろうか?

楽器の音色の向こうに極楽浄土を夢想する

村田兼一
MURATA Ken'ichi

村田兼一は、例えば写真集「少女観音」のあとがきで、観音に擬《なぞら》えたモデルに慈愛のオーラを感じ、そこに「救済」を見出したと記している。村田が撮影するのは、モデルの「素」ではなく、物語で彩られたエロスだ。「観音」などの物語性がまぶされることで、モデルは村田ならではのオーラをまとい、そこから村田も写真を観る者も生きるためのエネルギーを授かるのである。そして同時に、モデルもエロスを放つことで浄化されていく。
今度発売される新写真集において村田は、貶められたり流転するなどして、「何千年の時を経て我が屋根裏部屋に棲みついている女神」を幻想した。
そしてその女神たちはときに楽器を奏でる。そこには、極楽浄土へと救う来迎図の菩薩を重ね合わせているのだという。
だとするなら、楽器は救済の表象だ。音を奏でるその姿は、極楽を夢見させるものなのである。(沙)

★村田兼一 写真集
「女神たちの棲家」(仮題)
2020年9月末頃発売予定!
発行:アトリエサード、発売:書苑新社

音楽家って尊敬する職業です。子供の頃からの憧れです。音大生が楽器を抱えて歩いているだけでも格好良いのです。楽器の類も大好きで、コンサーティーナとか何処ぞの民族楽器とか、つい自分でも欲しくなり買ってしまったりするのですが、あまり近所迷惑な音を鳴らすわけにもいかず、飾られるだけになっています。そこでせめて絵に描いたり、立体作品の中に組み入れて作品の中の人に演奏させたりします。最近は、絡繰りオルゴールの作品自体がちょっと楽器っぽくもあるので、それで少しだけ納得する事にしています。

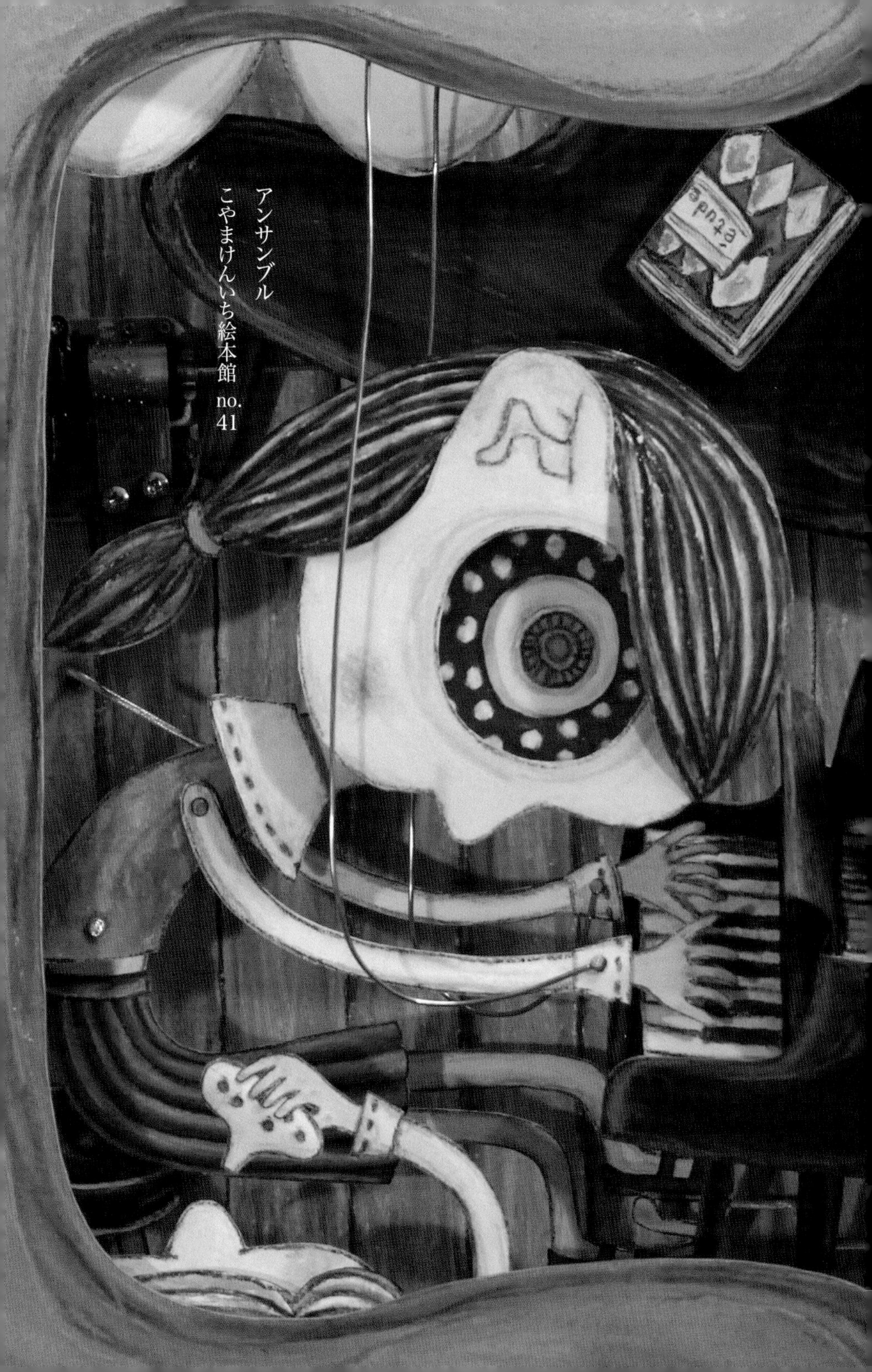

アンサンブル
こやまけんいち絵本館 no.41

辛しみと優しみ〈41〉

人形・文＝与偶
doll & text by Yogu

撮影◎サト・ノリユキ / SATOFOTO

メヘンディアーティスト×植物を愛する写真家

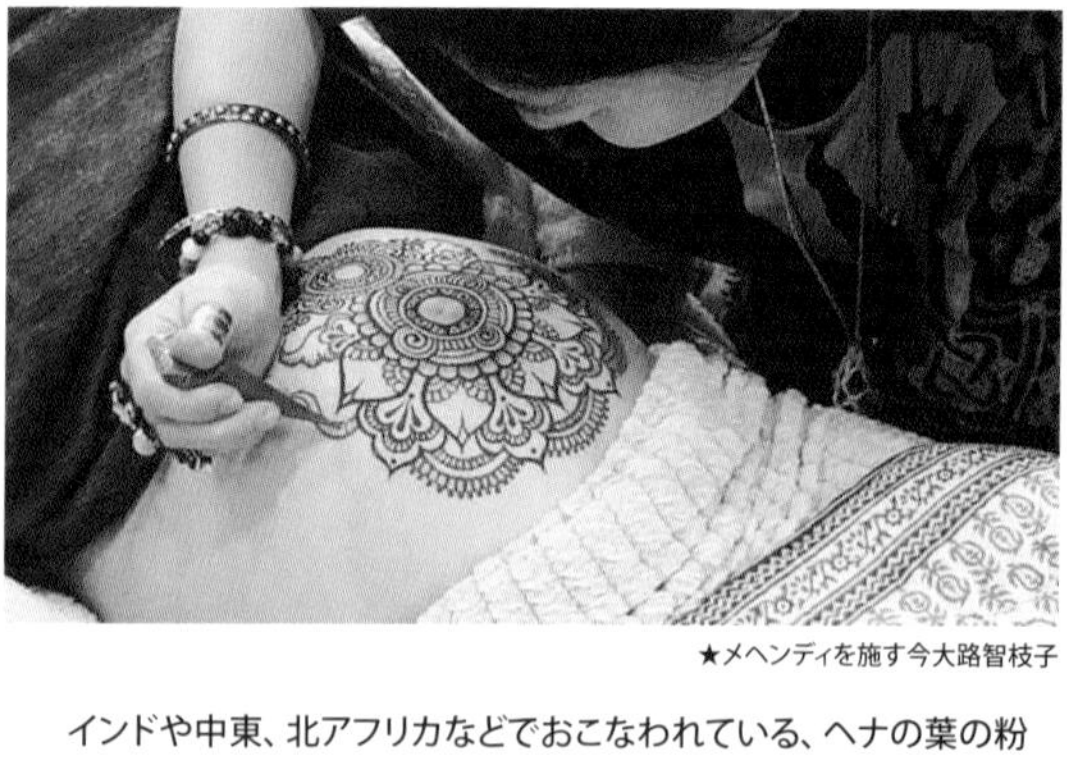

★メヘンディを施す今大路智枝子

★（上と右下の写真）ボディアート＝今大路智枝子、写真＝後藤麦

インドや中東、北アフリカなどでおこなわれている、ヘナの葉の粉末をペーストにして、肌に乗せて絵を描いてくメヘンディ。描画した数日後、染めた部分が濃く浮き出て、その後1〜2週間かけて徐々に消えていく。邪悪なものから身を守り、幸運を呼ぶとされ、結婚式の花嫁には手足に隙間なくメヘンディが描かれたりする。そのメヘンディのアーティストとして活躍する今大路智枝子がモデルにボディアートを施し、後藤麦が撮影した写真展が開かれる。女性のポートレイトを撮るとともに植物を愛する写真家と、植物で肌を染める絵師とのコラボ展だ。モデルは、奥山紗希、Gokkyun Emi、山南あかね他。会場ではワークショップや展示作品の写真集の販売もおこなわれる。（沙）

★後藤麦×今大路智枝子「感能植物」
2020年9月1日（火）〜6日（日） 会期中無休
12：00〜22：00（初日15：00〜、最終日〜19：00）
場所／大阪・中崎町 DollDress Tel.080-3856-1339
大阪市北区山崎町4-24 JR高架下52-53
※2F展示スペースは入場無料、1Fはカフェバー

沼尻消防署

左のモノクロの写真は、沼尻鉄道（福島県）の廃線跡地付近にあった消防署である。左側の扉は手押し式消防ポンプのガレージで、屋根のうしろにチラッと火の見台が見える。この写真を気に入ったぼくは自分の工作教室の制作課題として何回もこの消防署を取り上げ、生徒のみなさんと一緒につくりながら制作技法を説明してきた。下見板（外壁）には特殊な厚紙を用い、柱はヒノキの棒で、窓枠は金属をエッチング加工し、屋根にはラッピングシールをペタペタ貼った。少なくとも過去に十個はつくっている。写真はその最新作。今回はじめて室内にLED電球を仕込んでみた。二〇一九年制作。縮尺八〇分の一。
ちなみに本作は秋葉原のラジオ会館で見ることができます。会館六階のイエローサブマリンの店内に「はがいちようのミニチュアコレクション」というショーケースがあり、本作はその棚に陳列されています。

芳賀一洋（はが・いちよう）
http://www.ichiyoh-haga.com/jp/
1948年、東京に生まれる。1996年より作家活動を開始し、以後渋谷パルコ、新宿伊勢丹、銀座伊東屋などでの作品展開催や、各種イベントに参加するなど展示活動多数。著作に写真集「ICHIYOH」（ラトルズ刊）などがある。

社会不安によって再び噴出した残酷な幻想

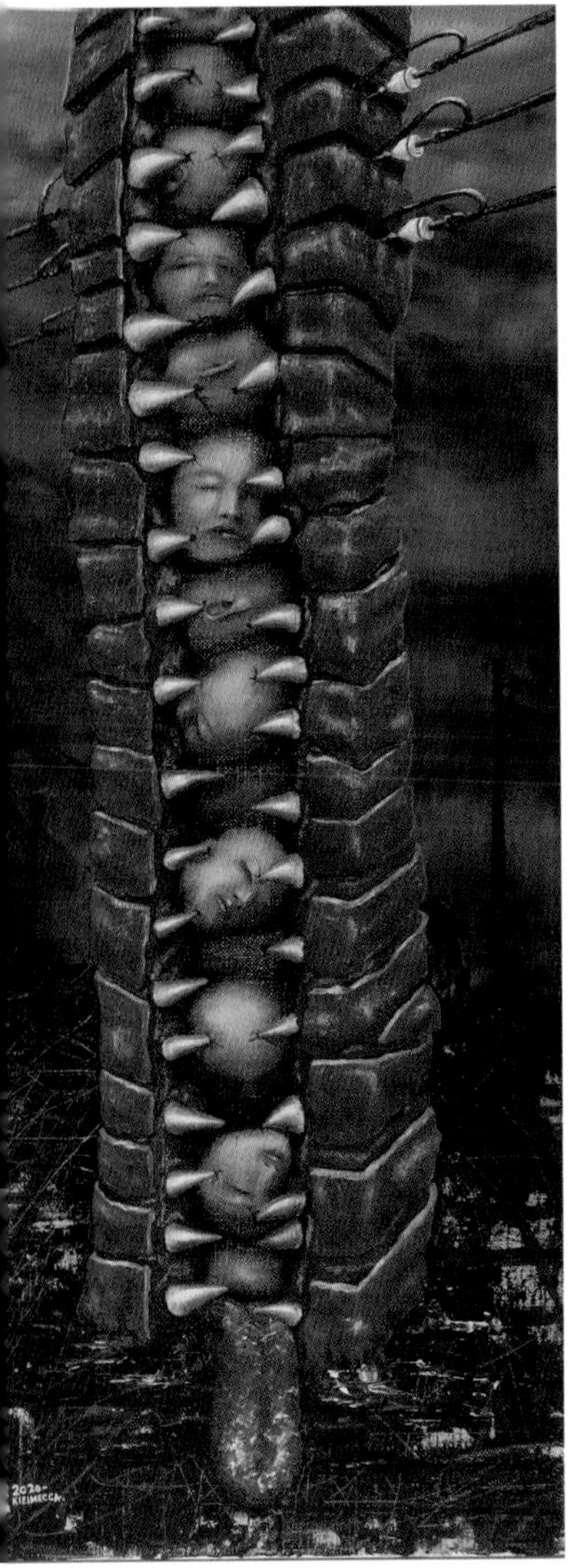

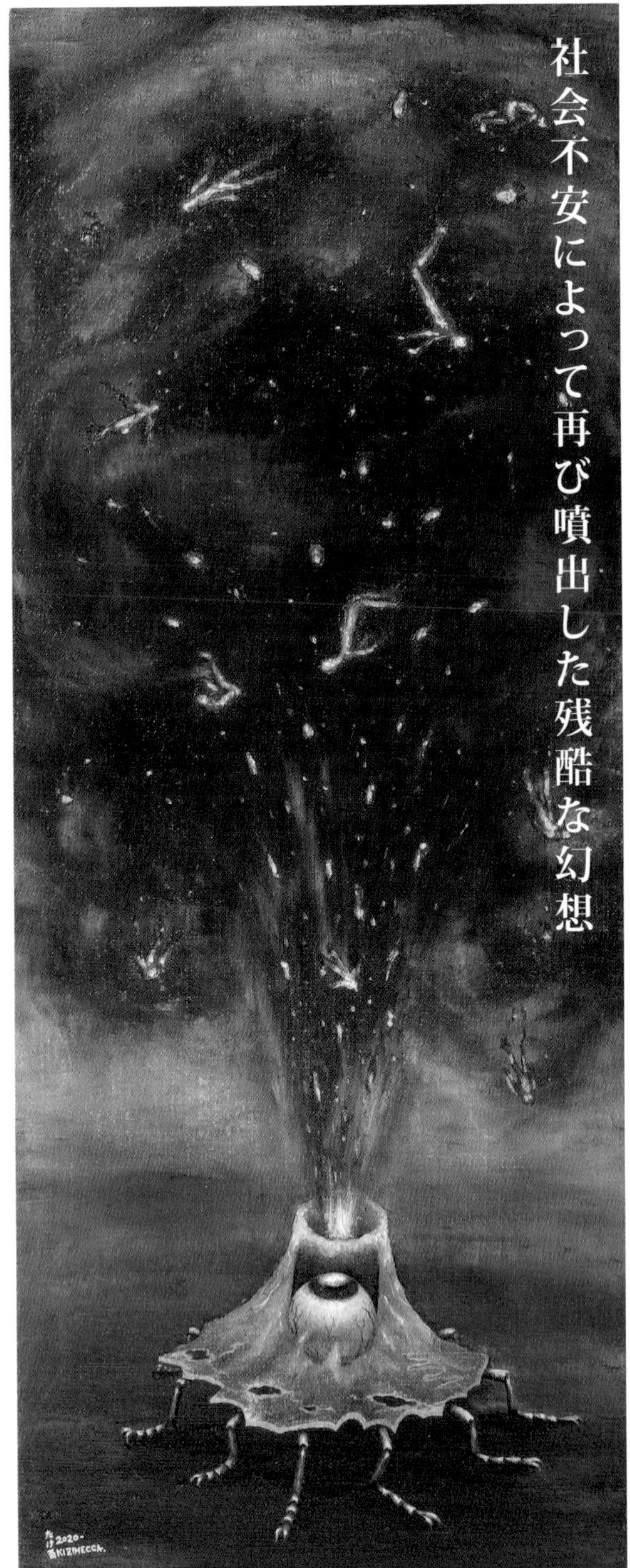

★（右）《自我の噴出》（上）《無抵抗主義者はゆっくりと食べられていく》

キジメッカという奇妙で正体不明な名前、千切れた身体がグロテスクに組み合わされた痛々しい光景——人の理性を粉々に粉砕するかのような得体の知れない作品に、観る者は身を震わせるかもしれない。

キジメッカが絵画の制作を停止したのが2014年。その翌年には、13年間の制作活動を打ち消すかのように、「全否定」と題した個展を開催する——

だがなんと、それから5年余りが経って、キジメッカは制作活動を再開させた。コロナ禍で社会不安が高まっている昨今の状況

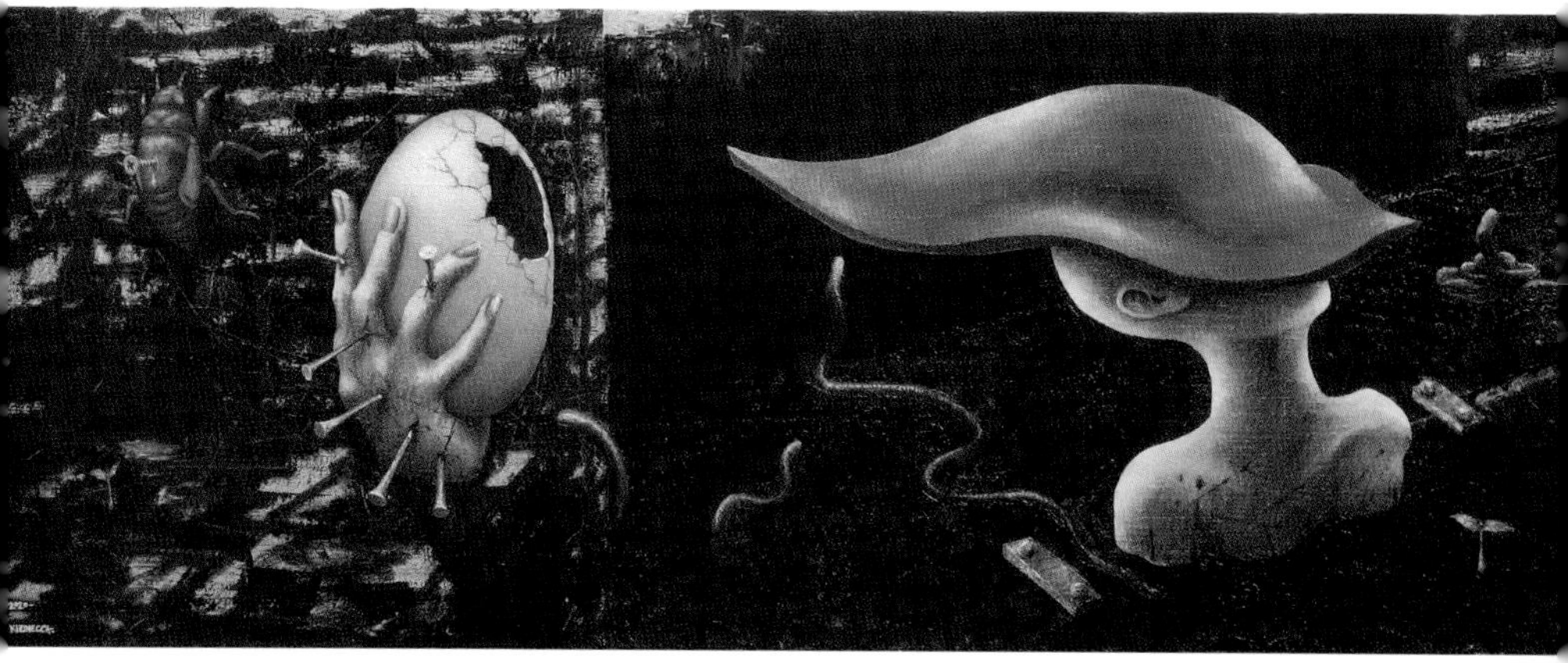

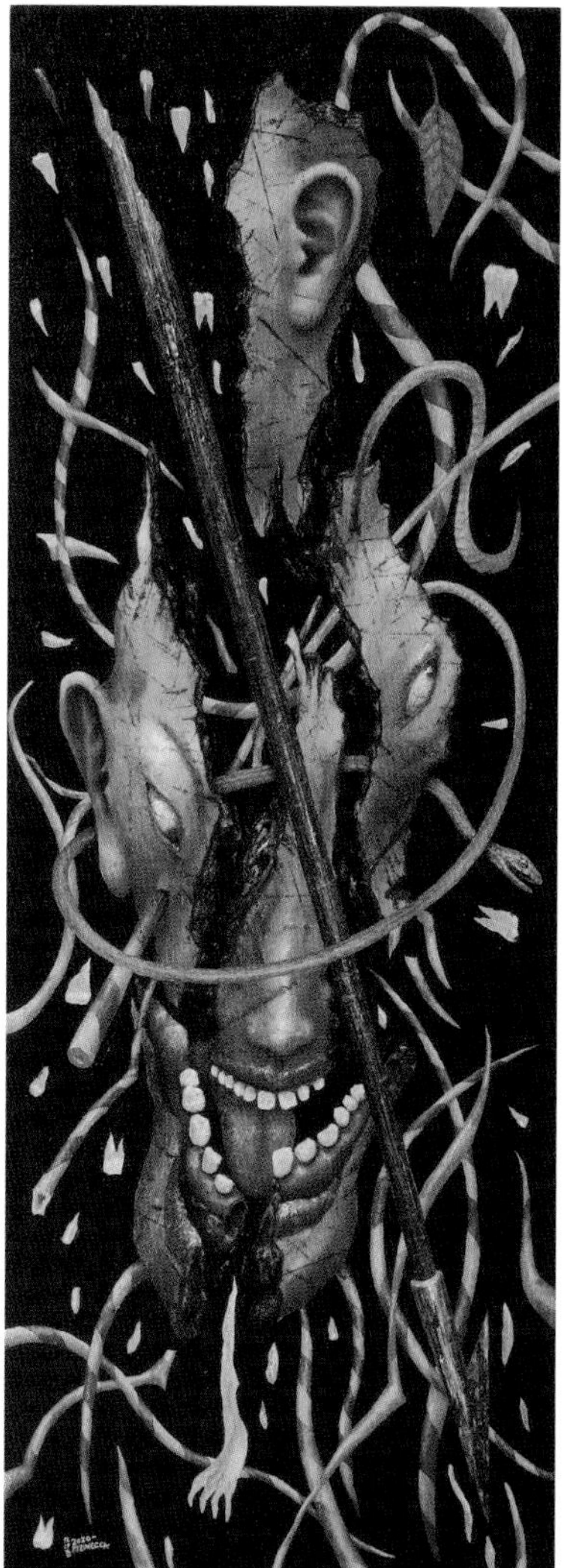

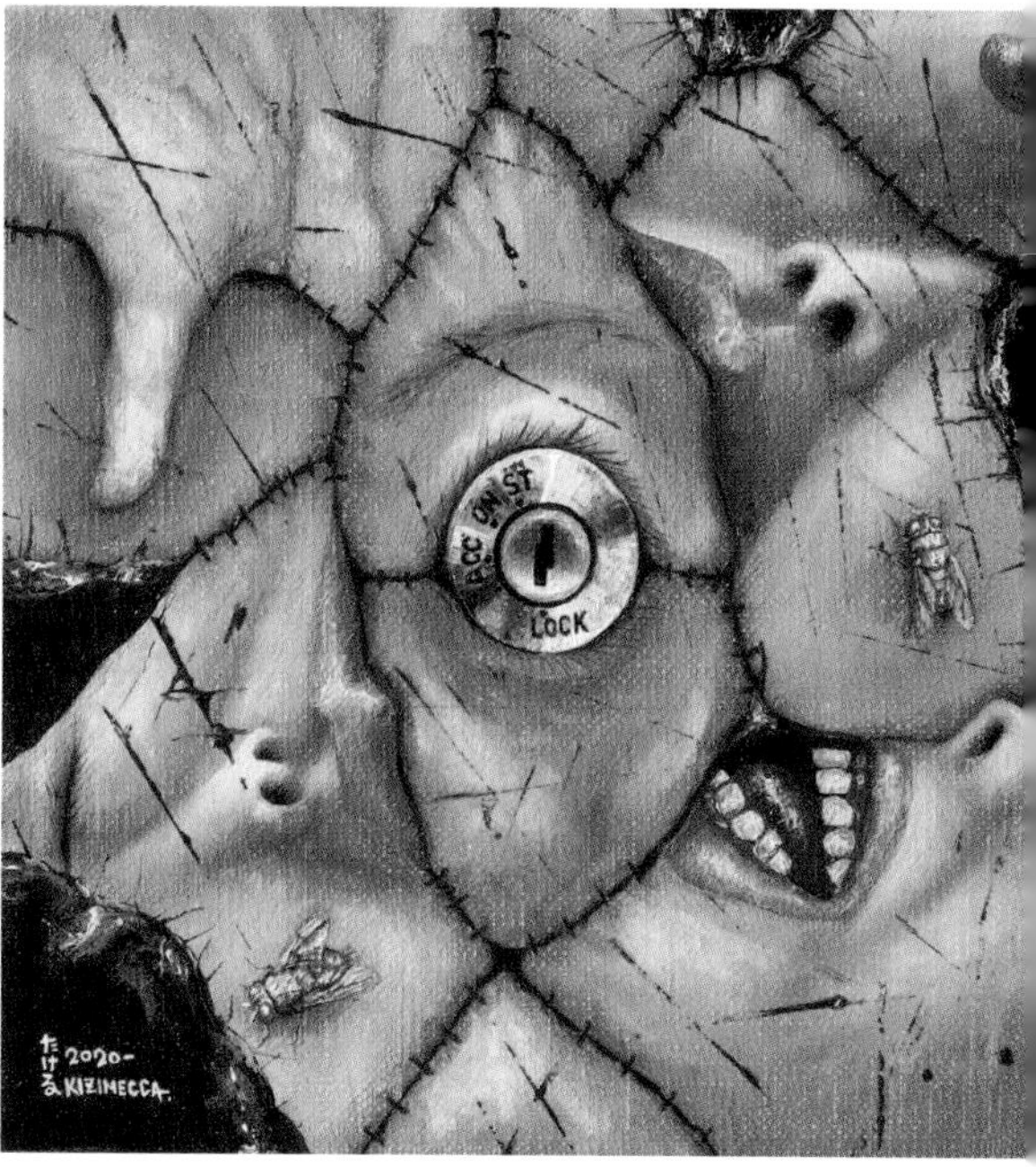

に、創作意欲を励起させたというのだ。コロナだからといって悪いことばかりではない。というか、キジメッカは、過酷な社会状況を投影し、その地獄からの新生を幻想して絵を描いてきたのだ。コロナ禍に触発されるのは、当然といえば当然のことかもしれない。
　そして再開後早くも個展が開かれる。これまで多くはM30号で描かれてきたが、そうしたサイズのこだわりからも脱して生み出される新たなキジメッカの世界。彼が今感じていることは、きっと観る者にも響くはずだ。（沙）

★キジメッカ作品展「キジメッ禍2020」 展示室B
2020年8月25日（火）〜9月6日（日）会期中無休
12:00〜19:00（土日・最終日は〜17:00）
入場料500円（展示室AB共通／全日時間指定事前チケット制）
場所／東京・銀座 ヴァニラ画廊 Tel.03-5568-1233
http://www.vanilla-gallery.com/
※要予約／予約等詳細は上記サイトへ

★（上）《閉塞した若者》（下右）《イグニッションスイッチ》（下左）《崩壊する情熱》

奇想漫画家・駕籠真太郎、初の本格的アートブック発売！

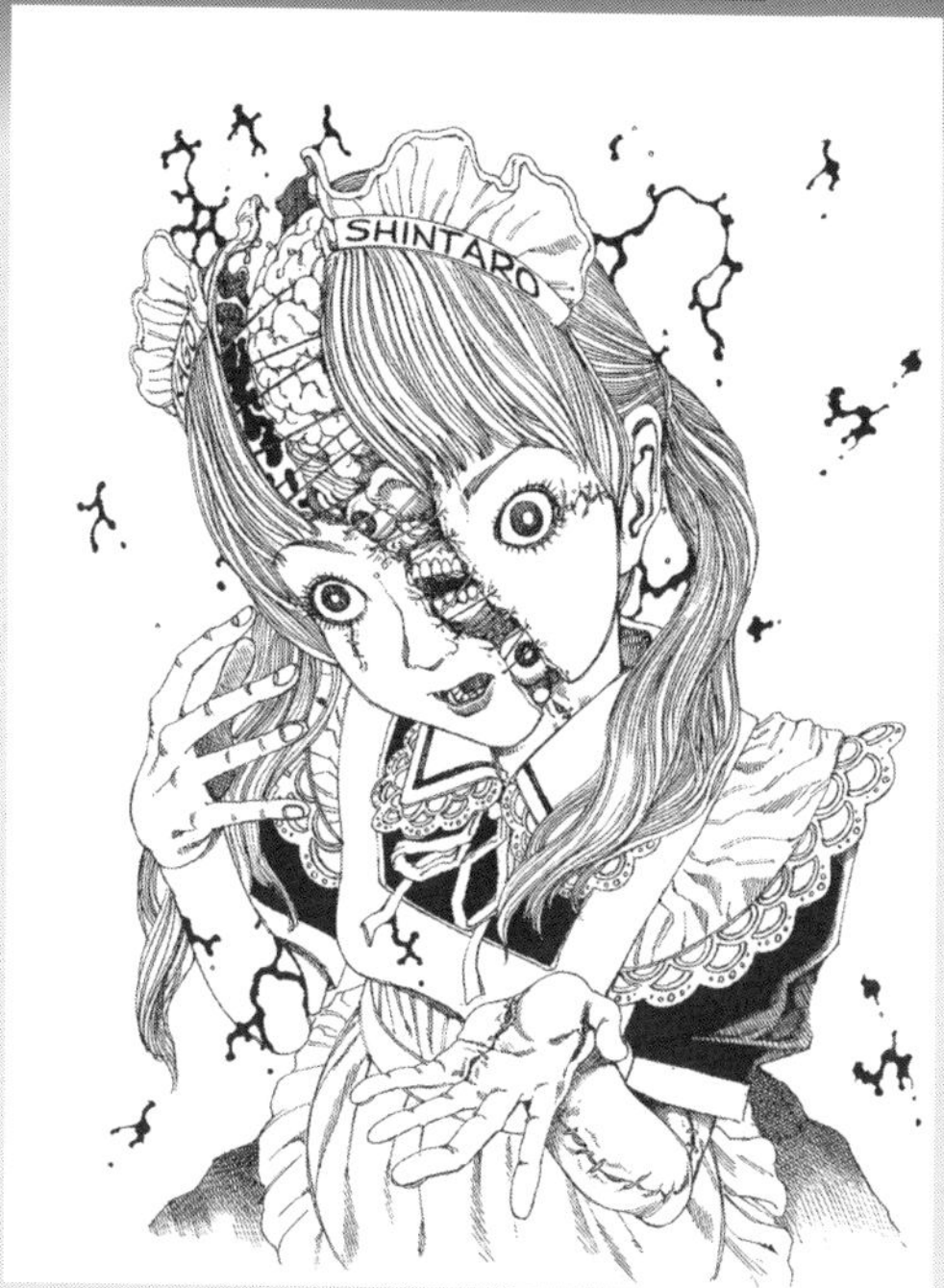

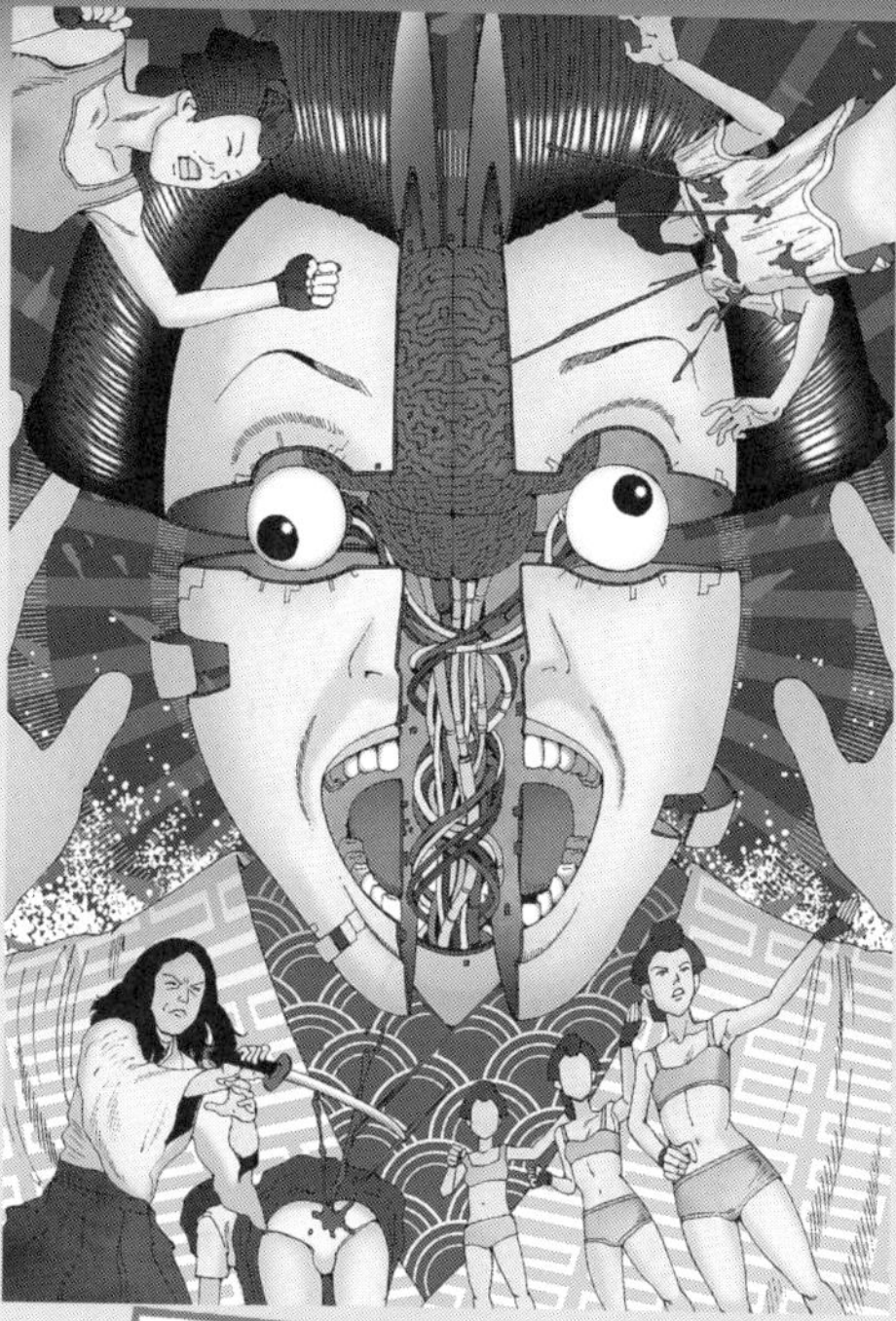

不謹慎かつ狂気的な漫画でカルト的な人気を集める奇想漫画家・駕籠真太郎、初の本格的アートブックが発売になる。駕籠は、漫画以外でも、国内外での個展の開催や特殊玩具・個人誌等の制作、「うんこ映画祭」なる自主映画上映会の主催など、さまざまな活動を精力的に展開している。
この画集では、その多彩な駕籠の活動のうち、オリジナル作品、色紙作品からポスター、Tシャツ、CD用のイラスト、さらには個人誌の装画等まで、漫画作品以外のアートワークを凝縮。駕籠ならではの、猟奇的だけど可愛らしく、アブノーマルだけどブラックユーモアが効いた、不道徳な奇想世界をたっぷり満載した本になっている。しかも大きなA4判サイズ！存分にその毒を浴びてほしい！（沙）

★「駕籠真太郎画集 死詩累々」
2020年8月13日発売予定！
詳細・通販はアトリエサードのHPへ！
A4判カバー装・128頁・税別3200円
発行：アトリエサード、発売：書苑新社

★駕籠真太郎画集 出版記念イベント
2020年8月15日～
※展示と、画集やグッズの販売
※期間や営業時間は、タコシェのサイトやTwitterなどをご確認ください。
場所／東京・中野 タコシェ
Tel.03-5343-3010 http://tacoche.com/

★これまでの駕籠真太郎画集が電子書籍に！
「女の子の頭の中はお菓子がいっぱい詰まっています」は2020年8月末頃、「Panna Cotta」は2020年9月末頃配信開始予定！
※「Panna Cotta」は紙版も好評発売中です!!

★SRBGENk

★エレン・シェイドリン

SRBGENkが描くのは、オカルティックで残酷、狂気を感じさせる一方で、キュートな可愛らしさもまぶされた少女像。魂を喪失したかのようなその表情に、美が宿る。ヴァニラ画廊で3度目となる個展では、SRBGENkが立ち上げたアパレルブランド「DISPELGIRL」の作品も展示販売される。

幼い少女の無垢な情動を、エロスと郷愁をまぶして描く漫画家・三浦靖冬。「薄花少女【私家版】第5巻」の発売を記念した個展が開催される。過去作を含め、カラー・モノクロ200点以上を一堂に展示。儚くいじらしい少女たちの生き様を見つめたい。またヴァニラ画廊では、インスタなどでも人気のロシアのヴィジュアルアーティスト、エレン・シェイドリンの日本初個展も。ユニークな発想で生み出される奇妙で超現実的なセルフ・ポートレイトは、なんともシニカルで魅惑的だ。（沙）

★SRBGENk個展
「DISPELGIRL」 展示室A
2020年8月25日（火）～9月6日（日）
会期中無休
入場料500円（展示室AB共通）
※全日時間指定事前チケット制

★薄花少女【私家版】第⑤巻 発売記念
三浦靖冬原画展 展示室A・B
2020年9月9日（水）～27日（日）
会期中無休
入場料500円（展示室AB共通）
※全日時間指定事前チケット制

★エレン・シェイドリン個展
「Transformation」 展示室A・B
2020年9月30日（水）～10月13日（火）
会期中無休
入場料1,000円（展示室AB共通）
※全日時間指定事前チケット制

いずれも、場所／東京・銀座 ヴァニラ画廊
12：00～19：00（土日・最終日は～17：00）
Tel.03-5568-1233
http://www.vanilla-gallery.com/
※要予約／予約等詳細は上記サイトへ

★三浦靖冬

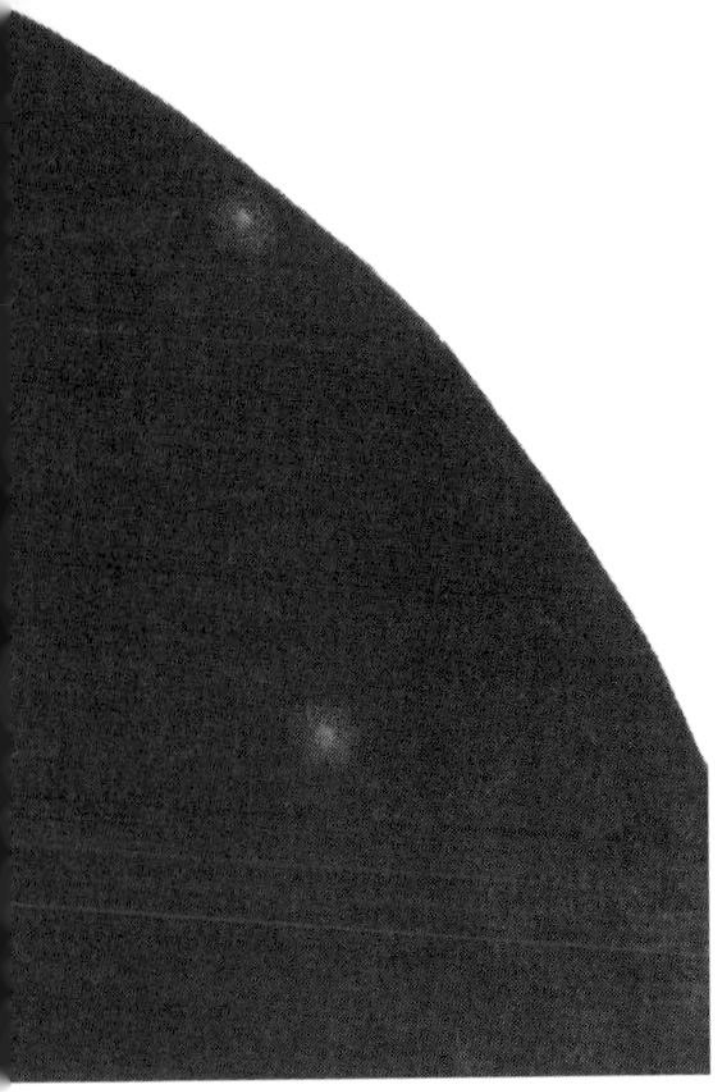

菌類や植物が繁茂する、人のいない理想郷

「現代の膨大な情報の中で時折、漠然とした不安感や違和感を持つときがある」と髙瀬実穂子は記している。ネットなどで流れる偏った考え方や批判。SNSなどによって人とつながっていられるようになった反面、偏った情報などによって不安や違和感が増していく。「そんな社会から逃げ出したいと思った」。
だから髙瀬の描く絵に人が登場することは、ほとんどない。菌類や植物が繁茂した、この世のものではない幻想的な世界が描き出されている。メゾチントにより、黒い背景に絵柄が浮かび上がっている画面は、人間が支配する現実とは異なる菌類や植物だけの世界を、ネガとして幻視しているかのようだ。その世界は美しく、だがそれと同時に終末感も漂う（その終末とは、人間にとってのものでしかないが）。
今号の小誌の特集が音楽なので付け加えると、個展が開催されるgallery hydrangeaは、会場に流す音楽も、展示の一部としてこだわりを持ったものになっている。音楽も一緒に味わってみたい。（沙）

★髙瀬実穂子 個展「菌茸幻想譚」
2020年8月13日（木）〜23日（日） 火・水休
13:00〜18:30（最終日は〜17:00） 入場無料
音楽：作曲家 山出和仁
場所／東京・曳舟 gallery hydrangea
Tel.03-3611-0336 https://gallery-hydrangea.shopinfo.jp/

★（上）《最果ての深秘Ⅰ》2018年 （下）《最果ての深秘Ⅲ》2019年

★《譚 I》2020年

★《最果ての老樹洞窟譚》2018年

★《二日酔い》

★(上)《寄生1》(下)《寄生2》

誰にも知られず咲く花に馳せる思い

2018年、gallery hydrangeaのオープン記念として個展を開催したRisa Mehmet《メメット》(その展示作は「ExtrART file.18」で10頁にわたって紹介)。同ギャラリーの所属作家として、着実にその世界を深めている。

今度開かれる個展では、だれにも気づかれずにひっそりと咲く花に思いを馳せ、そこから小さな物語を紡ぎ出そうとする。そうした花も、たとえまったく知られないまま枯れていく運命だとしても、Mehmetはそこに、誇り高さを見る。目立つことが生の価値ではないのだ。

しかもMehmetの場合、その世界を写実的に美しく描写するのではなく、あの世を垣間見るかのような奇妙な幻想で彩って描いているところも魅力的だ。その視線は、小さく弱きものに訪れる運命の先の先までも見通しているかのようだ。(沙)

★Risa Mehmet 個展
「物陰にて ひっそりと 狂い咲く」
2020年8月27日(木)～31(日) 会期中無休
13:00～18:30(最終日は～17:00) 入場無料
音楽:Nicole Dollanganger & Gloria de Oliveira
場所/東京・曳舟 gallery hydrangea
Tel.03-3611-0336 https://gallery-hydrangea.shopinfo.jp/

★とおあまりみつ

★長崎頼子（絵葉書屋 長崎堂）

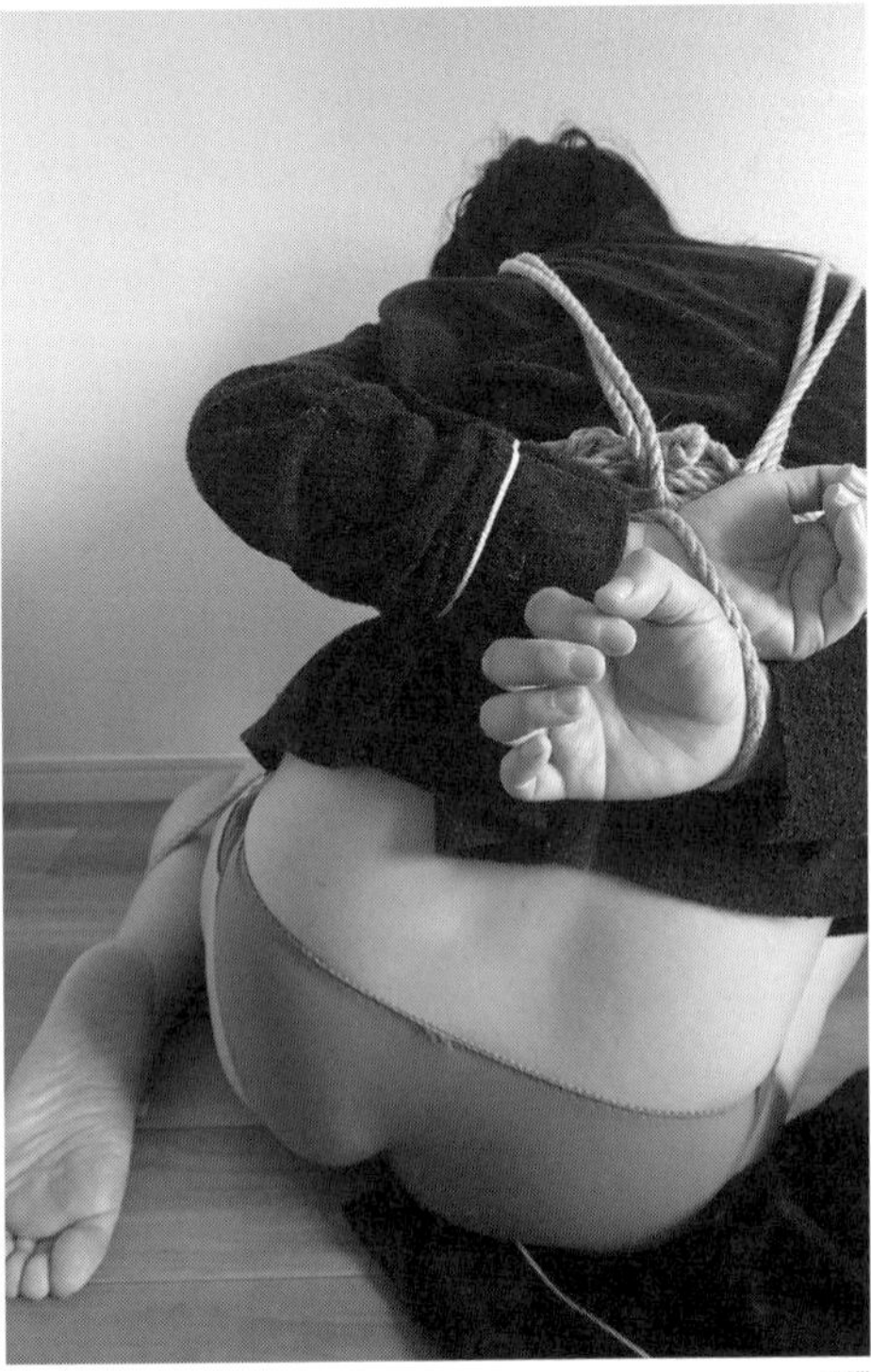

★巡

★Roman

★百合百合

★むしかわギニョール

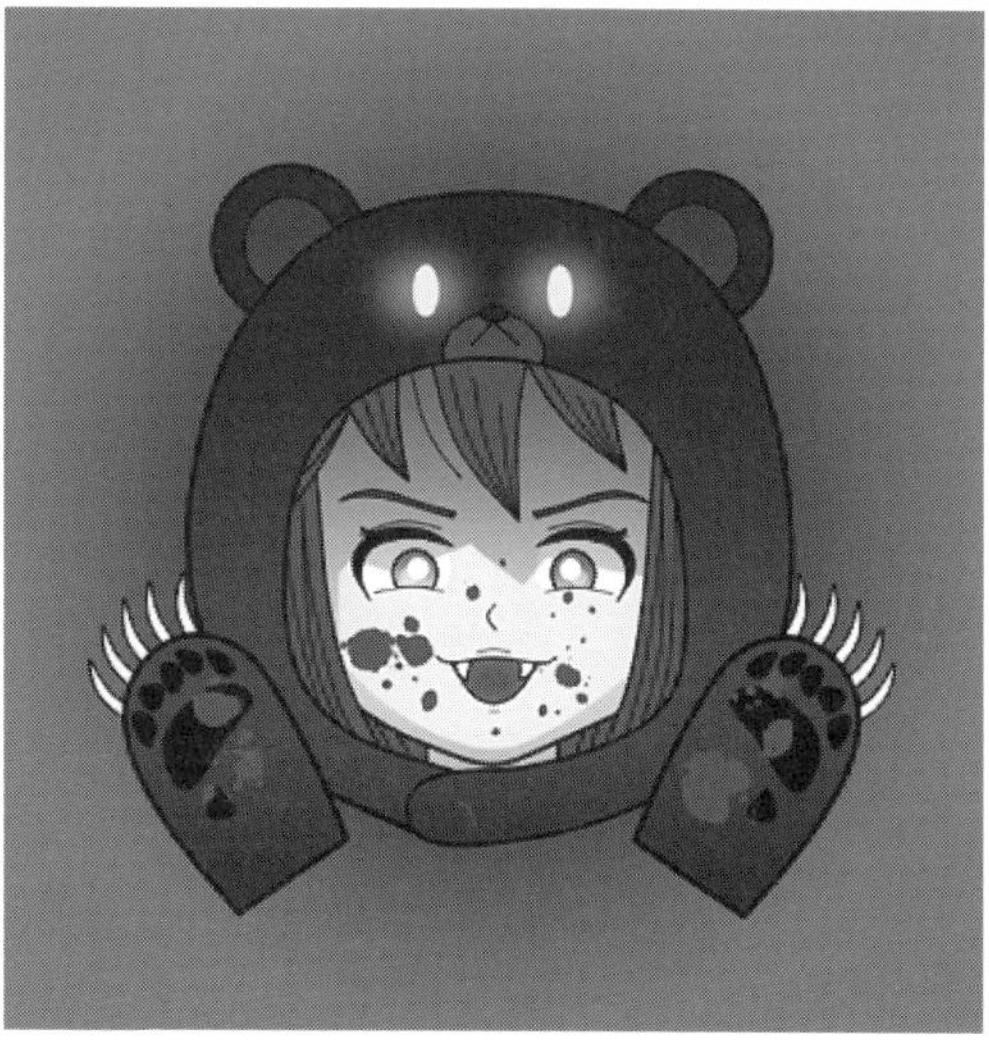

百日紅らしい妖しい小品が集う

新型コロナウイルス感染症の感染拡大防止のため、営業自粛を余儀なくされたのは、画廊も同じ。カフェ百日紅はこの難局を乗り越えるために、通販を積極的に展開するほか、ツイキャスを始めた。展示風景や展示作家へのインタビューなどをネットで有料配信し始めたのだ。

そんなときものを言うのが、ふだんからの人脈の厚さだろう。そこはさすがカフェ百日紅、マキエマキ、塙興子、むしかわギニョールなど、ユニークな面々による配信が続々とおこなわれている。

9月に開かれる「9×9の世界」という小品のグループ展でも、百日紅ではおなじみの面々が大集合。百日紅らしい、妖しく耽美でフェティッシュな作品で埋め尽くされるに違いない。その頃にはコロナ終息しているといいけど…無理かな?!（沙）

★むしかわギニョール企画グループ展「9×9の世界〜小さなフレームの中で表現する、私の世界〜」
2020年9月3日（木）〜21日（月）
参加作家／yamadori、メロンパス、まふよよ、三馬サブ、卯月沙梨音、ふゆのめえ、はっとりみお、歪宮憂、men、田中咲里、きりん燈、ろろろちゃん。、ぽよる、腸皺ミタ、百合百合、とおあまりみつ、長崎頼子（絵葉書屋 長崎堂）、あさごみ.333、巡、目玉堂、Roman、むしかわギニョール
場所／東京・板橋 カフェ百日紅
15：00〜22：00、火・水休 要オーダー Tel.03-3964-7547 https://cafe-hyakujitukou.tumblr.com/
▷カフェ百日紅ツイキャス https://ssl.twitcasting.tv/medamadou

世界最古の舞台芸術、能と、最先端のコンテンツとが融合した『VR能　攻殻機動隊』

座談会◎奥秀太郎（演出）×川口晃平（観世流能楽師）×藤咲淳一（脚本）
◉文＝高浩美

　日本が世界に誇るＳＦ漫画の最高傑作の一つ、士郎正宗の『攻殻機動隊』。『GHOST IN THE SHELL／攻殻機動隊』として1995年にアニメ化され、それ以後多展開されている。初舞台化は5年前、3Dを使った数ある2・5次元舞台でも画期的なものだった。演出は奥秀太郎、脚本は藤咲淳一。奥秀太郎は「次のステップへ進みたいというのはもちろんありました」と語る。奥は2016年に能×3D映像公演「幽玄 HIDDEN BEAUTY OF JAPAN」、17年に平家物語「熊野」「船弁慶」、18年の3D能エクストリーム、スペクタクル3D能「平家物語」と、伝統芸能と最新技術のミクスチュアに挑んできた。そして今年8月にVR能「攻殻機動隊」を上演する。最先端のVRと、現存する世界最古の舞台芸術である能との融合だ。「能についていろいろ勉強させていただくうちに、中学生のころから大好きだった『攻殻機動隊』とうまくコラボレーションできたら面白いものができるのではないかと思いました。心の広い多くの方のおかげで（笑）、実現に向かっているという感じです」と奥は笑う。
　また、藤咲淳一は「能は古語ですから、〝言葉の問題〟をどうするか……原作の持っている世界観は根底が日本の国創りのようなものにつながる部分もあり、その共通点で能の昔の語りと『攻殻機動隊』とがとマッチングできれば誰も観たことがない面白いものができるかなと思いました。2・5次元舞台のときも『どうやって立体にするの？』というところから始まっているので、そういう実験的な部分と『攻殻機動隊』の懐の深さというものがうまく結びつけられればと」と語る。
　観世流能楽師である川口晃平は3D能にも参加しているが「映像効果を使っているものの、通常の能楽堂でやっていることとそれほど変わりませんし、能舞台でない場所で演じるということは珍しくない」という。ただ、今回はVR。「3D能は波であったり車大道だったり海であったり客様のイマジネーションを肉付けしてあげるという形でしたが、今回は全くイチから、より特殊効果、映像効果を前提に能を作っていかなければならない。そこが難しいところでありますね。能は非常にシンプルなことしかしない芸能なので、そこがうまく行けば、どの瞬間でもどこから観ても美しいものが出来上がるではないかと期待しています。100％と100％のぶつかり合い。そこからさらに何百へと昇華できるVR能を作っていければと、我々能楽師一同は考えています」と大きな意気込みをみせる。
　3月に5分ほどの〝お披露目会〟が実施されたが、それを観た藤咲は「士郎正宗先生の漫画からセリフを抜粋して世界観に沿った物語を構築したけれども、その言葉が能のものになって改めて〝能も懐が深い〟と思いましたし、時代を経て、先んじてやってきたものなんだなと感じました。今、まさに50年先を体感しているんじゃないか」と語る。『攻殻機動隊』は2030年くらいを設定にした物語。今から10年後の世界を描いている。さらに「僕らが未来を先んじて見ていることを能という表現を使うことは、新しい出来事を覗き見しているようにも思える。人間や社会がどのように変わっていくのか新しいものを見つける話なので、能という形で先に進み、そこに未来を発見する

★左から、奥秀太郎、川口晃平、藤咲淳一
（撮影：斉藤純二）

のってすごく面白い」という。

また川口は、「能というのは基本的に物語がいわゆる〝スピンオフ〟なんです。例えば平家物語に少しだけ出てきるような人物をピックアップして、その人の生死を描いていくなど。だから物語を作る上ではかなり融通がきくんですね。しかも能のすごいところは、何年か前にギリシャで『ホメロス』をやった時にギリシャ人の演出家の方が話していたのですが『今の近代演劇では神様だとか、亡き人だとか、妖精といった存在を舞台上に登場させることができない。だが、能はいま世界中にある演劇の中でいちばん洗練されているだけでなく、そういった異界の存在を舞台上に存在させることに秀でている』と。そういった関係から未来の存在を現代に、それも一番古い手法で降ろして登場させるということはうまくいくのではないかと、自信があります。能は象徴性を非常に重視しています。例えば『葵上』は、世阿弥の時代は登場人物がもっと多かったし大道具も使っていたけれども、この600年で登場人物を減らし最終的には着物一枚で葵上という人物を表現し、六条御息所の想いを抽出して観客に見せた。そういった表現が能の得意分野ではあると思います」と語る。

確かにヒロイン草薙素子は幼少の頃に、脳と脊髄の一部を除く全身を義体化した女性型サイボーグであり、人間ではない存在だ。奥は「それこそが『GHOST IN THE SHELL』、素子は『GHOST』で、何をもって人間とするのか、という深い意味を持つ作品だと思います。そのあたりに能楽と共通した哲学のようなものがあると考えていた」といい、川口も「世阿弥が作った複式夢幻能という形があって、それは現代人が登場して、途中から物語が過去にさかのぼり現代に戻って夢が覚めて終わる。今回のはその逆ですよね。未来に行って現代に戻ってきて終わる。その流れの中でワキにあたるバトーがシテ・素子と関わっていく」と語る。

そして奥は『攻殻機動隊』は今年30周年ですが、常に進化を繰り返している最先端のコンテンツです。それが日本の伝統芸能である能と融合することでさらにそれぞれにとって次の展開、次元に到達することができるのではないかと、僕もいちファンとしてその行く末を見てみたいなと思っていました。それがまさかの新型コロナウイルスで、こんな恐ろしい時代に突入してしまいましたが、こうした時代ゆえに生まれる作品もあると思うので、新型コロナ流行の後の演劇や伝統芸能、3次元カルチャーの第一歩にできないかなと考えています」と語り、川口も「時代をうつす鏡が演劇。日本人の新しい生き方、ライフスタイルに一石を投じ、VR能という一つの新しいジャンルをぶちあげられたらいいですね。また、海外展開を視野に入れてみたい思いがあります」と意気込んだ。

藤咲はまた、「『攻殻機動隊』は人間の形をしているけれど人間ではない〝器〟に〝魂〟が宿る話なので、そういった意味では能面の表現、ビジュアルとマッチするのではないかというのが最初にありました。人間の頭の中に最低限の要素だけ残して頭の上で物語を広げていくという能のスタイルに『攻殻機動隊』というSFのサイバーなエッセンスをどう昇華させていくのかということに興味がありましたし、それが日本にしかできない新しい挑戦として海外で紹介されていったら面白いかなと思います。能って上演時間は短いんですね。それに『攻殻機動隊』の魅力をどれだけ落とし込めるかというのも挑戦です。また『攻殻機動隊』では扱ってこなかった部分、原作の中で映像化していない部分を抽出して、能という形でうまく表現できればいいな、と思っています」と語った。

大きな挑戦でもある『VR能 攻殻機動隊』、キャッチコピーは「伝統を超えた、電脳の世界」。21世紀、この2020年という特別な年にどのような作品に仕上がるか、期待せずにはいられない。

★「VR能　攻殻機動隊」
2020年8月21日（金）～23日（日）
場所／東京・三軒茶屋 世田谷パブリックシアター
詳細は公式サイトへ https://ghostintheshellvrnoh.com/

陰翳逍遥《第39回》

志賀信夫

コロナと舞台―シアターX

シアターX《カイ》の第一四回「国際舞台芸術祭ーIDTF二〇二〇が六月一三日から開催された。

緊急事態宣言が解除されたとはいえ、ほとんどの劇場が閉じているなか、果敢にフェスティバルを敢行した。舞台芸術の灯を消さないようにという、芸術監督の上田美佐子の強い思いが開催を可能にしたのだろう。観客やスタッフはマスクで、適度な距離で舞台に臨んだ。だが、海外組は出入国制限で来日できないため、九月に出演する予定だ。

原稿執筆時の七月始めにはプログラムすべては終了していないが、コロナの状況と、次号はさらに三カ月後となるため、見たなかで目を引かれた舞台について述べることにする。

毎年テーマが設定されるが、今回は「蟲愛《め》づる姫とBIOhistory（生命誌）」。生命科学者中村桂子が関わってこの題となった。公演は六月一三日～七月一二日の一カ月で一四日、毎日二～四組が出演し四〇組とシンポジウムという充実した内容だ。特筆すべきは、このようなシアターX主催公演は料金が一〇〇〇円、高校生は五〇〇円ときわめて安いことだ。これは、上田美佐子の観客と出演者が互いに負担少なく舞台を分かち合う、という考えによるものらしい。

初日の一三日で興味を引かれたのは、「毛円ダンス」と称するジェフ・モーエンと奥山由紀枝のデュオによる『装蛾舞《そうがぶ》戯《ぎ》』。二人は米国のマース・カニンガムのカンパニーに長く所属し、ジェフはバレエを教え、奥山は踊っていた。

カニンガムは作曲家ジョン・ケージのチャンスオペレーションによって新しいダンスを追求した。それはモダンダンスに対するポストモダンダンスとも位置づけられることがある。ポストモダンダンスは、行為的な動きや自然の動きを生かしたり、バレエやダンスのテクニックを否定し、美術家なども舞台に立った。そして当時のアクション、ハプニング、現在のパフォーマンスとも関係がある。ジョン・ケージはハプニングやアクションに大きく影響した。というのは、ブラックマウンテンカレッジでケージの元に集まった者たちのなかから、アラン・カプローなどが一九五九年にハプニングを始めたからだ。ケージの有名な『四分三三秒』という「弾かない」ピアノ曲もその流れにある。

ケージは鈴木大拙の禅の思想や中国の易経などの影響から自然や偶然に強く関心を抱き、偶然性を生かしたチャンス・オペレーションを生み出した。例えばトランプを無作為に引いて、それに従って作品をつくるようなことだ。人為を排除することで独自の表現を求める。ジョン・ケージとマース・カニンガムはパートナーで、ケージの音楽とともにカニンガムのダンスがつくられた。

ジェフ・モーエンによれば、カニンガムのカンパニーは、稽古の際はクラシックのメソッドで、さまざまな音楽とともに踊ったり、振付をする。だが、実際の舞台はそれと関係なく、それまで聞いてない音楽とダンスが同時に行われるのだという。訓練された身体で、音楽との偶然の出会いを求めるのだ。

毛円ダンスは、このカニンガムのメソッドで長年踊った二人がたどり着いた一つの形だ。座り、立ち、手を広げる、抱えるといったシンプルな動きで、長い衣装により二人が一体化して美を生み出す。中央で移動せずに音楽の変化とともに動き、ポーズをつくる。見ていて、モダンダンス初期の伊藤道郎のテンジェスチャーやロイ・フラーのサーペンタインダンスを思い出した。同じ位置で手足の動きだけで見せる。伊藤は投影で背後に巨大な影をつくって見せた。フラーは、袖先の長い衣装にカラフルな照明の変化で見せた。

黒地に裏が青と赤の大きな衣装、それを脱いで二人が絡む。そこで大きいジェフの膝に奥山が乗った形で動かない場面が、強い緊張感を感じさせて、一種のクライマックスだった。その後、再び衣装に包まれる二人。『さくら』など音楽の使い方も考え抜かれ美しい「作品」だった。

ピナ・バウシュのカンパニーにいたフランス人ダンサー、ニナ・ディプラは毎年来日してワークショップを行っている。今回はコロナで来日できずに、ワークショップ生を募って四人で、一三日に『ニナ愛づる者たちのBIOhistory』を上演した。

冒頭はそれぞれの動きが、そのワークショップの成果という印象だったが、後半、扮装した福麻むつ美が登場して『愛の賛歌』を歌いながら、コミカルにコロナのパロディを演じ始めると、奇妙な世界が生まれて、引き込まれた。そして最後に生井みづきが『カントリーロード』をポツポツと歌うところはしびれた。ダンスは唯一の男性、宇佐美雅司が、強い身体で見せたが、彼を含めていずれもダンサーではなく、福麻は元宝塚といったそれぞれの特技を生かして、一種のタンツテアターになっていた。

　六月二〇日はヒカシューのヴォーカリスト巻上公一が登場。自らミキサーなどを操作しながら、巧みなヴォイスパフォーマンスによる『チャクルパ五　アルハララーイに声の雨』を見せ、観客を沸かせた。そして特筆すべきは、ダンサーとして伊藤千枝子とのデュオだったことだ。伊藤千枝として「珍しいキノコ舞踊団」を率いて、解散後ソロ活動をしているが、久しぶりに見た踊りは、エレガントなモダンダンスからポップなコンテンポラリー的動きを交えて、巻上とともに即興性の高い舞台を展開して、見応えがあった。

　六月二五日の白野利和による『パラレルワールド』。下手に立った脚立の下の四角い大きい器の中に横たわる藤田恭子と、逞しい白野のコントラスト、そこに加わるアベレイの不定形のヴォイス。この三者がつながり、離れ、二人、三人の星のように動きあって、強いコントラストを見せた。さらに、藤田の客席に向かってくるソロには、オリジナルな動き、そして動きの力強さが感じられて、どんどん引き込まれた。舞台はシンプルな装置ながら、三人の個性が生かされた見応えのある作品となった。

　六月二七日は、髙瑞貴と宮本悠加による『dodo』。シアターX独特の構造であるホリゾント上手側のアルコーブに黒い幕。そこに黒い衣装の髙が静かに体の一部から登場。奇妙な動きでゆっくり横切る。舞台より一段下がったその場所で、左から右、右から左に膝を曲げた鳥のように動く。無音の動きがこれまでにないダンスを感じさせる。すると下手の黒いパーテーションから宮本の両足が現れるが、あまり動かない。どちらも大きな動きを見せないところが、冒頭の魅力だ。

★髙瑞貴『dodo』

　振り付けた髙は富山に来たラ・ママのエレン・スチュワート、カーメン・ワーナーなどに影響を受けた。お茶の水女子大学舞踊科出身だが、モダンダンスでもコンテンポラリーダンスでもない、その中間にポストモダンな感覚の混じったものという印象。バレエベースではないダンスの動きだが、手足は伸びやかに、かつ跳躍も魅力的だ。自分の動きを生み出す努力とともに、自然体の意識も感じられる。

　ドードーは奇妙な鳥だが、鳥を踊るというよりも、人間の身体が、変なイキモノを意識しながら、そこから踊りをつくるということだろう。そのため、髙が不条理な足に戯れるドードーのようでもあり、宮本の足自体がドードーのようにも見え、単なるアイデアではなく、自分のコンセプトを追求した見応えある舞台だった。

　七月五日の足立七瀬『選んで、いる。』も魅力的だ。サスペンションの光に立つ自然体の身体が、動き出すとダンスを形作る。それも振付的な動きではなく、体の中から自然に出てくること、それを丹念に追求する。暗転により位置が変わり、指だけで動きをつくり、自分の体を指したり、さまざまな動きと景をつくるが、無音と微かなシロフォンなどの打楽器的音が効果的に使われ、ポストモダンな感性も感じられながら、見飽きず、あくまで自分の身体にこだわるという優れた舞台だった。

　筆者は、見たことのないもの、オリジナルを感じさせる動きや舞台に惹かれる。他の気になる舞台、そしてこれからの舞台については、次号に記す予定だ。

　なお九月下旬から、海外アーティストの公演が「飛び石参加」で行われる。現在の出演予定者は次の通り。舞踏家として活動する者もおり、海外の舞踏家を見るいい機会である。出演予定は、スーエン、クリスティーナ・カプリオーリ、ヘレーナ・フランゼン、ヴィルピ・パハキネン（以上スウェーデン）、ジョスリーヌ・モンプティ（カナダ）、ニナ・ディプラ（フランス）、ミシェル・ジェニー（インドネシア）。

前衛三劇団
——発見の会、夜行館、人間座

アートに関心がある人なら、寺山修司と天井桟敷はだれでも知っているだろう。演劇として、唐十郎と状況劇場、現在の唐組についても、広く知られているといえる。また、佐藤信と黒テント、鈴木忠志と早稲田小劇場、その後のSCOT、現在のSPACについても、演劇にある程度、関心がある人なら知っているだろう。

これらはいずれも六〇年代末から七〇年代にかけて、当時はアングラ演劇と呼ばれた小劇場運動の旗手たちだ。もちろん他にも多くの注目された劇団があった。そして、そのなかに、当時から前衛であり、最近まで長く活動を続けてきた劇団がある。そして半世紀を超えて活動しており、現在、言及されることがほとんどないが、実はとても重要と思われるものを三つ取り上げる。それは発見の会、夜行館、人間座である。

発見の会

発見の会は、瓜生良介（一九三五～二〇一二年）が牧口元美らとともに、一九六四（昭和三九）年、東京オリンピックの年に結成した劇団だ。瓜生は、池袋の舞台芸術学院出身で、土方興志に師事して、劇団舞芸座で花田清輝の『泥棒論語』などに関わっていた。六四年の発見の会の旗揚げでは、能や歌舞伎など伝統芸術の研究で知られる廣末保の脚本による『新版裏表四谷怪談』を、劇団演劇座と合同公演として行った。そして発見の会の二作目は、フランスの現代演劇、フェルナンド・アラバール『ファンドとリス』であり、それから数本、アラバールが続く。

★（上）瓜生良介
（右）発見の会『紅のアリス凶状旅』の林静一によるポスター

そして、深沢七郎、阪田寛夫、石川淳といった著名作家による戯曲、画家の竹内健の作品などを上演した。

また一九六六年には、名作とされ何度も再演された、内田栄一『ゴキブリの作りかた』が登場する。他方、テレビ業界で脚本家として活躍する今野勉や佐々木守の作品も上演される。そして、一九六七年には、上杉清文の戯曲が登場し、その後、上杉作品が中心になる。これは江田の交友の広さでもあり、またテレビなどのマスコミ文化の中にいながらも、舞台のリアルを求める脚本家たちの思いを具現化したともいえる。

発見の会は一九六八年、劇団自由劇場、六月劇場とともに、「演劇センター68」を結成する。だが、翌年、発見の会は抜ける。なお、その後、「演劇センター68／69」、「演劇センター68／70」、「68／71黒色テント」、「劇団黒テント」となった。つまり佐藤信率いる劇団黒テントの前身の一つであった時代がある。

自由劇場の出身者の一部は、その後、一九七五年、オンシアター自由劇場として活動し、吉田日出子の『上海バンスキング』（一九八〇年）などで知られる。

発見の会はその後も独自に活動し、八〇年代からは、有馬則純の戯曲も上演されるようになる。他にも、シェイクスピア、チェーホフなども上演した。近年は、上杉作品と有馬作品が中心になった。

発見の会の公演には、映画でアカデミー賞を受賞した世界的な衣装デザイナー、ワダ・エミ、六〇年代の前衛の「グループ音楽」のメンバーで、米国でノイズや電子音楽で著名な刀根康尚、七〇年代に「武智歌舞伎」として知られる前衛歌舞伎の武智鉄二、映像作家の佐藤重臣といった多士済々が関わった。現在知られる発見の会出身者では、NHK『プロジェクトX』のナレーションで有名な田口トモロヲがいる。

発見の会は、二〇一〇年代の公演を最後に活動を停止している。ただ、ここから生まれた「渋さ知らズ」（オーケストラ）が音楽グループとして活発に活動している。音楽家、不破大輔が発見の会から芝居の音楽を依頼されて、その「劇伴」をつくったことで生まれたのが、渋さ知らズである。ジャズをベースに即興のアドリブを交えたブラスのパワーと、オリジナル曲で独得な世界を作り出している。

「渋さ知らず」には、大駱駝艦関係の舞踏家やコンテポラリーダンサーによる、ダンスチームもあり、公演時にはダンサーが踊ることも多い。山海塾の松原東洋、元大駱駝艦の若林淳、モダンダンス出身の板垣あすかなどが踊っている。

なお、瓜生良介は七〇年代から「快医学」として、自然療法の専門家として名高い。特に飲尿療法でも知られる。だが、その自然療法の瓜生も、二〇一二年、がんでこの世を去った。

夜行館

夜行館は、笹原茂朱《もしゅ》（一九三八年〜）が主宰する劇団で、シアター夜行館として活動を開始した。笹原は明治大学文学部演劇学専攻で、以前から学内にあった「実験劇場」を経て、一九六三年、唐十郎とともに「シチュアシオンの会」をつくり、その後「状況劇場」となった。状況劇場の創立メンバーである。シチュアシオンの会の旗揚げ公演はサルトル『恭しき娼婦』。シチュアシオンという名前は、サルトルの「状況」からとっているのは明らかで、演劇を含めたアートの社会参加「アンガージュマン」、つまり社会に対する異議申し立てという思想があったことがわかる。翌一九六四年には唐十郎の処女戯曲『24時53分「塔の下」行きは竹早町の駄菓子屋の前で待っている』を上演。以降、『ジョン・シルバー』（一九六五年）、「腰巻お仙」のシリーズなどを上演。だが、一九六八年に笹原茂朱はこの状況劇場を脱退して、阿修舞と二人で「シアター夜行館」を結成したのだ。なお、唐と笹原が当初所属した明治大学の実験劇場は現在も続いている。

状況劇場は一九六七年の『腰巻お仙——義理人情いろはにほへと篇』以降、紅テント（通称、赤テント）を持って、また劇団黒テントは黒テントを持って、トラックなどで移動して野外公演をしていた。だが、笹原のシアター夜行館は、大八車に資材を積んで歩いて移動するという、江戸時代の地方巡業劇団のような活動方法だった。それは、より人々の中に入って活動するという、当時の左翼の活動の理念でもあり、例えば日本共産党が戦後すぐに行った、農村などで啓発する山村工作隊などとつながるものがあった。

唐十郎は明治大学の実験劇場時代に、作品が上演中止になったときに、地方の農村で公演を行い、そこからテント芝居を発想したともいわれる。笹原も唐とともに活動していたので、この発想は共通するところがあるだろう。ただ、唐らがトラックでのテント興行だったのに対して、人力の大八車という泥臭い徒歩による移動という点では、江戸時代の「河原乞食」をより体現するところがあったといえるだろう。

これは、後に青森の舞踏家福士正一が、道路劇場と称して日本国内から東南アジアを回ったこととつながるものがある。津軽三味線の高橋竹山などが行っていた「門付け」も同様だろう。なお、現在は国立の劇場もできて保護されている文楽、人形浄瑠璃は戦後の混乱期、やはり門付けによって、存続したという話だ。門付けは、門前で芸を見せて金を求めるという、河原乞食、乞食芸でもある。

笹原のシアター夜行館は、東京から西に向かい、関西、四国、中国地方などを回って、さらに東北を目指した。各地にサポートする人々がいた。四国はお遍路の地域なので、お遍路さんのためと同様に支援がなされたようだ。メンバーは笹原、阿修舞らに加えて、赤土類、古澤栲《たく》も加わった。

赤土類は、モダンダンスの前衛、邦千谷の元で学び、美術家松澤宥の命名で、七〇年代に、辻村和子、鈴木裕子とともに「パーリニバーナ・パーリヤーヤ体」というグループ名でパフォーマンスを行った。赤土自身は、地面を這うパフォーマンス、そして高い木立と木立を縄でつないでそこを伝う空中パフォーマンスで有名だ。

夜行館では、「土器空」という名で舞台に立った古澤栲（一九四七〜二〇一八年）は立ち上げから参加したともされる。古澤は、ネオダダ・オルガナイザーズにも参加した風倉匠に師事。風倉はちなみに一九五七年、日本で最初のアートパフォーマンスを行ったとされるが、それはパフォーマンス（ハプニング）の最初と呼ばれる一九五九年のアラン・カプローよりも早く、世界初という説もある。一九六二年の「敗戦記念晩餐会」で土方巽が風倉に焼き鏝を押しつけたと、赤瀬川原平が書いたことは有名だ。古澤も銀座の路上を這ったり、さまざまなパフォーマンスから、一九九七年、首吊りパフォーマンスを始めて、首くくり栲象と改名してその首吊りで知られる。二人はその後も、夜行館の東京公演などに近年まで参加し、サポートメンバーといえる存在だ。

笹原のシアター夜行館は、青森に落ち着き、そこで夜行館として、長年活動するうちに、ねぶたの山車をつくってそれを取り入れた公演や、ねぶた祭り自体にも参加するようになった。前衛と伝統の融合といえるが、それは人々の中に入って活動するという当初からのコンセプトからすれば、当然のことだったかもしれない。近年は重要なメンバーをがんで失い、笹原自身もがんを患って、現在は活動を中止している。

夜行館出身の役者には、一九五〇年生まれの丹古母鬼馬二《たんこぼきばじ》がいる。笹原茂朱が「俺の芸名、骸馬二《がいうまじ》をやる」と言われ「馬二だけもらいます」と言った。多くの映画やドラマで悪役などで活躍している。また、夜行館の舞台には、人形芝居で特異な世界を生み出した百鬼人形芝居どんどろ「地獄草子」の岡本芳一も出演していた。故岡本は、近年、海外からも注目される人形遣いである。そして、近年のポスターは漫画家でイラストレーターの吉田光彦が担当した。

★夜行館『種族祭』の片山健によるポスター

★若松孝二『性賊／セックスジャック』のポスター

若松孝二監督の映画『性賊／セックスジャック』（一九七〇年）には、夜行館の笹原茂朱が準主役で出演している。脚本は出口出《でぐちいずる》名の足立正生。また、クレジットを見ると、発見の会の瓜生良介も出ていたようで、このスクリーンの上での両者の邂逅も興味深い。

劇団人間座

人間座という劇団は、現在も京都にもあり、他の地域にも同名の劇団があったようで、紛らわしい。だが、ここで取り上げる人間座は、一九五〇年代後半に東京で結成された劇団人間座である。主宰したのは江田和雄（一九三二〜二〇〇一年）。多くの戯曲を書き、長く活動した。そして東京・文京区茗荷谷の林泉寺の住職でもあった。この寺は縛られ地蔵で有名。また、後にドキュメンタリー映画『東京裁判』（一九八三年）のプロデューサーも務めた。

筆者にとって、この劇団の注目すべき点は、日本の前衛身体表現、舞踏とつながったことだ。舞踏の創始者といわれる土方巽が、舞踏の始まりといわれる『禁色』（一九五九年）を発表する前年の一九五八年、音楽家今井重幸の企画で『埴輪の舞』と『ハンチキキ』に出演している（俳優座劇場）。これが今井の主宰する現代舞台芸術協会と劇団人間座の合同公演だったのだ。作曲や構成演出は今井、そして振付を今井と後にパントマイムで有名になるヨネヤマ・ママコ、そして土方が担当した。

これは上京した土方巽も出入りしていた赤坂芸術村に、今井重幸と江田和雄が出入りしていたことがきっかけだろう。ここは進駐軍相手の娼婦のアパートなどがあって、そこに河原温、荒川修作、篠原有司男、池田龍雄などの美術家や金森馨、栗田勇などが出入りしていた。こういった交流を背景に、今井重幸は現代舞台芸術協会を立ち上げたようだ。

プログラムを見ると、今井のほうは、ヨネヤマ・ママコのマイムのソロ『雪の夜に猫を捨てる』、そして土方が振付助手の『埴輪の舞』は、堤世王己と堀口昌徳がメインで、土方と菊地朝行ら四人が出演。堤世王己は後に松山バレエ団の初期作品にでている。

『ハンチキキ（プログラムでは、はんちきき）』は、アイヌの『ユーカラ集』からとして考証に金田一京助がクレジットされている。金田一は、今井重幸がママコのために開いた劇場、アルスノーヴァのある阿佐ヶ谷在住なので、頼みにいったようだ。パンフレットには、金田一、土方、大野、今井、そして音楽を担当した原田甫《はじめ》の文章も掲載されている。振付はママコで、ママコ、土方以外に、舞踏家としては大野一雄、そしてモダンダンスで後に有名になる三条万里子、西田堯、若松美黄、関矢幸雄、ＮＨＫの体操のお兄さんで知られる砂川啓介など二四名が出演しており、美術は朝倉摂だった。

劇団人間座のほうのプログラムは、三好達治の詩に基づき江田の兄、江田法雄作、江田和雄演出の『詩とサキソフォンのための　からす』、そして、菜川作太郎作、菊地誠一演出の『闘鶏』だった。

　これは舞踏創世記直前のことだが、さらに十数年後の一九七二年、土方巽は、劇団人間座の主催公演『骨《ほね》餓《が》身《み》峠《とうげ》死《し》人《びと》葛《かずら》』に出演している。これは野坂昭如の小説を題材にして、江田和雄が脚本演出したもの。女優の瑳峨三智子と土方が中心で、舞踏家の岩名雅記も出演している。そして音楽は現代音楽の一柳慧と小杉武久のシンセサイザー、さらに粟津潔の美術、漫画家滝田ゆうが衣装という現在からみたらすごいメンバーだ。

　江田和雄は、前述のように文京区の林泉寺の住職だが、一九五〇年代には美術家の池田龍雄らがつくった制作者懇談会に関わった。これは岡本太郎、埴谷雄高の「夜の会」の流れを汲み美術家、文学者、映画監督などさまざまな人が集まった。そこから江田は劇団人間座を立ち上げたのだ。そのため、池田龍雄もたびたび舞台美術を担当した。

　その後の人間座の舞台では、川崎洋、岩田宏、寺山修司、栗田勇、石堂淑朗、野坂昭如といった六〇年代を代表する詩人や作家、脚本家の書き下ろし作品を上演した。寺山修司の『吸血鬼の研究』（一九六四年）は、放送劇『犬神の女』を元にした作品で、犬憑き、犬神の子として成長する少年の世界の物語。池田龍雄が仮面や美術を担当して、江田和雄の演出で草月ホールの初演は大好評で四回再演された。寺山死後、天井桟敷のJ・A・シーザーが結成した劇団万有引力では、これを『呪術音楽劇「犬神」』として現在も上演している。

　詩人でロートレアモンの『マルドロールの歌』の訳者でもある栗田勇は、人間座と関わり、その戯曲『愛奴』の舞台化（一九六六年）は、江田の演出で衣装はコシノジュンコ、音楽は一柳慧が担当した。これも何度も再演されるが、この頃からポスター、チラシなど宣伝美術は宇野亜喜良が担当する。

なお、栗田勇の『愛奴』は、一九六八年に舞踊家邦千谷に学んだ伊藤ミカが舞踊作品として上演し、六九年には羽仁進が映画化した。伊藤ミカは前年には『O嬢の物語』を舞踊化しており、いずれも全裸や半裸で演じて話題になった。

　七〇年代には劇団人間座は活動を休止し、江田和雄は前記のドキュメンタリー映画『東京裁判』を制作。八三年には『血溜り花よ』を上演するが、再び沈黙。二〇〇〇年代に活動を再開する。二〇一〇年の『日輪』には、舞踏家の原田拓巳、筆宝ふみえ、菊地びよらが出演した。

　遡って、松本俊夫の映画『薔薇の葬列』（一九六九年）は同性愛を含めた当時の風俗や前衛美術家たちを描いているが、ゼロ次元や池田龍雄とともに、江田和雄も本人役で出演している。

　実はその兄の江田法雄が先に演劇を志し、鎌倉アカデミアを背景にして、一九四七年に清水浩二、宇野小四郎らと鎌倉青年芸術劇場を結成し、小山内薫の『息子』などを上演している。これが、後の人形劇団ひとみ座の前身とされる。だが、江田法雄は数年後、自死した。

　三劇団ともにまだ解散などには至っていないが、それぞれの代表が亡くなったり病床にあり、その今後は、継承する人たちがどう活動するかにかかっている。ほかにもテント芝居を行った劇団、アングラといわれる劇団、そして新左翼運動と重なった劇団などはいくつもあった。ただ、六〇年代から二〇〇〇年代まで半世紀近く活動を継続してきたという点でも、発見の会、夜行館、人間座は特筆すべき劇団であり、しっかりと資料を残したいものだ。

★劇団人間座『愛奴』の宇野亜喜良によるポスター

★劇団人間座『骨餓身峠死人葛』ポスター

表紙＝写真：堀江ケニー、モデル：salasa
All pages designed by ST

CONTENTS

電子音楽のキマイラ、60年代のサンフランシスコ

◉文＝べんいせい

電子音を貪る若者

20世紀に誕生した前衛音楽は新しい作曲語法の追求と開拓の試みであったと同時に、「時間」や「場所」といった概念を創造的契機に意識的に含ませるライブ性を捉え直す試みでもあった。このライブ性への眼差しは、不確定性の音楽、偶然性の音楽、ライブエレクトロニクス、シアターピースなど、前衛の創作のなかでさまざまなインスタレーションとして結実している。そのなかにありながら時代背景ともシンクロして、複雑な化学変化を遂げたのが、当時産まれたばかりの電子音楽というジャンルであった。

一応、「電子音楽」の来歴を記しておくと、狭義の意味での「電子音楽」は1950年代にドイツのケルン放送局で音響学者のアイメルトらによって、電子音を中心に楽音や様々な音を録音したテープを切り貼りして、再生速度を変化させたり、逆再生させたりすることから始まった現代音楽の一つのジャンルである。この動きは瞬く間に電子音で新たな音楽を作り出そうという世界的機運を高まらせた。多くの優れた音楽家がこぞって先進的な音楽を生み出そうと躍起になり、既存の楽器による演奏に留まらず当時の電子機器を利用するなどして新たな音楽へのチャレンジが成されたのである。だが、当初は多くの世界的な音楽家達を虜にしたものの、作品を制作する敷居の高さ（この当時、電子音楽スタジオは世界に五つしか存在しなかった）もあり徐々に音楽家らの情熱も遠ざかっていくことになる。

但しこのヨーロッパで誕生した電子音楽は、特に当時の先鋭的な感性を持った若者たちには好意的に受け入れられていたようで、トマス・ピンチョンの小説「競売ナンバー49の叫び」の中で、当時の若者のクールなライフスタイルが次のように描写されている。

『とつぜんバーの向こうの端にあるジューク・ボックスのようなものから、ウーだの、イーだのという音のコーラスが響いてきた。（中略）「あれはシュトックハウゼンの作品」とクールな灰色の顎ひげが教えてくれた。「早いうちの客は、こういうケルン放送局ふうなサウンドを好きな傾向がある。遅くなってからだよ、ほんとうにいかすのは。この近辺じゃこれが唯一の、厳密な意味で、電子音楽で通すバーなんだ。土曜日に来てみなよ。真夜中から〈サインウエーブ・セッション〉を始めるから。これはライブでやる集まりさ、カリフォルニアのいたるところからやってきてジャム・セッションだよ。サン・ノゼ、サンタ・バーバラ、サン・ディエゴ…」「ライブ？」とメッガー、「電子音楽なのにライブ？」「この店でテープに入れるのさ、ライブだよ。奥に部屋にいっぱい入ってるんだ、オーディオ・オシレーター、ガンショット・マシン、コンタクト・マイク、何でもあるよ。そういうのは自分の楽器をもってこなかったひとのために置いてあるのさ、だって、聞いているうちにフィーリングが乗っちゃってさ、いっしょにスイングしたくなっちゃうんだ、それでいつも何か使えるものが置いてあるんだ」（トマス・ピンチョン「競売ナンバー49の叫び」ちくま文庫、P.62-63）

ドリームマシン

電子音楽の方向性を一変させてしまった発明、それはシンセサイザーの誕生だったのかもしれない。

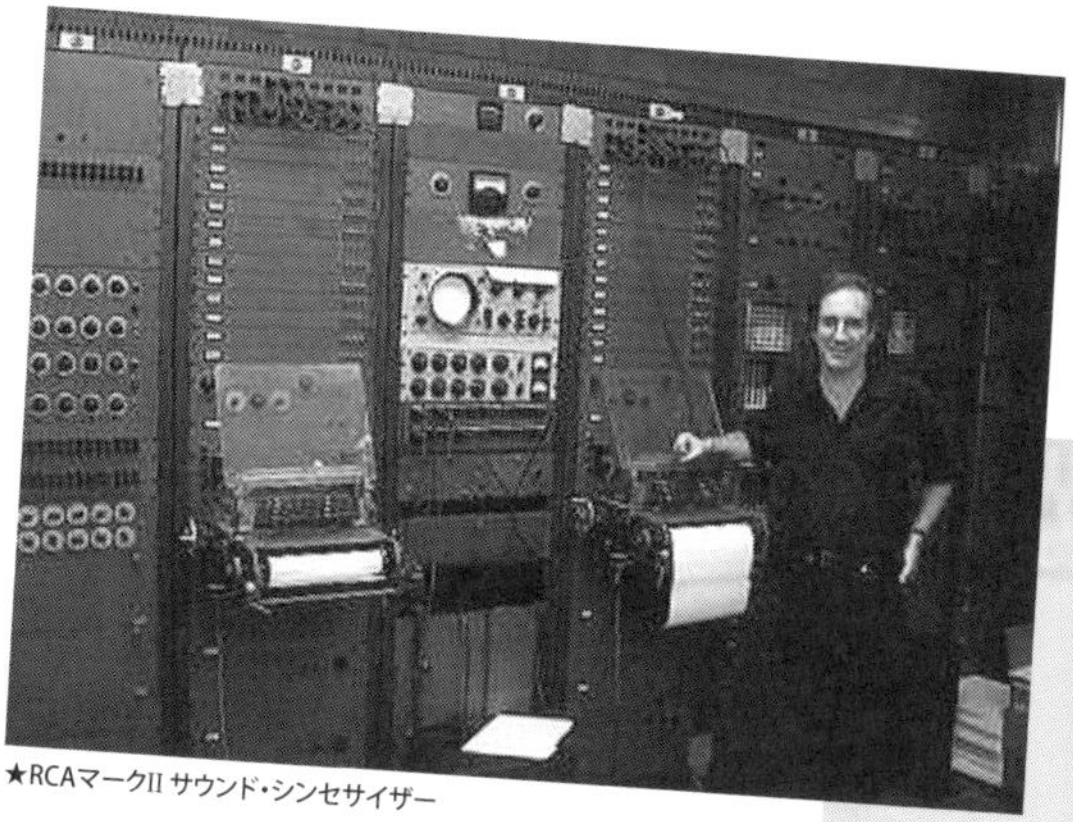

★RCAマークII サウンド・シンセサイザー

電子音への関心を持つ音楽家が増えると音を自由に作りたいというニーズが高まり、音をシンセサイズ（統合する、合成する）することができる電子楽器が求められ始めた。

　世界最初のシンセサイザーは1955年、RCA社のプリンストン研究所で作られた「RCAミュージック・シンセサイザー」である。大量の真空管を使った大型の装置で、現在目にするシンセサイザーとは違い、「電子音楽」を作るためのワークステーションであり、広大な設置場所を必要とした。奏者がコントロールする鍵盤にあたる部分はなく、タイプライターとロール式のパンチテープに穴を開けてデータを記録する。楽譜をデータ化して入力する方式は、いまのコンピューターミュージックの先駆けと言えなくもない。またレコードのカッティングマシンを装備していて、このシステムで音楽を完成まで導けるスペックを備えていたが、使用するにあたっての順番割り当てが厳しく殆どの音楽家にとっては高嶺の花であり無縁な存在であった。

サンフランシスコ テープミュージックセンター

今日に至る電子音楽の発展を考えると、アメリカ西海岸に誕生したサンフランシスコテープミュージックセンター（以下SFTMC）が果たした役割を再評価しない訳にはいかない（因みにSFTMCは現在では現代音楽センター（CCM）と名を変えている）。

　SFTMCは正式に設立される前年の1961年10月にサンフランシスコ音楽院の屋根裏に作曲家ラモン・センダーによって建てられた小さな音楽スタジオとしてスタートした。このスタジオは最小限の設備しかなく（2チャンネルのアンペックス製テープレコーダー以外ほとんど何もなかった）、ソニックスというコンサート名でこの年9回のコンサートを行ったようだが、そのほとんどは約30分に及ぶエレクトロニック・ミュージックで構成されたそうである。そしてその翌年の夏にセンダーと作曲家のモートン・サボトニックが中心となってテープレコーダーやその他の新しい音響機器を「開発および保守する非営利団体」としてSFTMCを設立、電子音楽スタジオとコンサート会場の機能を有する施設として誕生させた。センダー、サボトニック、ポーリーン・オリベロス、テリー・ライリー、スティーブ・ライヒ、ライティングアーティストのアンソニー・マーティンといった錚々たるメンバーに加え、アカデミアや定期的なコンサートでは認め

★（左）ポーリーン・オリベロス「Four Electronic Pieces 1959-1966」
（右）アリシア・ベイ＝ローレル＆ラモン・センダー「太陽とともに生きる」（草思社）

られなかった現代作曲家の作品を試す場所としてSFTMCは、1962年から66年まで、ベイエリアの実験音楽と学際的芸術の重要なハブとして機能したのである。

サイケデリックバスツアー

60年代のサンフランシスコには、既成社会が押しつける伝統、制度、男性優位の保守的な価値観へのカウンターカルチャーとして台頭し始めたヒッピー達が集まり始めていた。1964年作家ケン・キージーとそのサイケデリックなヒッピー集団「メリー・プランクスターズ」がグレイトフル・デッドとともに、ニューヨークの世界博覧会に向かうため車体を鮮やかに塗装した「ファーザー号」なる車に乗って米国を横断、サイケデリックバスツアーをおこなった。

彼らは道中、大麻、アンフェタミン、LSDを服用しそのバスツアーの様子を録画、映画祭やコンサート上で一般に公開して臨場感のあるマルチメディア体験を生み出し多くの観客を興奮させた。グレイトフル・デッドは後に、このバスツアーについて、"That's It for the Other One"という曲を書いている。

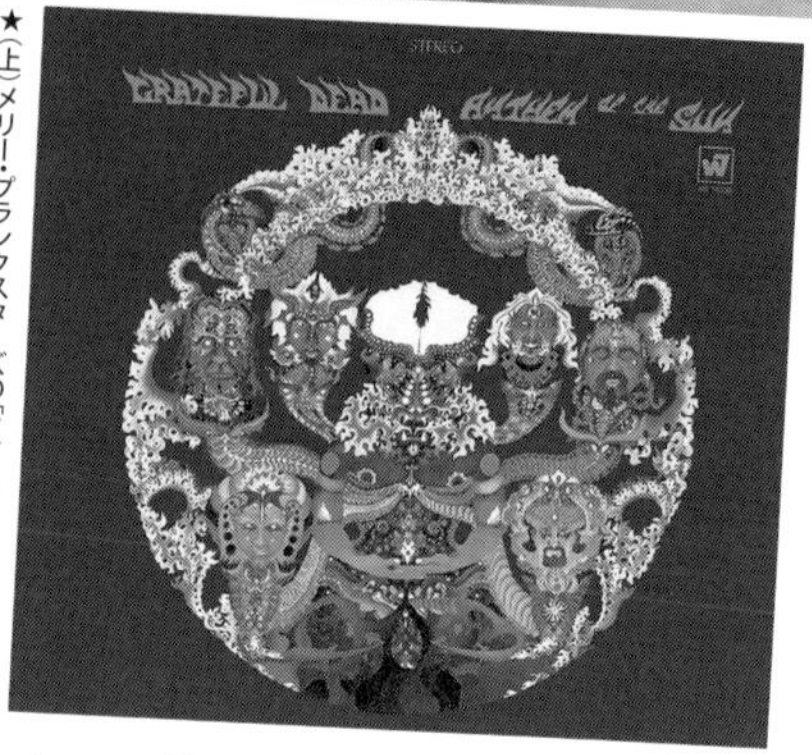

★(上)メリー・プランクスターズの「ファーザー号」
(下)グレイトフル・デッド「Anthem of the Sun」(That's It for the Other Oneを収録)

そして電子音楽の未来は変わった

電子音楽に革命をもたらすことになる機材を開発する以前、NASAで働いていたドン・ブックラはチンパンジーを火星に送ろうと四苦八苦していた。この"霊長類星間移送"だけではなく、耐宇宙線コンピューターの開発に取り組んでいたこともあったようだが、この頃の彼の心に充足をもたらしていたのは仕事ではなく給料だけであった。
サンフランシスコに拠点を置いていたブックラが天啓を授かったのは、LSDを取り入れた新しい哲学の模索をしていた頃、つまり、グレイトフル・デッドとケン・キージーのメリー・プランクスターズの幻覚ツアーに同行し、彼らのサウンドデザイナーを担当していた時であった。ブックラ本人も彼の名前を冠しその後に多大な影響を与えた楽器も、トム・ウルフの著作『クール・クール LSD交感テスト』に登場を果たしている。
「無数のスピーカーからミュージックが突如として鳴り響く。ソプラノの嵐だ… すべてがエレキ・ミュージック、それにブックラ・エレクトロニック・マシンがまるでロジカルな狂人のような叫び声をあげる…」(トム・ウルフ「クール・クール LSD交感テスト」太陽社 P.383)
ブックラが、論理的だがある種の狂気性を孕んでいたのは、機材のエンジニアリングだけでなく自身

★トム・ウルフ「クール・クール LSD交感テスト」の原書

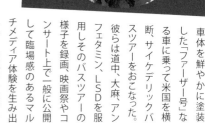

の作曲にも表れていた。そして、その数々の実験的なテープレコーディングによってある程度その名が広く知られるようになると、そのテープレコーディングした作品群がブックラをSFTMCへ導くこととなる。1960年代初頭のこの頃、クリエイターのコミュニティとして機能していたSFTMCにおいて、サボトニックとセンダーは時代遅れのデザインとパフォーマンスを超越できる新しい機材をこの施設で生み出したいと考えていた。2人にはそれを実現するだけの技術的知識はなかったが、ロックフェラー財団から十分な補助金を受け取っていたため、自分たちの夢を現実に変えてくれる人材の募集広告を新聞に出稿したのである。


ブックラはこの経緯を一切知らなかったし、彼は単純にSFTMCが主催していたコンサートを楽しんでいただけで、特にこの施設内に置かれていたレコーダーを使用した演奏にのめり込んでいたに過ぎなかった。しかし、ある日ブックラがその演奏セッションに顔を出した時にサボトニックは自分たちが出した広告を見てやってきたと勘違いして、新機材のアイディアについて熱いプレゼンを行い、その結果ブックラはサボトニックの話に乗ってその委託を受けることにした。

こうして1964年、ドン・ブックラがその後半世紀に渡ってデザインを続けていくことになるシリーズの初号機、風変わりだが包括的で美しく魅力的でオルタナティブなアナログシンセサイザー、ブックラ100シリーズと呼ばれたモデュラーエレクトロニックミュージックシステムを生み出し、エレクトロニック・ミュージックを永遠に変えることになったのである。それは先述したRCAミュージック・シンセサイザーとは違い、当時としてはとてもコンパクトでステージに持ち出して使用できる大きさの革命的マシンだった。

SFTMCは新しいテクノロジーを試すオープンな環境であり、ケージやベリオといった有名な作曲家が書いた作品のリハーサルや演奏だけでなく、何らかの動きや光を使ったショーをプラスするという実験的な試みを行い、また地元のポップ・アーティストとのコラボレーションを行なったりもしている。SFTMCのコラボレーション理念は、さまざまなアート形式や分野を組み合わせるといったもので、これによってコミュニティのすべてのアーティストが参加することができた。その結果「マルチメディア」発祥の地としてのサンフランシスコを確立し、芸術における新技術の探究に役立ったのである。

「それは実験の自由と、私たちがしていることに興味のある聴衆に到達することについてだった」とサボトニックは語っている。SFTMCへの関心はアヴァンギャルドなクラシック音楽の最前線から60年代のポップグループにまで及んだ。そしてこれらの境界を打ち破ったことが両方のジャンルに大きな影響を与えたのである。

★ブックラ100シリーズ

パンクとポストパンクの思想的地下水脈
――ギー・ドゥボールとウィリアム・バロウズを巡って

◎文＝ケロッピー前田

僕が音楽についてもよく語るようになったのは2年前、インダストリアル・ミュージックの日本における第一人者・持田保と「クレイジーミュージック探訪」というレギュラーのトークイベントを始めてからだ。

「インダストリアル・ミュージック」とは、イギリスのスロッビング・グリッスル（Throbbing Gristle）というバンドに由来するもので、彼らは1977年のアルバムで「インダストリアル・ミュージック・フォー・インダストリアル・ピープル」という言葉を使ったことから、のちにインダストリアル・ミュージックの創始者と言われるようになる。その言葉は、そのまま持田の著書タイトルにもなっている（持田保『INDUSTRIAL MUSIC FOR INDUSTRIAL PEOPLE!!!：雑音だらけのディスクガイド511選』[DU BOOKS 2013]）。

一方、僕は、若かりし頃、音楽活動に没頭していた時期があった。和製ノイバウテンといわれたツァイトリッヒ・ベルゲルター（Zeitlich Vergelter）というメタルパーカッションを用いたバンドでドラムを担当し、前述したスロッビング・グリッスルのリーダー、ジェネシス・P・オリッジ（Genesis P-Orridge）がサイキックTV（Psychic TV）として初来日したときにフロントアクトを務めている。そのあたりは、自叙伝的世界紀行の拙著『クレイジーカルチャー紀行』（KADOKAWA, 2019）に詳しい。

「クレイジーミュージック探訪」というトークイベントで、僕らが重点をおいているのは、テーマとして取り上げたミュージシャンたちの音楽的な変遷を追うことだけではなく、そのような音楽が生まれた文化的思想的な背景にある。

日本では一般に「カウンターカルチャー」というと、1960年代に花開いた「ヒッピーカルチャー」や「ロックミュージック」に象徴されるものと説明される。だが、当時からそれらと強く結びついていた「ドラッグカルチャー」「フリーセックス」「アナーキズム」「インディペンデント」「反権威」「著作権放棄」「オカルティズム」など、多様に展開したカウンターカルチャーの実態は必ずしも包括的に語られてこなかった。

さらにロックの全盛期に次いで登場した「パンク／ポストパンク」という時代は、もともとヒッピー世代に対するアンチとして登場したものであった。つまり、「パンク／ポストパンク」こそがカウンター精神を純化し、夢見がちなヒッピー世代を乗り越え、あらゆるものに対抗し、すべてを新しく作り変える意欲に満ちていたとも言える。

たとえば、「パンク」の代表とみなされるセックス・ピストルズは、音楽様式的には「ロックンロール」の要素を残していたし、結局はミュージックビジネスの搾取の対象であった意味で、その後の「ポストパンク」や「インダストリアル」と言われる音楽にとって、乗り越えられるべきものとみなされてきた。とはいえ、ここで音楽様式の変遷だけで「パンク／ポストパンク」を語るつもりは毛頭ない。そのことは改めて強調しておきたい。

では、「パンク／ポストパンク」世代の文化的思想的なバックボーンとなったものはなんであろうか？ ここでは代表的な2人の人物にフォーカスしたい。フランスの映像作家・思想家のギー・ドゥボール（Guy Debord, 1931-1994）とアメリカの作家のウィリアム・バロウズ（William Burroughs, 1914-97）である。

バロウズは知っていても、ギー・ドゥボールを知らない人は多いかもしれない。

最初に結論を言っておくと、ギー・ドゥボールこそが「パンク」といわれるものの基本要素の源である。つまり、「アナーキー」「反権威」「著作権剥奪」「自主独立」といったものだ。

1976年、セックス・ピストルズは「アナーキー・イン・ザ・U.K.」でデビューするが、アナーキーとは無政府主義者のこと。ピストルズのマネージャー、マルコム・マクラーレンは若かりし頃ギー・ドゥボールの信奉者であり、1968年パリの五月革命の現場に立ち会っている。五月革命は、日本も含めた同時代の学生運動に大きな影響を与えたものだが、ギー・ドゥボールの著書『スペクタクルの社会』（67年刊）がその革命のバイブルとなっており、60年代のパリにおいて、最も過激な思想家となっていた。

ギー・ドゥボールの思想とはなんだろう。

まず、第一に「行動」の重視である。

1957年、ドゥボールは自らの活動団体「シチュアシオニスト・インターナショナル」を結成するが、「シチュアシオニスト」を「イズム」でなく「イスト」としているのは、単なる〝思想〟ではなく、〝行動のための原理〟であるからと強調している。

第二に徹底した「反権威」である。彼が考える「シチュアシオニスト」とは、「美は状況の中にしかない」というテーゼに基づくもので、芸術主義者を排し、「芸術作品」としての前衛ではなく「行動としての作品」に挑む。つまり、新聞、雑誌、地図、あらゆるものをコラージュして、新たなビジュルを生み出し、自分たちを取り巻く〝状況〟を改革していくことが奨励された。そのスピード感と破壊力こそが「反権威」の実践としての「行動」である。

たとえば、ドゥボールの映像作品は、そのほとんどが他人の映画の部分を借用して、勝手にカット編集を繰り返し、仕上げに彼自身の著書の朗読をかぶせるというものだった。当然、そんな作品を上映してくれる劇場はない。そのため、出版社社長ジェラード・レボヴィシがドゥボールの映像作品を専用に上映する劇場を作ったが、1984年、レボヴィシは何者かに射殺されている。

第三が「自主独立」である。彼は著書『スペクタクルの社会』において、「スペクタクル」とは直訳すれば「見世物的」であり、現代社会とは「見世物的」な情報に溢れていることで、そのような情

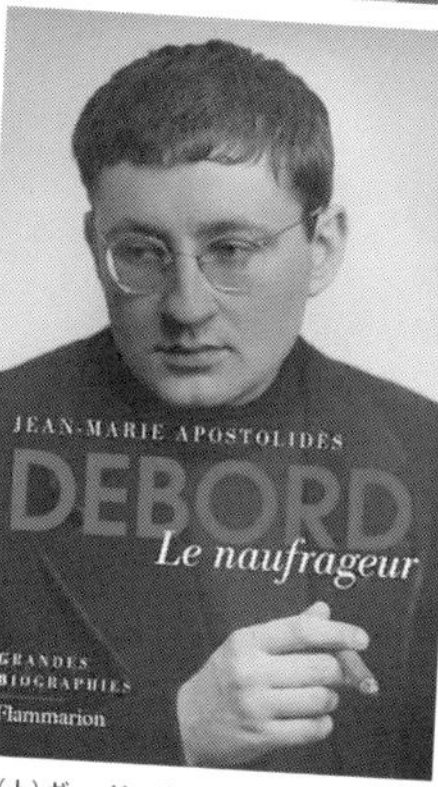

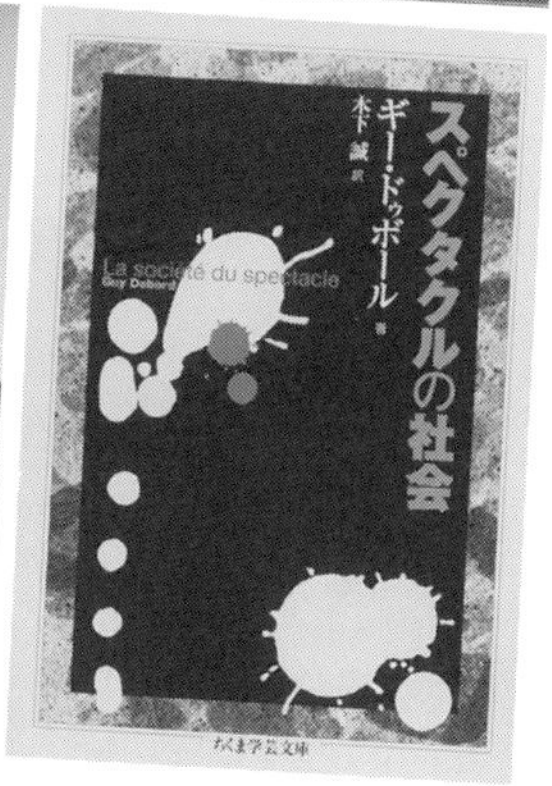

★（上）ギー・ドゥボール「メモリーズ」の中面
（下右）ギー・ドゥボール「スペクタクルの社会」（ちくま学芸文庫）

（下左）アポストリデスによるドゥボールの伝記

報に支配操作されているという。そして、その呪縛から逃れる手段が「自主独立」であり、自らが情報発信者となって、情報操作から逃れていくことだという。

たとえば、59年にドゥボールが作った小冊子『メモリーズ（Memoires）』は、紙やすりの表紙で装丁されており、隣り合わせになった他の書籍を破壊するように作られていた。そのような暴力性も「自主独立」を表す非常に強いメッセージであったろう。

ところで、元ピストルズのジョン・ライドン率いるPILに歌詞の内容はドゥボールに関するものはないが、『メモリーズ』という曲がある。また、PILのメンバーだったジャー・ウォブルとキース・レヴィンの『EP』（2012）は、ジャケットの表面は紙やすりに覆われていた。ビニール包装すれば他のCDを傷つけることはないが、その元ネタは明らかにドゥボールである。

ちなみに、ドゥボールはグラフィティの先駆者でもあった。1963年、彼は壁に「NE TRAVAILLEZ JAMAIS（決して労働するな）」と書いている。

この頃、「パンク」を生んだもう一人の重要人物ウィリアム・バロウズもパリにいた。

重度な麻薬中毒者であったバロウズは、52年に妻を間違って銃殺、翌年に『ジャンキー』でデビューしたものの国外逃亡。モロッコのタンジー

クレイジーミュージック探訪／プレイリスト

Vol.1 ジェネシス・P・オリッジ（2018年12月3日）

75年にスロッビング・グリッスルを結成し、インダストリアル・ミュージックの創始者に。その後、新興宗教団体テンプル・オブ・サイキック・ユースを立ち上げ、86年にはサイキックTVとして初来日。93年から第二の妻レディ・ジェイと同じ外観を手に入れる『パンドロジェニープロジェクト』に着手、豊胸、美容整形を経て、重度の身体改造実践者となっていた。2020年死去。
Throbbing Gristle "20 Jazz Funk Greats" 1979
Throbbing Gristle (Weeping) "D.o.A." 1978
Throbbing Gristle "Heathen Earth" 1980
Psychic TV (Just Drifting / Ov power) "Force the Hand of Chance" 1982
Throbbing Gristle "Journey Through A Body" 1982
Throbbing Gristle "Adrenalin" 1980
Psychic TV "Tune In" 1988
Psychic TV "Godstar" 1984

★Throbbing Gristle "D.o.A."

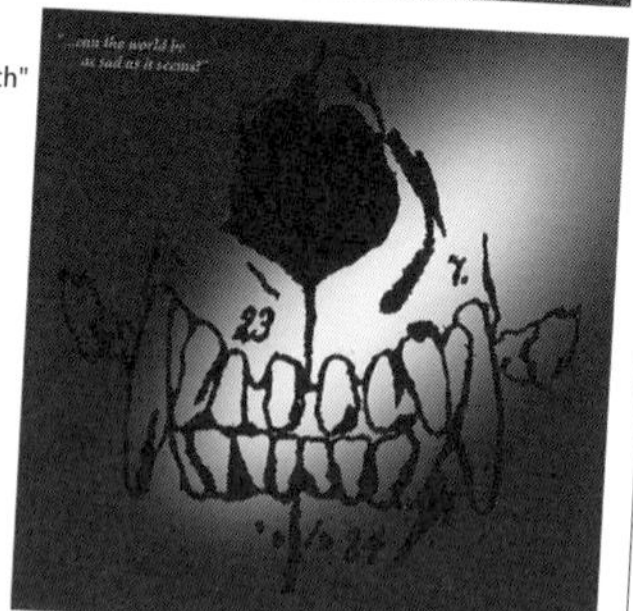

★Throbbing Gristle "Heathen Earth"

Vol.2 アインシュテュルツェンデ・ノイバウテン（2019年3月4日）

80年、ドイツ・ベルリンでブリクサ・バーゲルトを中心に結成。鉄くずや廃材などを叩く、メタルパーカッションを特徴とし、85年初来日の際には、石井聰亙（岳龍）監督の映像作品が作られた。米ソ冷戦下のベルリンを象徴するバンドとして国際的な人気を得て、ベルリンの壁崩壊後もノイズ＆インダストリアル・ミュージックを代表する存在として君臨し続けている。
Einstürzende Neubauten (Tanz Debil / Krieg In Den Städten / Draußen Ist Feindlich / Negativ Nein / Kalte Sterne) "80 - 83 strategien gegen architekturen" 1984
Einstürzende Neubauten (Yü-Gung / Der Tod Ist Ein Dandy) "1/2 Mensch" 1985
Christiane F. (Wunderbar) "Gesundheit!" 1982
Einstürzende Neubauten (Blume) "Tabula Rasa" 1993
Einstürzende Neubauten (Let's Do It a DADA) "Alles Wieder Offen" 2007
X-TG (Abschied) "Desertshore / The Final Report" 2012

★Einstürzende Neubauten "1/2 Mensch" (DVD)

★Einstürzende Neubauten "1/2 Mensch"

★William S. Burroughs "Break Through In Grey Room"

ルで画家ブライオン・ガイシンと出会う。ガイシンは絵画の制作に独自のコラージュ技法を用いていたが、バロウズはそれを小説にも応用して仕上げたのが『裸のランチ』だった。

さらにガイシンは、そのコラージュ技法をテープレコーダーを使った音響作品にも応用していた。つまり、テープそのものを物理的に切り刻んで、音の配置を入れ替えるなどをしていた。また、ガイシンは、タンジールに残る民族音楽ジャジューカを「最高のドラッグミュージック」として再発見しており、元ローリング・ストーンズのブライアン・ジョーンズもその魅力にハマり、71年に現地録音したものをエフェクター加工した作品が残されている。

74年、バロウズはNYに渡る。当時はアンディ・

Vol.3 ビル・ラズウェル（2019年8月5日）

ニューヨークを拠点にノンジャンルな先端音楽をけん引する音の魔術師。83年、自身のバンド、マテリアルを率い、ヒップホップ要素を取り入れたハービー・ハンコック『Future Shock』をプロデュースし、世界的大ヒット。ウィリアム・バロウズ、ハキム・ベイ、ジョン・ライドン、アフリカ・バンバータ、さらにはジェネシス・P・オリッジらともコラボレーションしている。
Killing Time "Massacre" 1981
Herbie Hancock "Rockit" 1983
Material (Metal Test) "Memory Serves" 1981
Time Zone "Wildstyle" 1981
Time Zone "World Destruction" 1984
Material "Seven Souls" 1993
Bill Laswell "The Old Man Of The Mountain" 1999
Hakim Bey "Chaos" 1994
Herbie Hancock (Kerberos Part 1) "Future 2 Future" 2001
Jah Wobble (Alsace Dub) "Deep Space" 1999
Bill Laswell "Habana Transmission" 1999
D"badilic "Dub of Justice" 1992
Deadline "Makossa Rock"1985
Brian Eno "Lizard Point" 1978

★Killing Time "Massacre"

★Material "Memory Serves"

Vol.4 ウィリアム・バロウズ & ブライオン・ガイシン

（2019年11月11日）

ウィリアム・バロウズ（1914-97）は『ジャンキー』（53年）でデビュー、実弾を用いたウィリアムテルごっこで妻を銃殺、事故扱いとなったが逃避行先モロッコ・タンジールで画家ブライオン・ガイシン（1916-86）と出会う。傑作『裸のランチ』（59年）に用いられたコラージュ技法カットアップメソッドは音楽シーンにも大きな影響を及ぼした。
Material "Seven Souls" 1989
Decoder "The Soundtrack" 1983
OST "Naked Lunch" 1992
William S. Burroughs (Last Words Of Hassan Sabbah) "Nothing Here Now But The Recordings" 1981
William S. Burroughs (Origin And Theory Of The Tape Cut-Ups) (Working With The Popular Forces)"Break Through In Grey Room" 1986
Brion Gysin "One night @ the 1001" 1998
Brion Gysin "I am" 1960
Brion Gysin "Pistol Poem" 1960
Brian Jones "The Pipes Of Pan At Joujouka" 1971
Ornette Coleman (Midnight Sunrise) "Dancing In Your Head" 1977
Ministry (Just One Fix) "ΚΕΦΑΛΗΞΘ" 1992
Laurie Anderson "Sharkey's Night" 1984
William S. Burroughs + Gus Van Sant "The Elvis Of Letters" 1985
William S. Burroughs / Conducted By Dub Spencer & Trance Hill (Dead Souls) "William S. Burroughs In Dub" 2014
William S. Burroughs "Let Me Hang You" 2016
William S. Burroughs (Words of Advice for young People) "Spare Ass Annie And Other Tales" 1993
William S. Burroughs (Ich Bin von Kopf bis Fuss auf Liebe Eingestellt) "Dead City Radio" 1990

★Brion Gysin "One night @ the 1001"

★Brian Jones "The Pipes Of Pan At Joujouka"

ウォーホルがポップアートの巨匠として君臨しており、ウォーホルがプロデュースしたロックバンド、ヴェルヴェット・アンダーグラウンドが人気を得るなど、音楽とアートの距離は近かった。

NYでのバロウズの知名度が飛躍的に跳ね上がるのは、78年の「ノヴァ・コンベンション」というイベントの大成功がきっかけだった。ノヴァとは、バロウズがカットアップメソッドを多用したノヴァ三部作『ソフトマシーン』『ノヴァ急報』『爆発した切符』から取られていた。このイベントは、フランク・ザッパやパティ・スミスらのライブ演奏とバロウズをメインとするトークを組み合わせたものだった。

ヒッピー世代がドラッグ体験をまるで宗教体験のごとく美化した側面が強かったのに対して、バロウズはドラッグ体験とは切り刻まれた意識の断片が無秩序に並び替えられただけにすぎないとした。そのことをカットアップというコラージュ技法に集約していた。そして、バロウズの手法を具体的に試みたのが、パンク／ポストパンク世代であった。

ドゥボールはマスメディアの情報操作から自由になるために、イメージや素材の借用とコラージュを奨励したが、それをドラッグの力を借りて、もっと巧妙な作品制作技法に仕立てたのがバロウズだった。

さらにバロウズはガイシンの影響から自ら朗読を録音したり、テープレコーダーをいじって音響作品も手がけていた。それらの貴重な音源を最初にレコード（Barroughs "Nothing here now but the recording" 1981）にしたのが、本稿冒頭に登場したジェネシス・P・オリッジである。彼は、81年、NYの「ノヴァ・コンベンション」と同様のイベントを「ファイナル・アカデミー」としてロンドンで主催している。その後、バロウズは、様々なミュージシャンとコラボレーションするようになり、パンク／ポストパンクのアイコンとなっていった。

狂気音楽（クレイジーミュージック）の旅はこれからも続く！

Vol.5 マルコム・マクラーレン vs ジョン・ライドン（2020年3月17日）

75年、マルコム・マクラーレン（1946 - 2010）がセックス・ピストルズを仕掛けたが、その初代ボーカリスト、ジョン・ライドン（1956 -）は真のパンクを求め、自らのバンドPILでポストパンクの音世界を探求した。それに対抗するように、82年、マルコムは自らがラッパーとなり、"黒人のパンク"としてのヒップホップ初のヒット「バッファローギャルズ」を発表した。

PIL (Poptones / Memories) "Metal Box" 1979
PIL "Death Disco" 1979
Sex Pistols "God Save The queen" 1977
Sid Vicious "My Way" 1978
Jah Wobble "The Legend Lives On... Jah Wobble In Betrayal" 1980
Malcolm McLaren (Buffalo Gals) "Duck Rock"1983
Adam and the Ants "Kings of the Wild Frontier" 1980
Bow wow wow "See Jungle! See Jungle! Go Join Your Gang Yeah, City All Over! Go Ape Crazy!" 1981
PIL (Rise) "Album" 1985
PIL "Happy?" 1987
Metal Box in Dub (Jah Wobble & Keith Levene) "Yin And Yang" 2012

★PIL "Public Image"

★Malcolm McLaren "Duck Rock"

★Jah Wobble "The Legend Lives On... Jah Wobble In Betrayal"

◉資料
Greil Marcus "Lipstick Traces" 1989
Simon Reynolds "Rip It Up and Start Again" 2005
"RE/Search #4/5" 1982
"RE/Search #6/7" 1983

騒音音楽の黎明

——未来派野郎ルイジ・ルッソロ

◎文＝並木誠

1909年のイタリアでマリネッティは未来派宣言を発表し、あの有名な惹句「霰弾に乗って駈るかのように咆哮する自動車は《サモトラケのニケ》よりも美しい」に代表されるラディカルな美学を提唱する。新しいテクノロジーの発達により、マシーンエイジ、アールデコなど、ブルジュアの趣味嗜好にあった新感覚の美的スタイルが現れていく時代だ。

イントナルモーリ(INTONARUMORI)は、その未来派のひとりで画家のルイジ・ルッソロ(1987-1945)が考案した騒音楽器で、イタリア語で「調律」と「騒音」を合成した言葉である。朝顔の形をしたスピーカーのデザインが秀逸で、中には針金とモーターが入っており、背面のハンドルを回して音を出す。のちに電動式のも作られたようだ。ルッソロが1913年に作曲した〈都市の目覚め〉は、モーターの唸りのような音が輻輳して響く単純な楽曲だが、唸りの音自体が未来派的。兄のアントニオもオーケストラとの協奏曲を作曲しており、こちらも上行と下行する音形の常同反復の緩やかな流れから構成されている。洗練されているとは言い難いが、それなりに協奏曲としての体裁をとっている。

★イントナルモーリとルイジ・ルッソロ(左)

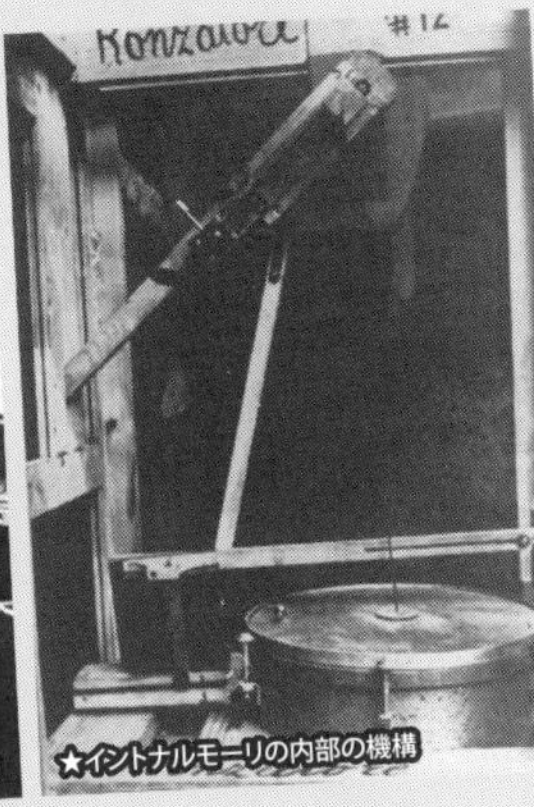

★イントナルモーリの内部の機構

イントナルモーリのプロトタイプは第二次世界大戦時に焼失したが、日本では1986年に、当時多摩美術大学教授だった秋山邦晴のチームが再制作しており、往時の音を忍ぶことが出来る。クレピタトーレ(パチパチ楽器)、ウルラトーレ(ウナリ楽器)など本来は約27楽器あるうちの2種類8機が製作され、セゾン美術館での「未来派1909-1944」展(1992)で上演イベントが開催され、2002年には、多摩美術大学美術館で大友良英氏らを演奏者として迎えた演奏会が開催されている。

未来派とほぼ同時期にドイツで起こったダダの運動では、ハノーファーダダのクルトシュヴィターズによる〈ウアソナタ〉音声詩などがある。また1917年初演のロシアバレエ団「パラード」ではエリック・サティが音楽を担当し、そのスコアのなかには、オーケストラに混じってサイレンやタイプライター、ホイッスル、汽笛、空瓶で出来たチューベルなどがあった。これも騒音音楽の嚆矢のひとつだ。そうした作品がマルセル・デュシャンの「音楽的誤植」やサティの「家具の音楽」、いわゆる環境音楽の思想に繋がり、具体音を素材とした、ミュージックコンクレートなどの音楽思想に集約されていく。

なお、このラディカルな未来派芸術は、イタリアがレオナルドやラファエロ、ミケランジェロらによるルネサンス芸術が余りに優れており、それに囚われ過ぎた反動として新しいテクノロジーに期待した側面がある。しかしそれは同時に、戦争を美学的側面から賛美したものでもあった。ある意味彼らは、戦争というテクノロジーの悲しみの性《さが》たる、嫡子ともいえなくもないのだ。

★「パラード」の衣装

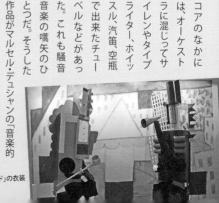

田舎歌とエルヴィス
——深沢七郎が幻視した死の世界

◉文＝渡邊利道

深沢七郎の文学について考えるとき、彼がミュージシャン、わけてもギタリストだったことは本質的な意味を持つ。十二歳の頃からギターを始め、戦後にはスペイン・アンダルシア地方の民謡であるフラメンコに熱中した。スペインでは歌に合わせて独奏するギターが愛好され、他のヨーロッパ諸国で発達したような弦楽四重奏などの合奏形式が発達しなかった。音楽とは音程やメロディが目的ではなく、リズムがすべてであると深沢は語ったが、それはギターという楽器の特質による。小説の創作も、ギターを弾くその音楽的体験をできるだけそのまま文章へ移しかえることから始まった。

「私が初めて書いた小説は「アレグロ」という題だった。音楽でアレグロというのは速さだけではなく音の質である。早く、鋭角的な音で出てくる曲なので、私はそんな味の小説が書きたかった」（「自伝とところどころ」）

デビュー作「楢山節考」は、姥捨伝説を素材に、自ら嬉々として死に向かう老婆おりんの物語で、マンボに夢中になっている時期に書かれ、楢山節（深沢の創作）という唄の主題と変奏という音楽的な形式で構成されている。唄（歌）とは、地方地方でそこに住む人の悪口とか、ちょっとした教訓や、人の性欲を笑ったりする内容の田舎歌のこと。これをテンポよく挿入し、その解釈で舞台となる村の風俗や人物を描き出していく。歌の反復と、冒頭の一文で「山」が三度も出てくるなどの、反復する細部の記述が周到に配置されて情感を盛り上げ、作品全体のリズムが生まれる。ラテン・ミュージックに深いところで触れた形式と田舎歌の息のよい言葉の調和にこそ、「楢山節考」という作品の比類ない美しさがあった。

ラテン音楽の次に深沢が愛したのがエルヴィス・プレスリーである。「プレスリーが出現したことは、キリストが再現したと同じ」とまで言う心酔ぶりだった。

そんなプレスリー愛が刻み込まれているのが短編「東京のプリンスたち」だ。これは十代の少年たちの群像劇で、一行空きで分けられた断章ごとに視点人物が変わり、それぞれの生活が違う角度から描かれる。少年たちは金持ちではないから小遣いには困っているものの、大半は高校に行かせてもらっているし、デートする相手に見栄を張ってコーヒー代を奢ることくらいはできる。しかしもっとも大切なのはエルヴィスのレコードを聴くことだ。

「レコードが終わってエルヴィスの『ハウンド・ドッグ』をかけた。手も、足も、頭の中も歯切れのいいリズムだけになって何も考えなかった」

彼らにとって、勉強も、スポーツも、喧嘩も、恋愛も、張り合ったり勝ち負けを決めるようなことは面倒臭くて気持ち悪いことである。女の子とデートするのは、腰のあたりが重くなってくるのでそれを吐き出すためにすぎず、それさえもエルヴィスのレコードを聴けば解消されてしまう。工場で働く肺病持ちの佐藤は思う存分聴いた後に、「これで、死んでもいいよ」とまで言う。

小説は、とくに起伏もなくただ始まってただ終わる。深沢は「私の音楽ノート」で、

ロカビリーについて、「彼らの瞬間的な、強烈な、自分たちだけの勝手な、ゴキゲンになりさえすればいい方法、つまり、勝手に、好きな部分だけしかないミュージック」と言っているが、「東京のプリンスたち」の突き放したような「何もなさ」は、まさにエルヴィスの音楽から深沢が汲み取った〈方法〉だったに違いない。

楢山節を聴く老婆も、エルヴィスを聴く少年も、死への誘いにうっとりしていたのだが、実際、深沢にとって「死」はもっとも重要なテーマだった。ところがここで事件が起こる。夢の中のクーデタを描いた短編「風流夢譚」に激昂した右翼の少年が版元の社長宅を襲撃し、お手伝いの女性を殺害したのだ。深沢は一度小説の筆を折って放浪生活に入り、事件の被告に東京地検が懲役十五年の判決を下した直後、短編「流転の記」で創作に復帰する。

「汚いものを払いのけるように、嫌いなものや怖いものを書けば不思議ではなくなるものである。だから書くと嫌なものだが私が書こうとするのはその日が近づいているのにその日のことを嫌ったり、恐れたりする人生最後の日のことである」

ついで雑誌「新潮」誌上で『庶民列伝』の連載を開始。その第三話「安芸のやぐも唄」は、歌と死と、そして「風流夢譚」で災いをよんだ国家がテーマになっている。

バラックで暮らすおタミは、原爆で失明し子と孫を失った孤老で、国から貰えるはずの扶助を無視してあんまで身を立てている。八月六日式典の歌が聴こえ、おタミはその日、彼女の目から光を奪った七色の雲を思い出す。不意に昔聞いた歌、「やぐも立つ、いずもやえがき妻ごみに／やえがき作るそのやえがきを」を想起し、出雲の国にも、昔あんな雲が現れたのだろうと思い、「やぐもたつ、あきのやえぐも孫とりに／やえぐも作るそのやえぐもを」と歌い直す。子も孫も、お国のために出て行って死んだ、自分はあの雲に、一人で生きることを教えられた。あの雲の中には神サンがいると確信し、訪ねてくる原爆被災者救援事業の資金集めの人たちに唾を吐きかけて拒絶する。

慰霊の歌やスサノヲが詠んだと伝えられる日本最古の歌を、デタラメに自分の被曝体験に沿った替え歌にして、国家とは関係ない自分だけの神を見ているおタミの心情と、一心に楢山を目指すおりんの心情、それにエルヴィスを聴きながら「死んでもいい」と思う少年の心情は、きっと同質のものである。

深沢はことあるごとに生というのは目的や意味があるものではなく、単なる状態だと言った。「生まれることは屁と同じ」で、子供を作らずひっそり一人で死んでいけばよいと語った。そのような考えが深沢に宿ったのは、ギターという孤独な楽器と、大量死を目前にした戦争体験のためであったのだろう。深沢は戦時中、甲府が空襲に遭っているのを峠から見物して「きれいだ、きれいだ」とはしゃぎ、戦後に「あの時みんな死んじゃえばよかったな」と言っていたという。『庶民列伝』終了後に書かれた短編「無妙記」は、主人公の男がいずれみんな死ぬと考えて通りすがるすべての人を白骨の姿に幻視する小説だったが、白骨たちはエルヴィスのミュージックに乗って腰を揺らしていたに違いない。深沢にとって、歌と音楽は惨たらしい死を美しいものに幻視する装置だったのである。

澁澤龍彦と軍歌
——軍歌の流行とナショナリズム

◎文＝梟木

澁澤龍彦がある種の記憶マニアであり、酒の席で物騒な歌詞の軍歌を好んで唄う悪癖をもっていたことは、今ではよく知られた事実である。澁澤の「軍歌狂い」については親しくしていた文学者や編集者らによるじつに多くの証言が残されているが、それは「澁澤龍彦と軍歌」という組み合わせそのものが、彼らにとってよほど異質に映ったからでもあろう。元来、澁澤龍彦は音楽作品とは縁のない視覚型の文学者として知られており、政治的には反権力、ないしは無政府主義に近いものを標榜していた。そんな彼が戦争や国家の賛美を目的として作られた軍歌のフレーズを無批判に受け入れ、酔った勢いで顔を真っ赤にして高唱するさまは、見る人が見ればさぞかしグロテスクな光景であったにちがいない。

実際のところ、澁澤の軍歌好きが諍いへと発展しそうな場面もなくはなかった。美術評論家の東野芳明などはその姿を見てはっきり「ぞっとした」と書いているし、中国大陸での従軍経験をもつ鷲巣繁男の反応を窺うために「酔いにまかせて」軍歌を「わめきちらした」というのも——その場の空気や、当人同士の間柄の問題もあるとはいえ——無神経なふるまいであることにはちがいないだろう。客としてその場にいる者たち全員に、軍歌を唄うことを強制するような場面もあったようだ。

澁澤龍彦はなぜそこまで軍歌を好んだのか。松山俊太郎はその理由について澁澤の歌のレパートリーの九割が「小学校卒業までに自然に覚えたはずのものであった」ことに着目したうえで「①幼児的心理への一時的退行、②情緒纏綿を嫌い単純明快を好む性格、③音楽に対する教養と嗜好の未発達」という三点の性質と関連があったことは「否定できない」としている。さらに松山は澁澤龍彦が反戦の世代に属するにも関わらず軍歌に対して肯定的な印象を保持しえた理由について、いくつかの要因を挙げる。


第一に、澁澤氏にとって、戦争や軍隊は、あくまで観念上のもので、しかも、これらとの心理的な一体化によって、現実の肉体的な非力感を解消させるものとなっていた。

第二に、軍歌にしばしば含まれる帝国主義の理念を、人間の根源的な衝動の必然的な所産として認め、この衝動をもっとも無害に充足させるものの一つとして、軍歌の代償的な機能を評価した。

（「澁澤さんと軍歌」）

★松山俊太郎「綺想礼讃」
（「澁澤さんと軍歌」を収録）

ただしこれは現代を生きる私たちにとって、いささか具合の悪い回答でもある。戦争や軍隊との「心理的な一体化」による「現実の肉体的な非力感の解消」や、「帝国主義の理念」を「充足させるもの」を求めて澁澤が軍歌を唄うならば、それは同じ願望充足のためにネット上で国家主義的な意見をばらまく現代の「ネトウヨ」と、ほとんど変わるところがないからだ。澁澤はそのメンタリティの共通性から、しばしばオタクの祖先などといわれる（浅羽通明『澁澤龍彦の時代』）。彼は同時に「ネトウヨ」の先祖でもあったのか？

軍歌とエンタメ

先の文章の中で松山は、日本人が軍歌に対して肯定的な印象をもちえたのは「明治は知らず、昭和では、三年から六年のわずかな年代に属する者」に限られており、その印象を後々まで保持しえた者は「さらに少数」であるとしている。軍歌や国体賛美の歌は、昭和三年（一九二八年）に生まれた澁澤と同年以上の、戦争に参与したり参与を予定された者の多くには、痛切な体験に記憶がまつわりすぎて、耳にしたくないものであろう、というのだ。またそれ以降（昭和七年から九年）に生まれたものについても、戦前は窮乏の時代しか知らず、戦後は反戦的なムードの中で育ったから、軍歌に懐かしさを感じることは少ないだろう、と述べる。だがそれは本当に正しい評価なのだろうか。

『日本の軍歌　国民的音楽の歴史』（幻冬舎新書）の著者である辻田真佐憲によると、歴史的な軍歌は決して政府や軍から押し付けられるようなかたちで発展してきたのではなかった。一八八六年に日本最初の軍歌集『軍歌』が編まれてからというもの、歴史の荒波の中で軍歌は民衆に歓迎されるエンターテインメントとして劇的な成長を遂げ、一九三〇年代にはレコード会社の台頭などもあって日本は世界でも有数の「軍歌大国」と呼ばれるまでにいたる。

とりわけ満州事変（一九三一年）から数年のあいだの熱狂は恐ろしいほどで、大手の出版社や新聞社が軍歌の歌詞や楽譜を公募し、受賞作は音楽会社によってレコード化されるという状況が続いた。昭和の軍歌としては有名な「露営の歌」や「愛国行進曲」も、この流れから生まれたものだ。セールスのほうも好調で「露営の歌」のレコードで六〇万枚、「愛国行進曲」にいたってはなんとこの時代に一〇〇万枚を売り上げたとあり、なんだか現代のVOCALOID市場の活況および「初音ミク」ブームを見ているかのようだ。

一九四〇年に「国民歌謡」という歌謡番組の中で放送され、レコード化されて国民に広く愛された軍歌に「隣組」がある。最近ではアニメ映画『この世界の片隅に』（二〇一六年）の劇中でも挿入歌として使われていたから、聞いたことがある方も多いだろう。「とんとん　とんからりと　隣組」というどこか気の抜けた言い回しが楽しい、勇壮さや悲壮さとは無縁の「軍歌」である。

★「露営の歌」楽譜

そしてじつはこの曲、多少編曲されてはいるものの、あの有名な『ドリフ大爆笑』のテーマソングの原曲でもある。番組放映開始当時はまだ戦時下の記憶も色濃く、聞く人が聞けば一発でこの曲が「隣組」のアレンジだとわかってしまったはずだ。にも関わらず「隣組」が使用されたのは、決して軍歌が日本人全体にとって「痛切な体験に記憶がまつわりすぎて、耳にしたくない」、否定的な印象しかもちえないものではなかったことの、何よりの証拠ではなかっただろうか。

エンタメと政治

戦時下の軍需品、ないしは国民的なエンターテインメントとしての日本の軍歌の歴史は一九四五年の敗戦によって終止符をうつ。一九四三年の時点で「敵性音楽」に対する取り締まりの強化はすでに始まっており、好きな音楽を好きに楽しむような余裕は、この国からなくなっていた。今日、軍歌に対する否定的なイメージが強く残っているとすれば、それは大戦末期のこのわずか数年のあいだに形成されたにすぎない。

★「サクラ大戦 檄!帝国華撃団全集」

だが軍歌の歴史が途絶えたからといって、歴史から軍歌そのものが消えてしまったわけではない。先の章で「隣組」について見たように、軍歌は今でも形を変えて存在しつづけており、それはゲームやアニメ、特撮といったサブカルチャーの中にこそ見出される。「帝国」や「軍隊」が解体されることなく存続し敵対勢力との戦闘が繰り広げられるパラレルな日本を舞台にしたゲーム（『サクラ大戦』や『艦隊これくしょん　艦これ』など）の主題歌や戦闘BGMには、軍歌や歌謡曲の勇ましさを連想させる要素が意識的に多く取り入れられている。『ゴジラ』シリーズでお馴染みの「怪獣大戦争マーチ」（バージョンによって「フリゲートマーチ」「宇宙大戦争マーチ」とも）に心を躍らせた経験をもつひとは、少なくないだろう。厳密には、これらの楽曲はあの時代の「軍歌」と同じものではないのかもしれない。しかしそれでも国民的エンターテインメントとしての軍歌の役割を、正確に理解し引き継いでいることは確かである。

ここで話を戻すなら澁澤龍彦にとっての「軍歌」もまた、同じような文脈から捉えることはできないだろうか。もしかしたら『艦これ』の提督（プレイヤー）は少女の姿に擬人化された軍隊（「艦娘」）を保有し戦闘に参加させることで「現実の肉体的な非力感を解消」させているのかもしれないし、民族主義的な力強さを湛えた「怪獣大戦争マーチ」は日本人にとって失われた「帝国主義の理念」を代償的に満足させるものだったかもしれない。だがそれは娯楽であるかぎりどこまでも仮想的な願望充足にすぎず、いわゆる「ネトウヨ」的なメンタリティとはなんら関わりがない。軍歌を戦時下のナショナリズムと結びつける、頭の固いインテリばかりだったあの時代、澁澤龍彦ひとりがその機能と将来性を正当に評価しようとしていたと、いえなくもないのだ。

とはいえ政治と音楽、ないしは政治とエンタメが現代の日本において完全に切り離されているかといえば、必ずしもそうとはいえない。一九九五年に毒ガス事件を引き起こした新興宗教である「オウム真理教」の指導者を讃えるマーチ（「尊師マーチ」）は当時、子どもたちの間で大流行していたし、二〇一六年に『シン・ゴジラ』が公開された際には劇中で描かれた政府の有事対応の杜撰さや自衛隊の扱いをめぐってこれを政治的に利用しようとする動きもあった（藤田直哉『シン・ゴジラ論』参照）。昨今でもコロナ禍での「ステイホーム」を呼びかける星野源の動画がSNSで拡散されたところで安倍政権が「ただ乗り」し、顰蹙を買ったばかりである。

思い返せば軍歌ほど、時代のイデオロギーにその評価を左右されやすい音楽もなかった。それが健全なエンターテインメントとして消費されているうちはまだいい。しかし娯楽作品は受け手にすべての解釈を委ねるその性質上、容易に時の権力者によって政治的に利用されうる。一時は忘れられた音楽ジャンルであったはずの軍歌が見直され、どこかで聞いた冗談のように「軍歌を聴く会」に政府の要人からアイドルまでが招待されるようになったとき、それは日本のナショナリズムが新たな段階へと入ったことを告げるものになるはずだ。

禁断の快楽、あるいは悪魔の技
——イスラムにおける音楽

◎文＝仁木稔

イスラムの歴史において、音楽は常に〝快楽〟と定義されてきた。そして問題は常に、この快楽が善悪いずれなのか、だった。医師や文人は、音楽は傷ついた魂を癒す善なるものだと擁護した。神秘主義者《スーフィー》たちはより積極的に、神との合一をもたらす手段として音楽を用いた。

神学者の多くにとって音楽は他の快楽と同様、神から心を逸らさせる悪だった。お伽話などと同じく無価値であるがゆえに許し難いとする者もいれば、悪魔の誘惑とまで呼ぶ者もいた。後者の筆頭がイスラム原理主義の元祖的存在、イブン・タイミーヤ（一三二八年没）であり、音楽を酒と姦通に結び付いた絶対悪と断じた。

イスラム的な是非の判断は、神の言葉である聖典クルアーンに根拠を求めなければならない。ところが神は、音楽については完全に沈黙している。そこで第二の権威となるのが、預言者ムハンマド（六三二年没）の言行だ。音楽に肯定的な言行と否定的な言行、それぞれが幾つも伝えられており、ムスリムたちは各々、都合のよいものを選択してきたのである。

ところでムハンマドの生前から文字で記録され、死後およそ二十年で書物として編纂されたクルアーンとは異なり、彼の言行は何世代にもわたって口伝が原則だった。当然、捏造し放題である。最終的に九世紀から十世紀、数十万とも伝えられる言行の中から、真正の数千を選別した言行録が数点編纂された。当代屈指の学者たちが真贋を判定したことになっているが、実際のところ彼らが選んだのは、〝真正である〟と大勢に見做されていたものだった。したがって音楽に関しては当時、賛否両論だったのであり、決着しないまま現在に至っている。

ではそれ以前における音楽の評価は、どのようなものだったのだろうか。時代を遡るほど史料が乏しくなるが、確実なのは前イスラム期のアラビア半島では詩が非常に発達しており、ほぼ唯一の文学形式だったことである。これらの詩は書き留められることはなく、朗詠され、口伝されていた。歌を意味するアラビア語は幾つもあるが、そのうちの一つ〝ナシード〟は、詩の朗詠を意味する〝インシャード〟と語源を同じくする。一方で詩の起源は、駱駝の歩調に合わせた歌だと信じられていた。このようにアラブの歌は元来、詩との境界が不分明であり、そこから推測されるのは単調な単声の歌——多くは無伴奏——である。

アラブ固有の歌も器楽曲も発達しなかった背景には、アラビア語への執着がある。この傾向は視覚芸術にも見られ、絵画よりもカリグラフィーが好まれた。押韻しやすいという特質もあって、アラビア語の詩は非常にリズミカルで力強い。多声や複雑な旋律の歌はアラビア語の響きを殺してしまい、伴奏も歌詞の邪魔になりかねない。器楽曲は言わずもがなだ。

一方で都市富裕層は、異民族の奴隷による凝った旋律と伴奏の歌を楽しんだ。こちらの歌は、富《ギナナ》と同語源のギナーと呼ばれた。その影響で民衆の間でも伴奏付きの歌が歌われるようになったが、担い手は女性に限定されていたようだ。現在、アラブの古典楽器とされる多くが異民族によってもたらされたもので、ウードはその代表である。

預言者として活動を始めたムハンマドの競合者は、妖霊《ジン》に憑かれて言葉を発する詩人と巫者だった。アラブの多神教ではジンは神々の一種であり、そのうえ巫者のお告げは、詩ほど規則は厳格でないものの同じく脚韻形式だった。ムハンマドに下された神の啓示は、この形式を取っていたのである。

翻訳で読む限り、長大なクルアーンの大半は無味乾燥な生活規範で占められる。そうでない部分も、内容の重複が多く冗長だ。しかし原文は朗々と詠唱されれば、アラビア語を解さない者の耳にも至って音楽的に響く。クルアーンそれ自体が奇蹟であり、敵対者たちは魔法と呼んで恐れた――とクルアーンにはある。直接耳にしただけで多くのアラブが改宗した、という伝説もあながち誇張ではあるまい。言霊はそれだけの威力を持つと信じられていたのだ。イスラム陣営と敵陣営の詩人たちも、詩を武器に闘いを繰り広げた。

イスラムの勝利によって、詩人と巫者の脅威は消えた。神から心を逸らさせる悪として音楽が立ち現れてくるのは、しばらく先のことだ。しかし音楽に対するアラブの警戒は、イスラム誕生の遥か以前に遡る。アラビア語で音楽を指す語の一つ"タラブ"は快楽、さらには恍惚、熱狂といった意味も持つ。音楽によってもたらされる高揚であり、その最も激しいものは死に至りかねない忘我の境地だという。神秘主義者《スーフィー》たちは、まさしくこの境地を求めて歌い、奏で、踊るのである。

情動を激しく喚起する音楽の作用は、脳科学でも裏付けられている。報酬系が活性化してドーパミンが分泌されるのに加えて、視床下部が心拍数を上昇させるのだ。大太鼓や銅鑼、パイプオルガンなどが発する超低周波音は、神への畏怖を引き起こす。斯くして多くの宗教が音楽を儀礼に用いてきた。一方で、そうした宗教音楽がもたらす感動は、神ではなく音楽それ自体に対するものではないかという疑いも生じる。イスラム神学と神秘主義の融和を図ったガザーリー（一一一一年没）は、音楽の精神ではなく音やリズムといった表層しか聴かない者に向けて警告を発している。キリスト教では聖アウグスティヌス（四三〇年没）が、この懸念を有していた。

アラブ文化を継承した初期イスラムの宗教音楽は、クルアーン朗詠と礼拝呼び掛け《アザーン》に限られていた。しかしイスラム世界は拡大し、異民族と共にその音楽が流入してくる。支配層のアラブ・ムスリムはそれらに熱狂し、耽溺した。アラブの誇りである詩は伴奏付きの歌と化し、クルアーンの朗詠も音楽性を増して、ついには流行歌の旋律に乗せて歌われるまでになった。快楽《タラブ》であり熱狂《タラブ》である音楽《タラブ》に、人々は不安を抱き始めた。

中世の西洋では教会が音楽の力を独占しようとし、世俗の楽師を悪魔の仲間として迫害した。一方のイスラムは初期段階で巫者を滅ぼし詩人を服属させ、アラブの朗詠文化を独占した。ムハンマドを直接知る人々を核とする、緊密な共同体だから可能だったことである。教会に該当する宗教組織を持たぬまま、今や膨張し多民族を抱えるイスラムは、浸透してくる音楽に一元的な対応を取れなかった。神秘主義《スーフィズム》の各教団は修行の一環に組み入れたが、正統を自任する多数派はただ制限しようとするだけだった。制限と許容の程度

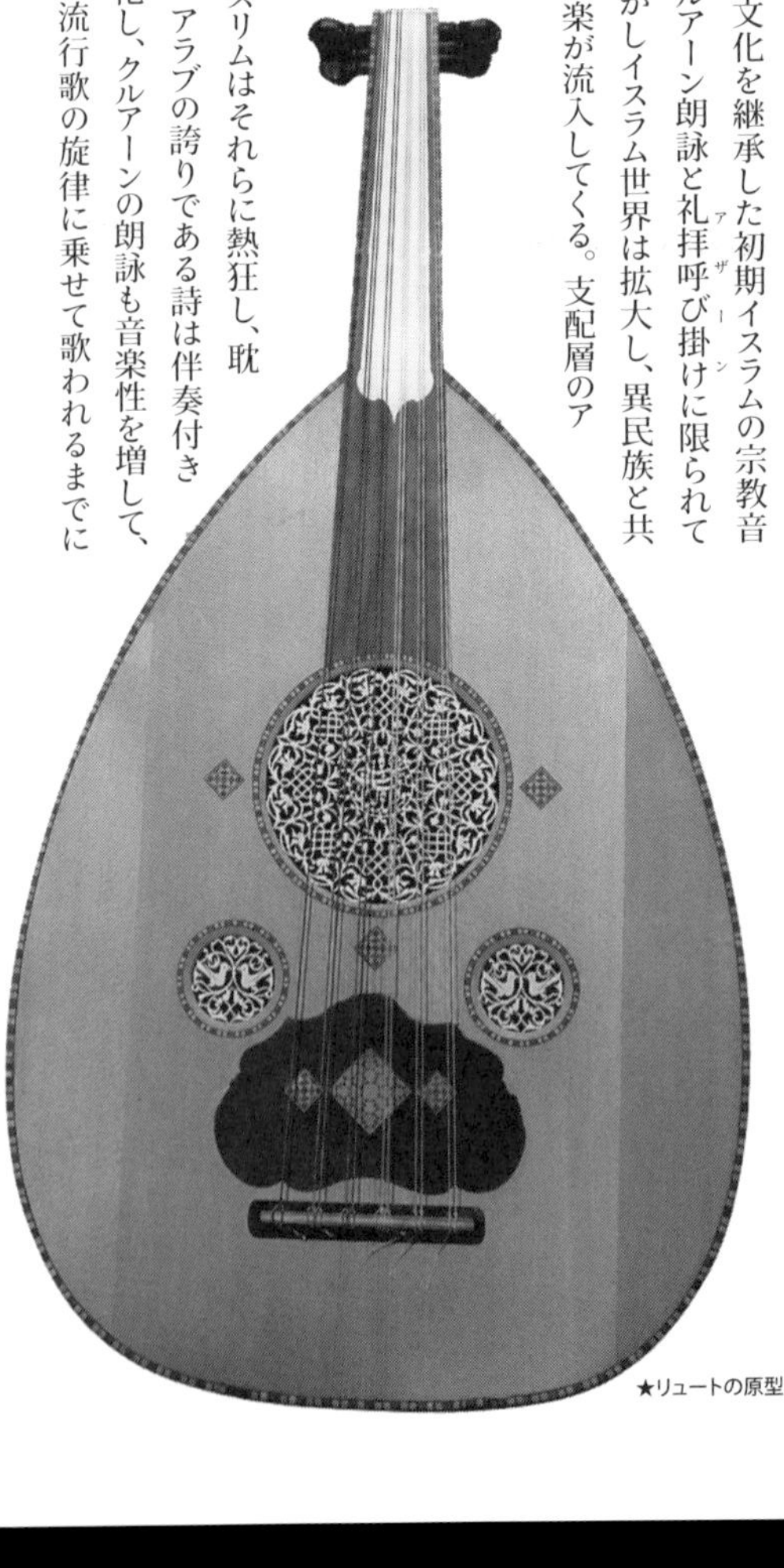

★リュートの原型となったアラブの楽器、ウード。ペルシア起源とされる。

は、地域ごとの為政者や宗教的権威の裁量に委ねられた。

前述のように、前イスラム期の詩人は妖霊《ジン》から霊感を与えられていた。ムハンマドは彼らを悪魔《シャイターン》憑きと呼び、自らは天使ガブリエル《ジブリール》を介して神の言葉を下されるのだと主張していた。またイスラム陣営の詩人が称したところによると、改宗後はジンではなくジブリールが訪れるようになったという。しかしこの差別化は、多神教徒に対してさして効果があったとも思えない。ユダヤ・キリスト教との接触から天使や悪魔という名称は知っていたにせよ、ジンの一種くらいに捉えていたのではあるまいか。クルアーンにおいてすらジンと悪魔の区別は曖昧であり、天使とジンの間にも共通点が見出せる。

ジンは音楽とも関わりが深かったようだ。アラビア語の演奏《アズフ》はジンの声《アズィーフ》が語源である。ムハンマドの言行によれば音楽は悪魔の声だが、あるいは元来はジンの声だったかもしれない。

やがてイスラムの詩人たちは、再び霊感をジンに求めるようになった。この伝統は、少なくとも十一世紀まで確認できる。興味深いことに、九世紀前半の大音楽家イブラヒーム・アルマウシリーは作曲にジンの力を借りていると主張したと伝えられる。彼の父イスハークもまた高名な音楽家だが、こちらは十世紀の史書に、悪魔から歌を教わったと記されている。音楽家の地位の低下に伴い、ジンが悪魔に置き換えられたのであろう。この挿話は『千夜一夜』にそのまま採用されたが、同書には息子のイブラヒームが悪魔の来訪を受ける物語も収録されている。後者では〝歌を教える〟というモチーフは失われており、悪魔はイブラヒームとその恋人を歌で揶揄うだけだ。悪魔／ジンを霊感の源とする伝統が忘れられた結果、このようなかたちになったと思われる。

悪魔と契約したと噂された、あるいは自称した音楽家といえば、時代が下ってパガニーニにタルティーニ、さらにロバート・ジョンソンが有名だ。これらの事例も根底には音楽への畏怖もしくは恐怖があるものの、その度合いは遥かに軽い。

近年、イスラム圏ではナシードと呼ばれる宗教歌が大いに流行している。イスラム讃美の歌詞はもちろん、伴奏は無しか控えめとイスラム的正しさ《ハラール》に配慮され、旋律も伝統的——ただし現代風アレンジ——だ。欧米の、もしくはその影響下にあるポップスを聴くのが後ろめたかった若者たちを中心に人気を博している。

注意すべきは、宗教歌としてのナシードは紛うことなきイスラム音楽ではあるが、新しいジャンルだということだ。伝統に立脚したものとも言い難い。〝ナシード〟は単に歌という意味でしかなく、宗教歌に当たるものはナシード・信仰《ディーニー》のと呼ばれていた。

ナシードを宗教歌に限定し、大量に制作したのがＩＳである。処刑動画のＢＧＭに使われ、広く知られるところとなった。イスラム的正しさが徹底されているのは歌詞だけでなく、無伴奏が原則、稀に付く場合も打楽器のみ——これは太鼓を肯定したムハンマドの言行に依拠する。否定した言行もあるのだが、都合よく無視されている——そして女性歌手は締め出されている。想像上の〝正しいイスラム共同体〟実現に先立って創出された、想像上の〝正しいイスラム音楽〟だ。

こうした背景を一切無視すれば、彼らのナシードは情動の喚起力が極めて高く、音楽的にも優れていると言ってよい。ムスリムはもちろん異教徒をも魅了するナシードは、費用対効果の高いプロパガンダだ。ＩＳは音楽の威力《タラブ》を熟知していた。その上で他の音楽はすべて撲滅するつもりだったのだから、イスラム史上初の一元的音楽支配の試みでもあったわけだ。

ＩＳの勢力は縮小したが、ナシードはいっそうの隆盛を見せている。それがもたらす感動は神と音楽、どちらに対するものなのか。ガザーリーや聖アウグスティヌスの危惧は、顧みられていないようだ。

無音の可能性
――無声映画と実験映画の〝ゼロ音〟をめぐって

◉文＝高槻真樹

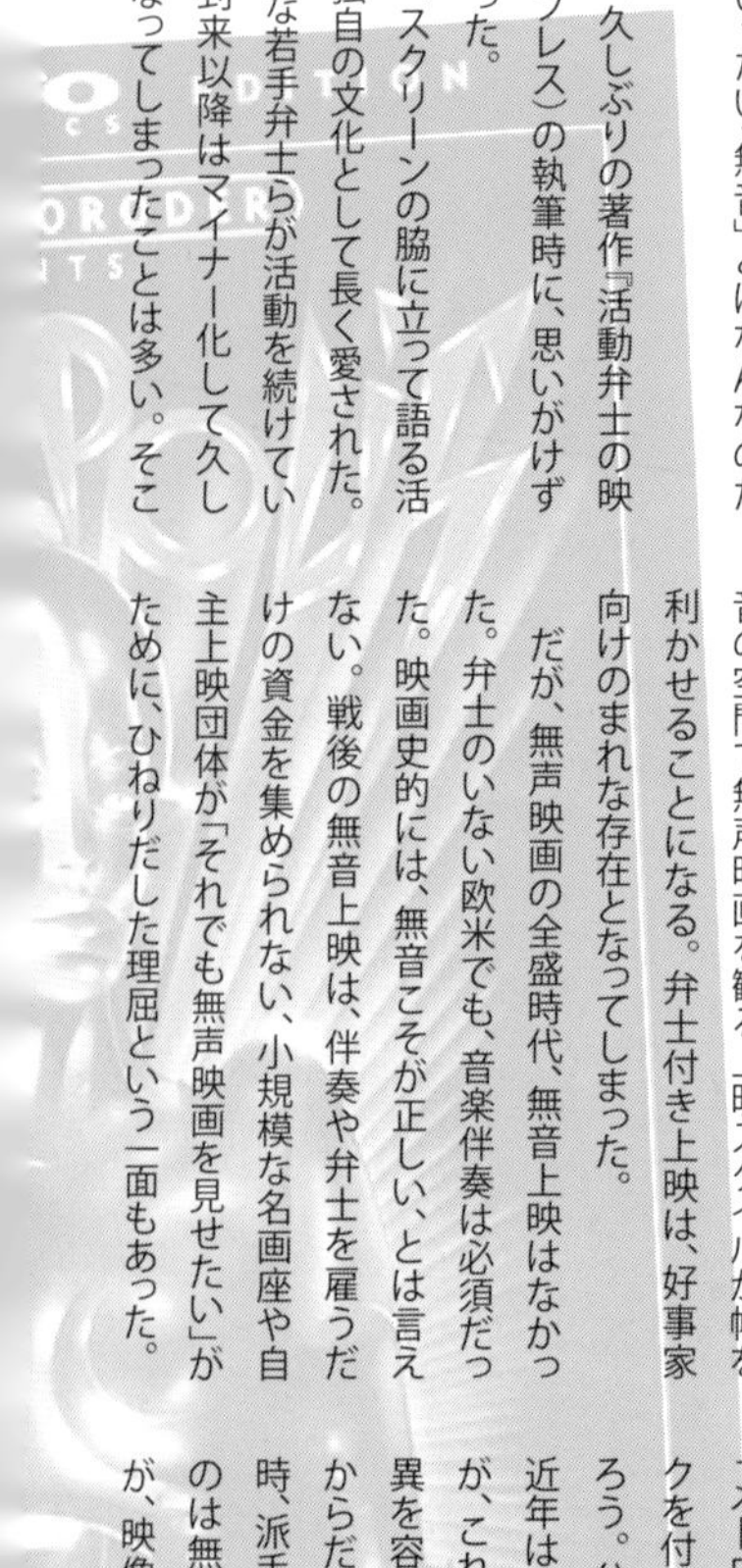

音の闘争から無音の神聖化へ

一九八〇年代ごろまで、ビデオもデジタルも当たり前ではなかった時代、さも当然のように、無声映画は無音で上映された。睡魔と闘いながら、これこそが正しい形だと思い込もうとしていた映画ファンは、私だけではないだろう。

その後、伴奏や活動弁士付きの上映が当たり前になった現在から思い返してみると、あれはどこか変だった。眠らずに済んだとしても、「無音」が気になって、映画のストーリーがさっぱり頭に入らない。いったい「無音」とはなんなのだろう。

先日刊行した、久しぶりの著作『活動弁士の映画史』（アルタープレス）の執筆時に、思いがけず回答に行き当たった。

無声映画時代、スクリーンの脇に立って語る活動弁士は、日本独自の文化として長く愛された。現在でも意欲的な若手弁士らが活動を続けているが、トーキー到来以降はマイナー化して久しく、わからなくなってしまったことは多い。そこで周防正行監督の新作映画「カツベン！」公開に合わせて、資料を掘り起こし、時代ごとの具体像をまとめた。

無声映画の黄金時代、活動弁士は、語り次第で自由に映画の印象を変えてしまう存在だった。映画を監督の芸術作品だとみなす評論家らは、これを「冒涜」だと激しく批判した。

当時の観客は圧倒的に弁士の味方で、知識人の主張はほぼ相手にされていない。しかし時代が変わっても残るのは活字の方だ。かくして弁士悪玉論は、戦後のシネフィル文化にまで継承される。活動弁士も音楽伴奏も廃し、完全に無音の空間で無声映画を観る上映スタイルが幅を利かせることになる。弁士付き上映は、好事家向けのまれな存在となってしまった。

だが、無声映画の全盛時代、無音上映はなかった。弁士のいない欧米でも、音楽伴奏は必須だった。映画史的には、無音こそが正しい、とは言えない。戦後の無音上映は、伴奏や弁士を雇うだけの資金を集められない、小規模な名画座や自主上映団体が「それでも無声映画を見せたい」がために、ひねりだした理屈という一面もあった。

自然界では、どんな静寂な空間でも、何らかの音は残る。まったくの無音が一時間も二時間も続く上映は、実はとても不自然なものだ。ゆえに人は落ち着かなくなり、無音を「やかましい」と感じてしまう。ジョン・ケージによる伝説のスコア「四分三三秒」（一九五二）は、そのことに気付いていたからこそ、「あえて演奏しない四分三三秒」の時間を作り出し、強烈な印象を生み出すことに成功したのである。

ゼロ表現の即興演奏

ならば、無声映画において、映像表現を邪魔しないプレーンな音とはどのようなものだろうか。戦後にも、無声映画に独自のサウンドを付けようとした例は多いが、多くが一回きりのお遊びに終わってしまっている。

中でも有名なのは、フリッツ・ラングの映画「メトロポリス」（一九二六）に、ロックミュージックを付けたジョルジオ・モロダー版（一九八四）だろう。公開当時の評価は散々といってよかった。近年はむしろモロダー版も再評価が進んでいるが、これはオリジナル版の修復が進み、両者の差異を容易に見比べることができるようになったからだ。オリジナル版を観るのが難しかった当時、派手に売り出したモロダー版が怒りを買ったのは無理もない。確かにノリのよいサウンドだが、映像をかすませるほど前に出てしまっているのは否めないからだ。

多くの作曲家が、自己主張の激しすぎるサウンドで映画を台無しにしてきた。シネフィルたちは「やはり無音こそが正解なのだ」という思いを強くするばかりだった。欧米でも事情は同じだったようで、パリにシネマテーク・フランセーズを設立したアンリ・ラングロワの評伝『映画愛』（リチャード・ラウド著／リブロポート）においても、睡魔に耐えながら無音で上映されてきた歴史が紹介されている。戦後に音楽伴奏が消えたのは、やはり懐事情の厳しさのせいなのだが、これぞあるべき姿と思い込もうとする姿も同じだった。

状況が変わったのは、アベル・ガンスの超大作「ナポレオン」（一九二七）の復元上映が世界各地で展開された一九八一年のことだった。カーマイン・コッポラ作曲のスコアによるフルオーケストラのライブ上映は、音と映像が高め合う、観たこともない衝撃をもたらした。その後、各地で一斉に生演奏付き上映が試みられるようになっていく。

日本での反応はやや遅れたが、一九九五年の「映画百年」が大きな転機となった。このとき、リュミエール兄弟の「列車の到着」（一八九六）などの復元上映でピアノ伴奏を務めたのが柳下美恵である。柳下は、日本の無声映画上映に「即興伴奏」という概念を持ち込んだ。現在では第一人者となり、公演のたびに盛況を極めている。

全盛期の伴奏でも、新譜が用意されることはまれだった。多くは既成曲の使い回しであったろうと言われている。だが「即興伴奏」は、まったく違うものだ。

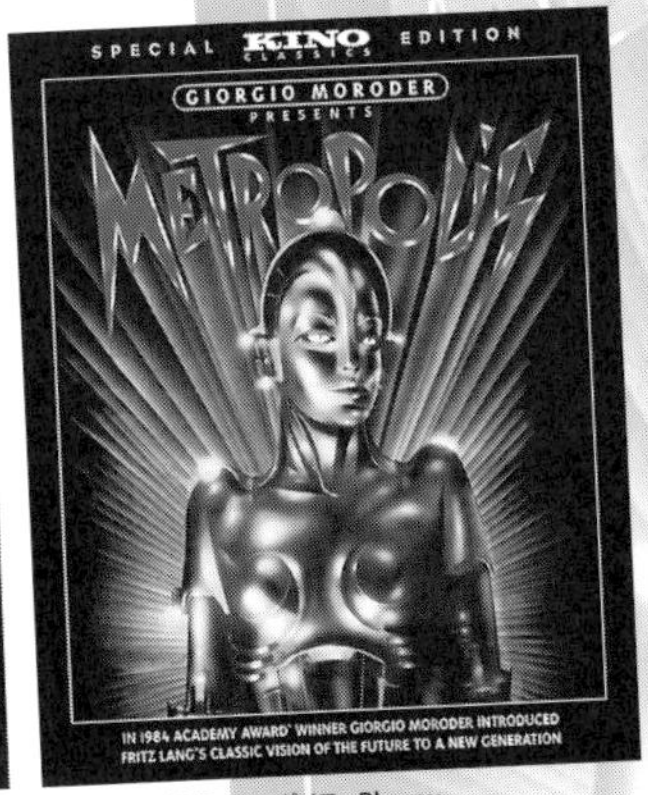

★モロダー版「メトロポリス」Blu-ray

★カーマイン・コッポラスコア版「ナポレオン」DVD

実のところ、「即興伴奏」とは、欧米の映画修復の現場において、やむにやまれぬ事情から編み出されてきたスタイルだ。日々世界各地に散らばったフィルム断片をかき集めながら、少しずつオリジナルの形に近づけていく。ということは、映写するたびに上映時間が伸びるという冗談のような事態が発生するわけで、前もってスコアを用意することはできない。そこで、観客の反応とフィルム状態を見ながら、毎回手探りであるべき音を探し求めていく。その結果生み出される音は、強烈な自己主張の発露ではなく、映画に付き従い、観客の理解を促すようなものになっていく。

その概念を一歩進め、積極的にノイズキャンセリング的なサウンドを目指したのが柳下だった。具体的なサウンドを持っているのに、旋律が観客の耳に残らない。観客を映画に集中させる、「ゼロ」の表現。まさに無音の「やかましさ」を打ち消してしまう音楽を目指し、具現化させたのである。

活動弁士では、東京の第一人者・澤登翠がこのスタイルを得意としている。澤登はしばしば「映画に溶け込むように気づかせないように語りたい」と主張する。澤登が語ると、脱落だらけの断片フィルムでも、不自然さを感じず、まとまったストーリーを理解できるほどだ。

前衛表現の模索

むろん、そうした「ゼロ」を目指す伴奏や語りだけが正解というつもりはない。映画を立てつつ、音と映像のせめぎ合いを見せるスタイルもあり得る。そのあたりは少し今回のテーマから

★「Unseen Cinema」DVD

★「バレエ・メカニック」

外れてしまうので、拙著を参照していただくこととして、本稿では、「無音」のさらなる可能性について考えていきたい。

映画に集中させる表現が、無音ではなく、柳下や澤登のようなスタイルなのだとすれば、もう無音は用済みなのだろうか。そうではない。無音が強烈な存在感・違和感を持つのであれば、それを積極的に表現の中に取り込んでいく選択肢もあり得るはずだ。前衛映画・実験映画ならばどうだろうか。確かにこちらも無音で上映される機会が大変多い。

だが初期前衛映画の「無音」は、それほど強い信念に基づくものではなく、やむを得ない結果であることも少なくなかった。技術的問題から、音響面の構想が実現できないことがあったのだ。

前衛映画の古典中の古典というべき、フェルナン・レジェの「バレエ・メカニック」（一九二四）の、伴奏をめぐるエピソードはその典型例であろう。制作当時、ジョージ・アンタイルが手掛けたスコアも有名で、坂本龍一が影響を受けた作品を発表している。だが実は、映画本編が一六分なのに、アンタイルのスコアは三〇分もあり、そのままでは使えず、初上映時は無音だった。

しかもアンタイルのスコアは一六台もの自動演奏ピアノを必要とし、当時の技術では完全に同期させる方法がなかった。両者の統合は、なんと一九九九年まで待たねばならない。担当したアメリカの作曲家ポール・レーマンは、パソコンを駆使したＭＩＤＩ音源とサンプリングによって、アンタイルの宿願を実現してみせた。現在、ＤＶＤ「Unseen Cinema：Early American Avant Garde Film 1894–1941」(Image Entertainment)などでその成果を観ることができる。

それは断片化されたピアノ音とサイレンやプロペラ音がミックスされた、早すぎたノイズミュージックというべきもので、レジェのフィルムの衝撃を何倍にも増幅してくれる。だが初演時、それは幻だった。

やむを得ない無音と、意図的な無音が、当時きちんと区別できていたかどうかは怪しい。「バレエ・メカニック」は、その後もしばしば無音で上映され、これこそがレジェの意図にかなった形だと主張された。無音が映画表現として確立されるためには、演奏・録音機器がある程度充実した時代の到来が必要だったのである。

意図された無音の時代

「無音」が積極的な手段として、自覚的に用いられるようになるのは、一九六〇年代アメリカのアンダーグラウンドシネマの時代以降のことだ。トーキーの到来は三〇年も前のことだが、録音技術は遅々として進歩しなかった。セリフは聞き取りづらく、音楽は割れ放題。それでも観客は音がなければ観てくれない。こっそりとアフレコでセリフを付け直すことも珍しくなかった。つまり、なおもフィルムはサイレントが基本で、苦労してトーキーに加工されていた。

だが六〇年代、安価な磁気録音テープが現れ、ハンディな同時録音の一六ミリカメラも普及し始める。シンクロ技術はようやく安定し、映像と音の一体化が進む。初めて映画は音を持つことが

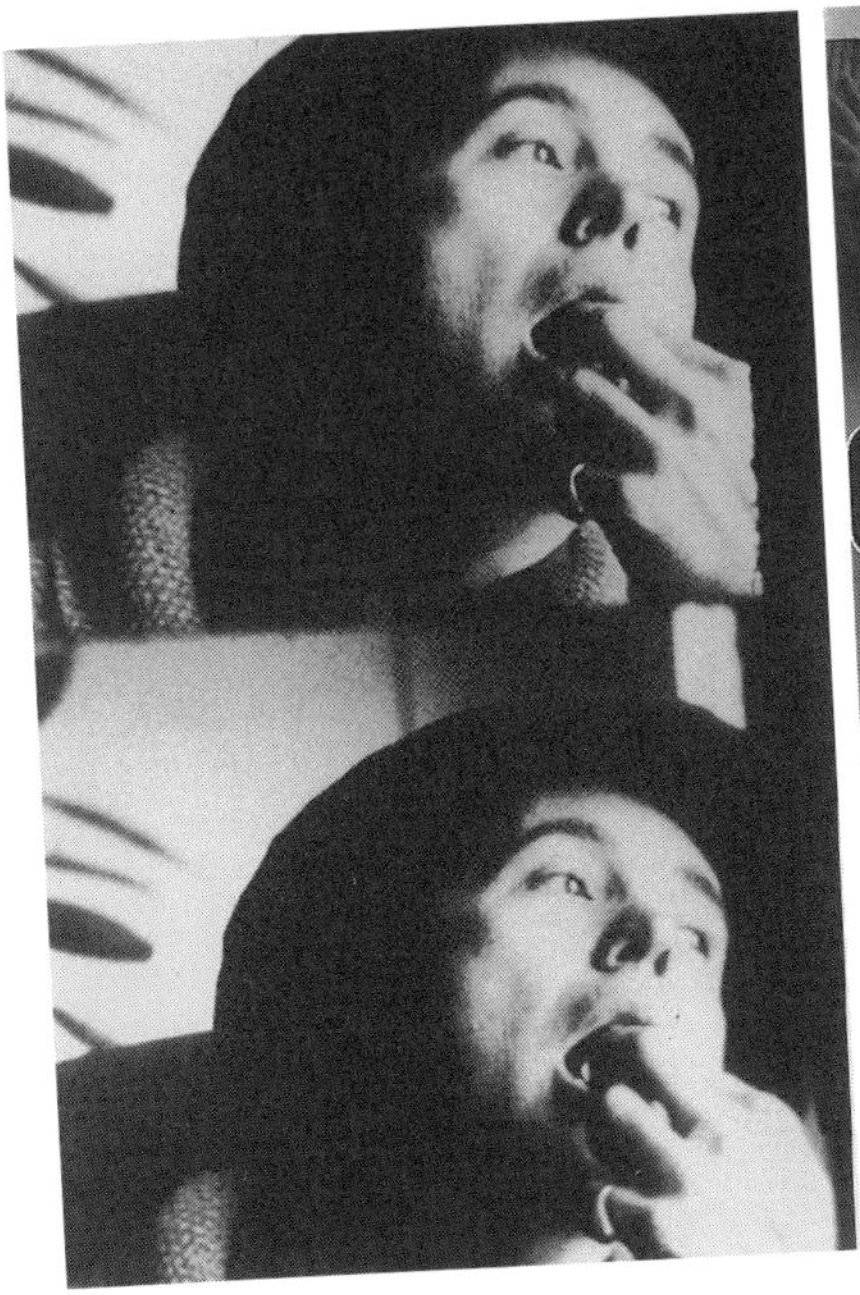

★（左）「イート」
（上）「Andy Warhol—4 Silent Movies」DVD

「当たり前」となったのである。そこまで音がありふれたものとなったからこそ、あえて消し去ることが表現として意味を持つようになった。

その代表例として、ポップアートのスーパースター・アンディ・ウォーホルが手掛けた、風変りな映画の数々が挙げられる。「エンパイア」（一九六四）、「イート」（一九六三）、「スリープ」（一九六三）といったサイレント作品は、音楽をつけることを前提としていなかった。特に劇的なことは起こらず、固定ショットで単一の素材を凝視し続ける。だが、モノクロフィルムで一秒間二四コマのスピードで撮影された映像を、一秒間一八コマ、しかも無音で映写する。色が抜かれ、微妙にスローに時間を引き延ばされ、音が消された素材は、見たこともない光景へと変化していたのである。

当たり前に存在する音を意図的に奪うからこそ、超現実的な空間が出現する。先鋭的な映像作家たちの作品は、「実験映画」として知られるようになり、無音は表現の選択肢のひとつとして、しばしば用いられるようになっていく。

確かに初期前衛映画でも、ハンス・リヒターやオスカー・フィッシンガーなど、無音で上映することを掲げたフィルムを制作した例はあるが、「映像でリズムを見せる」ことにとどまっている。

だが一九六〇年代以降の実験映画では、無音に、より積極的な意味が付け加えられていく。観客に思索を促したり、観客に音を発することを求めたりと、実に多彩だ。無音に退屈して眠ることすら計算に入れ、上映中に観客が見る夢と作品を融合したピーター・ジダル「犯罪」（一九八八）のような例まである。

なかでも、アメリカの映像作家スタン・ブラッケージは、生涯無音の作品を作ることにこだわり続けた。それは、日常の風景や雄大な自然、天体や昆虫などの科学映像を融合し、多重露光やフィルムへの着色など様々な加工を施して、独特のリズムを持つ抽象画像へ再構成されたものだ。代表作「DOG STAR MAN」（一九六四）を観てみよう。宇宙空間から微粒子までが、ブラッケージの感性に沿って新たな形にまとめあげられる。感覚のひとつをあえて捨てることで、世界の感じ方がガラリと変わる。ジョン・ヴァーリイの名作SF短編「残像」（一九七八）を思い浮かべてもいい。

無音はゼロではない。あらゆる可能性が重ね合わされて生まれた、まばゆく真っ白な、無限大の存在なのである。

★「Dog Star Man」ポスター

幻想のクリムゾン王国

◉文＝八本正幸

アウトサイダー・アート／アール・ブリュットの「王」と称される画家アドルフ・ヴェルフリの本邦初となる本格的な展覧会「二萬五千頁の王国」が開催されたのは、二〇一七年のことだった。東京ステーションギャラリーで、その緻密に描かれた色彩豊かな迷宮世界に見入りながら、僕の脳裡で鳴り響いていたのは、キング・クリムゾンのデビュー・アルバム『クリムゾン・キングの宮殿』であった。生涯のほとんどを精神病院の中で過ごし、膨大な作品を紡ぎ出したヴェルフリこそ、「21世紀のスキッツォイド・マン」が夢想した、クリムゾン王なのではないのか？と。

音楽も配信が普通となった今では、楽曲はリスナーの任意で、あるいはランダムに消費されているが、アナログ盤のLPで育った世代としては、未だにアルバムを曲順やジャケット・アートを含めた綜合芸術として捉える姿勢が色濃く残っている。プログレッシヴ・ロックと呼ばれる音楽ジャンルともなれば、なおさらだ。

『宮殿』はまさに、その衝撃的なジャケット・イラストとともに、ひとつの世界、ひとつの宇宙大系としてわれわれの心に刻まれ、そして存在するのである。つまり、精神病院に幽閉された一人の男が、現実の恐怖に押しつぶされ、風に語りかけ、混沌の未来を予見し、月の子となって、壮麗なクリムゾン王の宮殿を夢想するという、ひとつの物語として読むことが出来るように思う。それは作者の意図したことではないかも知れないけれど、作品は常に、作者の手から離れた瞬間から独り歩きするものだから、どのように鑑賞しようとも受け手の自由でもあろう。

作者の意図を超えたところで、豊かな物語性を獲得したこのファースト・アルバムだが、タイトル曲で歌われる宮殿に、王の姿はない。では、その不在の王とは誰なのだろう？

それはあるいは、冒頭に記したように、アール・ブリュットの王アドルフ・ヴェルフリかも知れないし、バイエルンの狂王ルートヴィヒ二世か、はたまた誇大妄想症の葦原将軍か、いやいや、二一世紀を迎えていよいよ混沌とする現実世界の中で、おのれの正気があやうくなりつつある、僕や君かも知れないのだ。そんな風にこのアルバムは、演奏の素晴らしさも相俟って、未だに古びない魅力を持っている。しかしそれは、キングの名を冠するこの楽団にとっては、大きな重圧でもあったに違いない。

『宮殿』の成功の直後、楽団は早くも解散の危機に晒される。ツアーに疲弊した主要メンバーが、脱退を表明したのである。窮地に立たされた若年寄のギタリスト（ロバート・フリップ）は、詩人（ピート・シンフィールド）とともに、メンバーをかき集めて、何とかセカンド・アルバムの録音にこぎ着ける。そしてそれは、紆余曲折を繰り広げる楽団の、流浪の物語のはじまりでもあった。

『ポセイドンのめざめ』と題されたセカンド・アルバムの構成は『宮殿』に酷似している。というよりは、水鏡に映し出されたもうひとつの神話世界といった趣きがある。そしてこのアルバム構成が、後の『太陽と戦慄』『レッド』でも踏襲されていることも興味深い。

続く『リザード』では、サーカスのような狂騒的な世界が絢爛たる絵巻物のように描かれた。しかしこの時点でも、楽団員は流動的で、寄せ集め集団という印象はぬぐえない。それでもアルバムごとにしっかりした世界観と物語性を感じるのは、若年寄の統率力と詩人のイメージ力によるものでもあろう。

ようやくライヴが出来る固定メンバーを確保して録音されたアルバム『アイランズ』は、楽団史上最も静謐で幽玄な作品となった。だがこの編成の楽団は、ツアーを続けるうちに、若年寄も制御不能のアナーキーな演奏を繰り広げつつ解体してしまう。この時期の、崩壊しつつある王国の混沌を捉えたライヴ音源も味わい深く、次々にリリースされるアーカイヴを追いかける王国臣民の財布事情も、かなり厳しいことも確かだが、嬉しい悲鳴をあげつつ買い漁るのである。

一旦は壊滅状態となった楽団だが、若年寄の執念で新生し、ニューアルバム『太陽と戦慄』が発表される。Larks' Tongues in Aspic という原題の意味は、様々な解釈があるようだが、太陽と月が一体となったジャケットのデザインと相俟って、対立する二つの概念がぶつかり合って生まれるダイナミズムと、魔術的な神秘性、そして抒情的で美しいバラードが、絶妙のバランスで共存するアルバムとなった。個人的には、この時期の楽団にいちばん愛着を感じる。しかし、盤石と思えたこの編成も長くは続かず、『暗黒の世界』『レッド』と限界を超えるゾーンに突入しつつ、漆黒の「スターレス」を奏で、惜しまれつつ解散してしまった。

★キング・クリムゾン「クリムゾン・キングの宮殿」

★キング・クリムゾン「太陽と戦慄」

　キング・クリムゾンの音楽を特徴付けるもののひとつに、メロトロンの存在がある。ある意味原始的なメカニズムの楽器なので、トラブルの原因にもなったようだが、それゆえにこそ、計算では出ない奇跡的な音色を奏でることもある。この時期のライヴ音源としては最初に発表された『USA』に収録された「イージー・マネー」においては、フェイドアウト寸前に、メロトロンのチューニングが微妙にゆらいで、一瞬、見てはいけない黄泉の世界か、あるいは反世界が垣間見えてしまったような不思議な音色が奏でられる。何度聴いても心が震える瞬間である。

　パンク／ニューウェイヴの嵐の最中、様々なセッション（デヴィッド・ボウイ、トーキング・ヘッズ等）やソロ・ワークを重ねた若年寄は、突如、王の名を冠した楽団を復活させ、われら臣民を驚かせた。当初はディシプリンという名前だったその楽団は、象使いの道化師（エイドリアン・ブリュー）や、スティックという面妖な楽器を操る宗像教授、じゃなくてトニー・レヴィンを配し、ポリリズムを駆使して幾何学模様が幾重にも重なったモアレ状のタピスリーの如き演奏を繰り広げた。それはそれで見事だったものの、かつての抒情性は失われ、どこか即物的な詩と相俟って、馴染めずに離れて行ったファンもいた反面、新たな支持者も獲得し、健在ぶりを示した。そして楽団は遂にこの日本の地へも降臨し、神秘のヴェールを脱いだのであった。

　以後も楽団は、解散と再結成を繰り返し、その都度新しい局面を見せてくれるようになる。そうした在り方を、名実共に翁となったギタリストはこう表現した。「キング・クリムゾンにしかプレイ出来ない音楽が生まれると、遅かれ早かれキング・クリムゾンは登場してその音楽をプレイする」と。

　ダブル・トリオからのフラクタル展開によるプロジェクト活動の試行錯誤を経て到達した、四人組によるヌーヴォー・メタル路線は、架空の怪獣映画のサウンドトラックのようでもあった。

　時代はスキッツォイド・マンが夢見た二一世紀に突入し、翁の引退宣言によって楽団の長い歴史にピリオドが打たれたかと思いきや、太鼓三兄弟をフロントに配した大編成で復活し、世界中を旅する王室楽団として、新曲を交えつつ、過去のレパートリーを縦横無尽に奏でる最強のバンドとなって、諸国各地で壮麗なクリムゾン王の宮殿を築き上げて見せてくれた。われらは、長年にわたり王国の臣民であったことの幸福を噛みしめるのであった。

　そして世界に疫病が蔓延する今、活動停止を余儀なくされた翁は、美しき愛妻とともに優雅にワルツを踊りつつ、新境地を予感させる今日この頃……。

怪力乱神（イロモノ・ゲテモノ）の語りかた
——デスメタル黎明期のメモワール

◎文＝阿澄森羅

1

どんなジャンルでも起こることだが、先鋭的・前衛的な表現が流行し始めると、大多数の人間はネガティヴな反応を見せる。こんなの認めない、という『排斥』。こんなの下らない、という『冷笑』。こんなの興味ない、という『無視』。私が観察した限りでは、この三パターンがリアクションの典型だった。

どれだけ偏りのある反応だろうと、個人的な見解には介入できないし、どんな態度をとるのも自由——だけれど、ある種の特権的な立場にある者が、狙って特定の物事を貶めるとなると、少々事情が変わってくる。

ネットの利用が一般化する以前、情報が基本有料だった時代には、特殊な情報を収集し発信できる媒体が権威と化すことが間々あり、ハードロック・ヘヴィメタル界隈では雑誌『BURRN!』（以下B誌）が長年その位置を占めていた。近年はバランスのいい内容で落ち着いているものの、90年代前半までは隙あらばクセの強さが噴出する尖ったスタンスで知られ、相手が超大物だろうと世間の人気がどれだけ高かろうと、ダメなものはダメと容赦なく断罪する気骨で人気を博していた。

その審美眼は概ね信用できたが、イロモノ・ゲテモノと断じたバンドや新興ブームには殊更に冷淡になる「極端な保守志向」と、採点者の趣味でない作品を過剰に腐す「懲罰的ディスクレヴュー」という二つの問題点があった。これが騒動を引き起こした例として有名なのが、聖飢魔Ⅱのデビュー作『悪魔が来たりてヘヴィメタる』に0点をつけた件だ。

「面白い、楽しい、笑える……でも、それは、結局、HM（ヘヴィメタル）に対する侮辱だと思う。完全に色物だが、当然、ファンもつくし、興味を示すプレスもあるだろう。しかし、それが一体どのくらい続くのか？　もし、洒落でやっているとしたらこれほど人を馬鹿にしていることはない」

——と、聖飢魔Ⅱというバンドの全否定から始まり、以下レコード会社の販売戦略への批判が続き、「F×××k Off!!」の捨て台詞でケツを捲る。このアルバムの成立過程に囁かれる噂（各自検索して下さい）の影響を鑑みても、攻撃的に過ぎると言わざるを得ない。

こんな調子で様々な相手を斬り捨ててきたかつてのB誌だが、中でもデスメタルと近縁ジャンルへの拒絶反応は尋常ではなく、ネガティヴキャンペーンめいた特集や、レヴューでの度重なる酷評を繰り広げていた。今回はこの、ブーム黎明期におけるB誌でのデスメタルの扱いを振り返りつつ、辛辣な評価を下された作品の内容を改めて検証してみたい。

2

音楽ジャンルの派生や進化に関しては、とにかく解釈が分かれるので断定するのが難しいのだが、デスメタルの場合はスラッシュメタルとハードコアパンクが主なルーツと考えていいだろう。しかしスラッシュメタルに分類されるバンドも、NWOBHMからの発展系だったり、スピードメタルをベースにハードコアを取り込んでいたりするのでややこしい。私が何を言ってるのかわからない場合「速い」「重い」「激しい」といった要素を重視・強調する流れがメタルにはある、とだけ理解してもらえれば大体問題ない。

それらの要素をメインに、苦痛や殺人といった暴力的テーマや、悪魔や地獄といったオカルト的モチーフを引用していたバンドも、売れるにつれてよりメジャーな方向にスタイルを変えていく。こうした推移に関しては、スラッシュ四天王と称されたMETALLICA・MEGADETH・SLAYER・ANTHRAXの変化を追うとわかりやすい。そんな状況で、売れた連中が捨て去った暗い部分を敢えて拾い上げ拡大・濃縮していった、というのが初期デスメタルの立ち位置だ。

デスメタルの存在が周知されつつあった90年代初頭、エクストリームな表現を歓迎する界隈でも否定的評価が多かった理由は、「デスヴォイス（グロウル）」と呼ばれる汚い声を駆使した独特の歌唱スタイルが主な原因だ。以前から「吐き捨て」と表現される荒々しいヴォーカルは存在していたが、その枠組みからも軽々とハミ出ているデスヴォイスは「悪ふざけ」と認識されてしまうことが多かったのだ。クリアな高音ヴォーカルを尊ぶ、正統派ＨＭ愛好者が主な読者層だったであろう時代のＢ誌から、蛇蝎の如く嫌われるのも自然といえば自然だ。

90年代終盤までのＢ誌の採点は70点台が平均で、それ以上ならば名作・佳作、それ以下ならば凡作・駄作といった基準になっていた。そんな中で、飛び抜けて辛い評価をされている二枚のアルバムがある。これらに対する評価は、後のデスメタルへの冷遇と通じるものがあるので紹介してみよう。

まずはWEHRMACHTの87年のデビュー作『Shark Attack』。演奏スタイルはハードコアに寄せたスラッシュメタルで、非常識なまでのテンポの速さが話題となった。そんな作品へのレヴューはこうだ。

「全篇ドドーっと痙攣状態で多少の展開はあるがひたすら突っ走って終わる。ドラムはもつれる、ギター・ソロは何が言いたいか分からない。歌詞にしてもユーモアとも悪ふざけともつかない。（中略）速ければ曲も演奏もバンドのアティチュードもどうでもいい人以外は手を出さないほうがいいみたい。疲れた…」

と、ボロクソ言われて9点の低評価。確かにミックスがマズいし演奏技術にも拙さが見えるので、指摘はあながち的外れではない。とはいえ、ブラストビートに乗せた超高速曲の中に、テクニカルで印象的なリフを織り込んだ構成を「多少の展開」だけで片付けてしまうのは大問題だし、よりラウドな音を要求するファンに無頓着なのもいただけない。

もう一枚はD.R.I.の『DIRTY ROTTEN IMBECILES』。デビュー作『DIRTY ROTTEN EP』とシングル『Violent Pacification』を合わせ、曲順を変えリミックスしたもの。レヴューを担当したのはメタル系では日本一高名

★（上から）聖飢魔II「悪魔が来たりてヘヴィメタる」
WEHRMACHT「SHARK ATTACK」
D.R.I.「DIRTY ROTTEN IMBECILES」

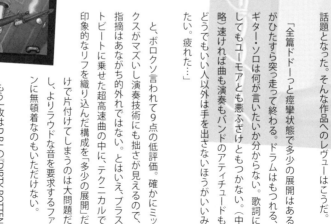

であろう評論家なのに、物言いはかなり乱暴だ。

ジャケットに書いてある売り文句を読み上げた後、「もう二度と聴きたくないとだけ言っておこう。以下、余白はD.R.I.に捧げるよ」と通常の半分くらいで切り上げ、1点をつけている。これに収録されているような爆速ハードコアから、スラッシュメタルとのクロスオーヴァーへと進化したD.R.I.の遍歴はガン無視だ。技術や音質にはツッコミ所が大量にあるものの、短い中で明確にフックとなるフレーズを鏤めた多彩な音作りに何も感じないのでは、ちょっと見識を疑いたくもなる。

こういう当時のB誌の「理解不能なもの」へのネガティヴな対応が大爆発しているのが、91年4月号のデスメタル特集だ。

3

目次では『WHAT IS DEATH METAL!?』、本編では『概説デスメタル』とタイトルをつけられたこの特集は、デスメタルの誕生した経緯から始めて音楽性や思想性についても解説していて、批判的な論調ではあるが内容はそこまでデタラメではない。アルバムを紹介されているバンドも、ジャンル分けの曖昧さや小馬鹿にしたノリはさて措き、OBITUARY・DEICIDE・DEATH・CARCASSなどに加えて元祖としてVENOMも持ち出すなど、勘所は押さえてある。では何が問題かといえば、文章の合間に「私の人生に絶対必要ない」「音楽と呼びたくないノイズ」「どれを聴いても大差ない」といった編集部員の見解を並べ、コーナーの最後を「みんなギャグで聴いてるんでしょ?」と締め括るような、デスメタルを絶対に認めたくないとの意思表示だ。入門企画と銘打ってこれを突きつけられたら、門外漢がどんな反応を見せるかは想像に難くないだろう。元から半笑いな扱いだったデスメタルは、これで気兼ねなく笑える対象へと蹴落とされてしまった。そしてデスメタルをコケにする風潮を更に煽るように、B誌では一桁点のレヴューが次々に繰り出される。

まずは前述の特集と同じ号に載ったCANCER『TO THE GORY END』。数々の名盤をプロデュースしてきたスコット・バーンズが手掛けた、現在ではデスメタルの古典となっている作品。ザクザクとしたリフと高速ドラミングを中心に、一本調子になるのを避けて絶妙な緩急を持ち込んだ音作りで、聴く者を飽きさせない仕上がりだ。しかし、レヴューでは「HMを愛しているから"死んで欲しい"ということで」と4点が献上されている。

★「BURRN !」1991年4月号

ジョン・ゾーン率いるPAINKILLER『BURIED SECRETS』は、グラインドコアに分類できなくもないがノイズに近い作品なので、B誌が2点と評するのも無理はない。だが、これに文句を言うのはイナゴの佃煮を注文して「料理に虫が入ってた」とクレームをつけるようなもの。どんな音なのか想像できない場合、『ファニーゲーム』のOPで流れる轟音(NAKED CITYというゾーンの別プロジェクトの曲)を思い出せば大体合っている。

個人的に最も納得いかないのはBATHORYへの評価だ。VENOMの影響下にある作風で活動を開始したBATHORYは、87年発表の3rd『Under the Sign of the Black Mark』で、後に人気を博す北欧ブラックメタルの原型となるスタイルを早くも完成させる(これも38点と渋い評価)。そして次作からは路線を変更し、北欧神話をテーマにしたミドル~スローテンポが中心の楽曲で荘厳な世界観を描いてヴァイキングメタルの雛形を提示するなど、複数ジャンルの先駆者と呼ぶに相応しい活動をしていた。6th『Twilight of the Gods』もその流れに連なる内容だったが、B誌の酷評によって完全にネタ作品にされてしまう。

「315字も使って本作の評論を書ける人がいたら（いるんだろうなァ）、その人は私にとって神様である。通算6枚目、ロゴ・マークに毛が付き、"O"の字などはフグリを想像させる。それとも、カビなのかね⁉ BATHORYというとハードコア／スラッシュを思い浮かべるかもしれないが、これはまさに密教のBGMである。自宅で聴いたら、住みついている呪縛霊が逃げてしまったから、まあ効用はあるのかもしれないが、とにかく、これはHR／HMでも何でもない。延々と重く暗いリフが続き、それはB面最後まで一貫している。メンバーの脳をCTスキャンで見てやりたいくらい腹が立つ。本作を愛聴する人は、私にとってエイリアンである。アレ⁉ 315字使って埋まった」

言いたい放題の後に1点をつけたこの文章は、読んだ人間の脳裏にBATHORYの名前は刻んだろうが、それも必要以上の悪印象と共にである。コンセプトが先行しすぎて曲が単調になっているのは否めないし、ヴォーカルが基本的に音痴という難点もあるが、それはそれとして聴く者の精神を静かに高揚させる、不可思議な魅力のある一枚だと私は主張したい。この作品に関しては、是非とも皆が自分の耳で確かめて評価して欲しいところだ。

4

B誌ではイロモノ・ゲテモノ扱いが続いていたデスメタル（と近縁ジャンル）だが、いつの間にやらそんな空気も変わる。人気が一過性ではなくジャンルとして定着した、デスメタルへの理解が深い編集部員が加入した、界隈全体の演奏力や表現力が底上げされた、などの理由が絡み合っているのだろうが、作品やバンドを紹介する筆致から侮蔑の色合いは薄れ、特集の内容も様変わりしていった。

92年12月号の特集では『ダメなのばかりだが、中には良質なバンドも存在する』という切り口だったが、94年9月号になると『デス・メタル戦線異状アリ』と題し、メロディックデスメタルやドゥームメタルといった新興ブームを好意的に取り上げている。そして97年3月号では『叙情メタル、その後』とのタイトルでメロディックデスメタルの隆盛を語り、今後に期待できる新バンドを多数紹介。6年前のアグレッシヴな特集と読み比べると、あまりの高低差に鼓膜が破れそうな思いだ。

その後、デスメタルはザックリと解説するだけで更に4P必要になるほど複雑怪奇な発展・進化を遂げ、派生ジャンルは枝分けを繰り返し果てしない広がりを見せている。情報の寡占状態が失われ、収集も発信も極めて容易になった現在、かつてB誌に酷評された作品の再評価も当然ながら行われているが、十数万部を売っていた雑誌が残した印象を払拭するのは一筋縄ではいかない様子。それでもこの文章によって、駄作のレッテルを貼られてしまった名作・佳作・怪作への興味を多少なりとも喚起できたなら幸いだ。

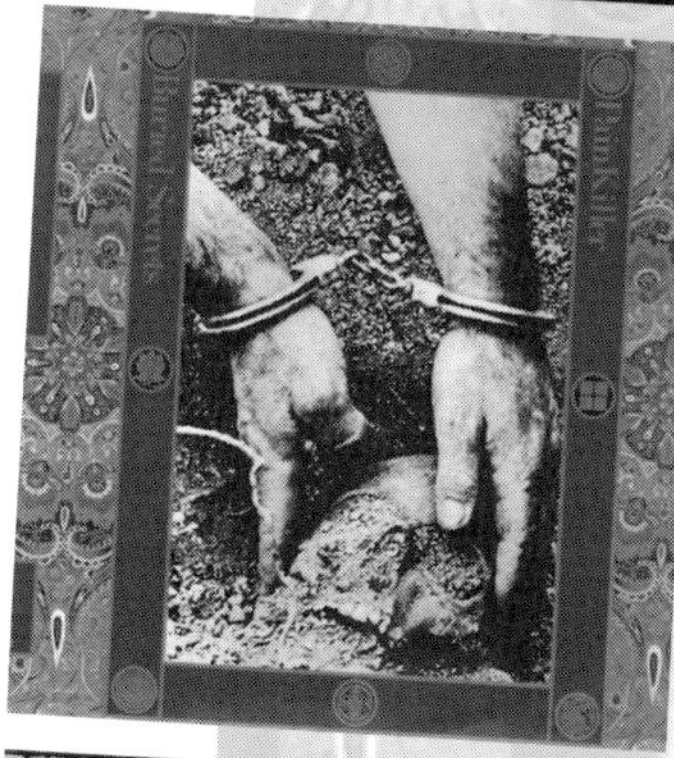

★（上から）CANCER「TO THE GORY END」
PAINKILLER「BURIED SECRETS」
BATHORY「Twilight of the Gods」

鬼才ケン・ラッセルは奇矯な音楽家マーラーをどう描いたか

◎文＝浅尾典彦

かつて大阪・高麗橋のかかる河縁に、三越劇場というステキな映画館があった。北浜の一等地にあり、赤い絨毯敷きの重厚なしつらえ、エレベーターの壁に「ボッティチェリの春」の画の一部が飾れているという贅沢で貴賓のある映画館だった。今も心に刻む名画と出会いたくさん楽しませてもらったが、中でも忘れられない作品にケン・ラッセル監督の「マーラー」（1974／日本公開は1987）がある。云わずと知れた大音楽家グスタフ・マーラーの半生を描いた伝記映画である。素晴らしい名曲とともに、鮮烈なイメージと美意識を自分の感性に叩き込まれた。

過激なカルト監督、ケン・ラッセル

ご存じのとおりケン・ラッセルは、独特の美学と衝撃的な視覚表現で作品を構成するイギリスの監督である。多作、歴史上の人物の題材が多いなどの特徴があるが、何より特筆すべきはその過激な表現方法だ。シュールレアリズム的な幻想シーンやセクシャル、バイオレンス、社会批判など、過激な描写を強く打ち出し、しばしば多方面からバッシング的な辛い批判を受けて社会問題となる。しかも、その言動が一部の映画ファンからは"カルト映画の旗頭"の一人として熱烈な支持を得ているという異色作家なのだ。

例えば、オルダス・ハクスレーの『ルーダンの悪魔』を元に制作した「肉体の悪魔」（1971）は修道院の尼僧が悪魔憑きになる実録「魔女裁判」ものだが、その過激な描写とエロティシズム表現が批評家や保守派から集中砲火を浴びて「英国映画史上で最も凶悪な作品」とレッテルを貼られた。キリスト教団体からは上映禁止運動が起こり、ユダヤ教の運動家からも反対運動があった。このためイギリスの地方都市では上映禁止になり、世界公開版は性的描写を抑えたR指定版がデフォルトとされた。日本では文芸大作にも関わらずピンク映画扱いとなり、人知れずひっそりと公開を終えたものだ。

ケン・ラッセルは芸術家を題材に描くことが多い。「恋する女たち」（1969）では彫刻家、「ゴシック」（1986）では小説家たち、「バレンチノ」（1977）では俳優を取り上げているが、中でもお気に入りは音楽家である。彼のデビュー作でもある「エルガー～ある作曲家の肖像～」（1962）ではイギリスの作曲家エドワード・エルガーを、「ソング・オブ・サマー」（1968）ではイギリスの作曲家フレデリック・ディーリアスを、「恋人たちの曲／悲愴」（1970）ではロシアの作曲家ピョートル・チャイコフスキーを、そして、ハンガリーの大作曲家フランツ・リストを扱った「リストマニア」（1976／日本未公開）は、ぶっ飛んだスラップスティック・ミュージカル・コメディに仕

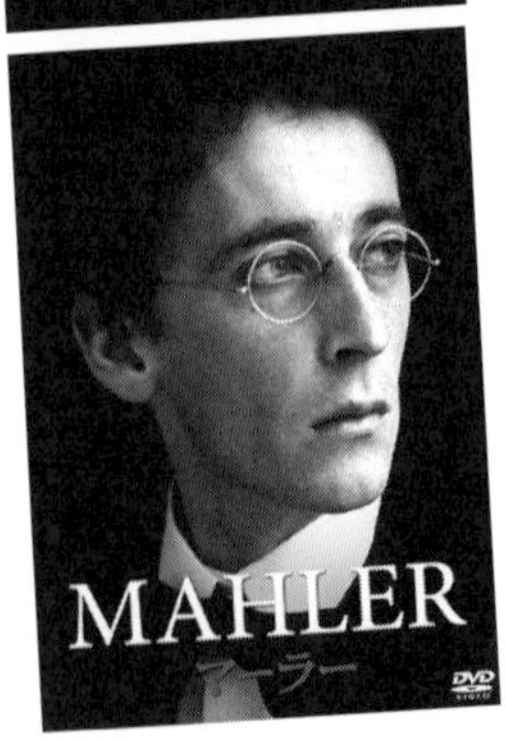

★（上）ケン・ラッセル監督「トミー」DVD（下）「マーラー」DVD

上がっていた。

そんな監督が、エルトン・ジョンの半生を描いた「ロケットマン」(2019)にも大いに影響を与えた伝説のロック・ミュージカル「トミー」(1975)の前年に発表した作品が、この「マーラー」だった。ベルナルト・ハイティンク指揮のアムステルダム・コンセルトヘボウ管弦楽団によるマーラーの交響曲などが随所に挿入され、素晴らしいクラシック演奏も堪能できる贅沢な逸品である。

マーラーの波乱の生涯

オーストリアのウィーンを中心に活躍し、交響曲を次々に発表し続け、音楽家、作曲家、指揮者としても世界中で名声をほしいままにしたマーラーは、1860年7月7日にボヘミアのカリシュチェでユダヤ人商人ベルハルトとマリーの間に生まれた。父親が彼の才能を見出して6才でピアノを習い始め、15歳でウィーン楽友協会音楽院(現在のウィーン国立音楽大学)に入学。努力の末、ウィーン宮廷歌劇場の終身芸術監督にまでに登りつめるが、ユダヤ人のため宗教差別に合い、家族の問題、持病の悪化、弟オットーのピストル自殺、本人の激烈な性格も災いして(晩年、自ら精神分析医フロイトの診察を受けている)その生涯はまさに波乱万象だった。

ケン・ラッセルの映画「マーラー」は、1911年、50歳を越えたマーラーがニューヨークでの仕事を終え、ヨーロッパへ帰る途上で乗り込んだ豪華な汽車での話。自分のライフワークである交響曲第10番を何とか完成させようと思案するマーラーが、色々と頭を巡らすうちに、苦しみに満ちた自分の過去の出来事をひとつひとつと思い起こしていく重厚な人間ドラマである。セリフに仕込まれたキーワードや挿入される音楽がきっかけとなり回想シーンが発動し、全体としては帰納法で描かれる手の込んだものだった。

この旅でのマーラーは、アメリカで感染性心内膜炎と診断された後で顔色も悪く病的。妻アルマ・シントラーとの中もすでに冷めており互いに無表情。おまけにアルマは軍人マックスと浮気している可能性も相まって、いよいよ彼に明るい表情は無い。痛みや苦しみを抱えて妻に毒づくばかりだ。対して、回想シーンの中で描かれる彼は、苦悩や悲劇な事件も多いが、妻との幸せな時代や愛する娘たちとの時間も描かれており明るい表情も見せる。哀しみも喜びも鮮やかに浮かび上がる回想場面は幻想的であり、象徴的な時もあり心理学的にも大変面白い。いくつかの回想シーンを紐解いてみよう。

★ケン・ラッセル監督「マーラー」より(以下の写真も)

◉オープニング

突然燃え上がる湖の小屋。バックにはマーラーの第3交響曲の第一楽章が流れる。炎中のマーラー、苦しんでいる。そこへ妻アルマ、死んだ娘の姿が重なる。これは、交響曲第4番ト長調作曲のために南オーストリア・ヴェルター湖岸のマイアーニックに建てた小屋型の別荘で、燃える家は苦しみに満ちたマーラーの人生そのものを象徴している。

◉影の女としてのアルマ

海岸の岩場に白い繭があり、ゆっくりともそもそと動きだし、中から大人の女性が生まれる。薄いガーゼのようなもので纏われた彼女は芋虫のように這いずってゆき、岩に彫られたマーラーの顔の彫刻に口づけをする。女性は妻アルマ。彼女はサナギであり、もがくがいつまでたっても蝶にはなれない。アルマ

も作曲をしたが、マーラーは彼女の感性を認めず、彼女の楽譜の出版を許可したのはマーラーが50歳になってから。光のマーラーに対して妻アルマは常に影の存在。別のシーンでは、ちやほやされるマーラーの後を、顔を黒いベールで覆いつかず離れずついてゆく黒ずくめの男装麗人としても表現されている。正に影だ。

◉「ベニスに死す」

ある駅に停車中、マーラーは車窓から外を眺めている。品の良い白い背広の中年男性がベンチに腰掛け、白いセーラー服の美少年が駅の柱のポールに掴まって周って遊んでいるのを見ている。男はそれを見て少し表情を綻ばせ、マーラーも表情を緩ませる。ヴィスコンティ監督の代表作「ベニスに死す」(1971)へのオマージュだが、「ベニスに死す」にはテーマ曲にマーラーの交響曲第5番・第4楽章アダージェットが使用されており、マーラー音楽再評価のブームを起こした映画なのだ。

◉田舎の音

例の湖の小屋で作曲に取り組みながら、いずれ妻になる19歳年下のアルマに対し傍若無人に振る舞うマーラー。「森の動物たちの歌」「野に咲く花たちの歌」「愛の歌」を書くような優しさがあるのに、田舎の音がうるさいから止めろと命令する。愛するアルマは赤ちゃんをあやし、教会の鐘を止め、民族音楽と踊りをビールで買収し無音でさせ、牛のカウベルを取り、白い衣装を泥だらけにしながらマーラーの作曲のためのサイレントに必死で協力する。それでも二人ではしゃぎ、明るい表情が見られるシーン。

◉流浪の民ニックとの出会い

駅のブラスバンドが気に入らないマーラーはトイレに逃げ込むが、トイレ繋がりで少年時代、父親ベルハルトが醸造所をやっていた頃を思い出す。父親は将来「金の生る木」に成ると信じピアノを習わせるが、マーラーは嫌で仕方ない。ある日、マーラーは練習をサボり河で溺れる。そして森に生きる流浪の民ニックに助けられ、花鳥風月、自然の素晴らしさを教えられる。家に帰ると先生が怒って押しかけて来ており、父親は激怒し母親が泣く。マーラーはトイレに逃げ込むのである。マーラーは、あのさまよった森が忘れられない。月を見て、自然を見て音楽が頭に沸いてきて、初めての自由を感じる。土地や家柄に縛られないニックは、マーラーにとってスナフキンのような存在だろう。宗教差別など疎外感を感じながら生き続けたマーラーは、晩年記者の質問に「私はボヘミアンだ」と答えている。

◉死のイメージ

汽車で乗り合わせた黒人の貴婦人はマーラーの音楽に「宇宙のハーモニーを感じる」と言って最初は褒めるが、そのうち「あなたの交響曲第9番は死の音楽」、あなたが理解しているのは「死」だと言い出し、マーラーは憤慨する。そして子供

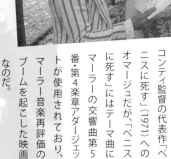

との思い出の回想へ……。長女と次女に「死はあるが、一部の見えない部分は死なない」と肉眼では見えない生命の営みを顕微鏡で見せるマーラー。また舟遊びをしながら自然崇拝的な哲学を説く。「神の霊や良い魂、悪い魂の違いなど全ては人間の空想で作ったものだが、唯一あるものは愛だ」。「いつか人は死に神に合うのね」「死」「死」「死」「死」と歌う子供達。なお、長女はジフテリアに掛かって、わずか5歳で亡くなっている。マーラーが「亡き子をしのぶ歌」を完成して2年後のことだった。

◉火葬場で焼かれるマーラー

貴婦人に憤慨したマーラーは「あの交響曲は愛への決別です」と言い捨てて、別の部屋へ移動するが、「ベートーベン10番!」と言いながら突然心臓発作で倒れる。薄れゆく意識の中で、マーラーの心にまたしても幻想の扉が開く。

横眼のベートーベンの胸像。その前でラッパを軽快に鳴らす、妻アルマの浮気相手マックス。マーラーは生きたまま柩に入れられている。しめやかにマーラーの柩を担ぐ軍人たちと前を歩く喪服姿のアルマ。マーラーは柩の中で必死に叫びもがく。

その恐怖と対象的にシーンだ。マーラーの棺の上で、何とカンカンを踊る妻。楽しそうだ。
やがて火葬場に着き柩は火の中へ。火中のマーラーは叫び続ける。遺影やデス・マスク、肖像画の周りでバーレスクダンスでマーラーの死の喜びを表現するアルマ。軍人たちを翻弄しながら扇情的に踊り、マックスもその様子を喜んでいる。マーラーにとっては最上級の悪夢だ。

◉キリスト教への改宗

マーラーは悪夢の中にいる。殺伐とした岩だらけの荒野。ナチスのヘルメットを被りボンデージ・ファッションに身を包んだコジマが丘の上に立っている。あの作曲家のフランツ・リストの娘であり、リヒャルト・ワーグナーの2番目の妻だ。彼女は当時、クラシック音楽界で絶大な権力を持った反ユダヤ主義者。彼女はユダヤの象徴であるダビデの星を掲げながら必死に丘を登ってくる黒服のマーラーに容赦なく改宗を命じ、火の輪潜りを何度も強制するコジマは業火でダビデの星を焼き、六芒星(ヘキサグラム)を壊し叩いて立派な鉄の剣に鍛え直す。場面は変わり、ハートに刺さる短剣を引き抜き、マーラーを的に次々とナイフを投げるコジマ。ナイフは服に刺さり、ユダヤ人らしい黒服が脱げて白い下着姿になる。マーラーは36歳でユダヤ教からローマ・カトリックに宗旨替えした。敬虔なカトリック信者であるにも関わらず、キリスト教団体から作品をキツく攻撃されたケン・ラッセル監督の悔しさも、このシーンに重なる。

マーラーは引き続き中世の騎士の衣装に着替えさせられる。「古き神々の竜(ドラゴン)を殺せ」というコジマからの新たなミッション。おっかなびっくり洞窟に行き背中ら花火を突き立てられながらも怪物の首を取ってくる。ワーグナーの代表作

『ニーベルングの指環』四部作の3作目「ジークフリート」のパロディである。ワーグナーは『ニーベルングの指環』がライフワークで、コジマとの間に生まれた息子もジークフリートと名付け、音楽家として自分の跡を継がせた。
　マーラーはジークフリートよろしく怪物の頭を掲げ、よく見るとそれはブタの頭だ。コジマの「豚肉に抵抗が?」の質問に、ブタ肉を食べて見せるマーラー。ユダヤ教は、戒律としてブタを食べることを禁じた最初の宗教。マーラーは完全にキリスト教徒なのだ。巨大な剣に飛び乗り、全身を使った大きな動きで指揮を始めるマーラー。掛かるのは『ニーベルングの指環』の第1夜第3幕冒頭の「ワルキューレの騎行」。コッポラ監督「地獄の黙示録」(1979)のヘリの出撃シーンでも有名になった曲だ。二人は巨大な剣の上で祝福のキスを交わし、バックには金の雨が降る。
　キリスト教への改宗とコジマの一言で遂に宮廷劇場監督になれたマーラー。それを祝いに帰った日、弟オットーは自宅でピストル自殺している。

◉愛の終着駅

　精神病院に送られた知人の音楽家フーゴ・ヴォルフや自殺した弟オットーなど無駄に散ってゆく才能を思い、絶望し、マーラーは不機嫌になる。アルマもマーラーのわがままと看病に疲れ果て、「音楽より私を愛してくれる日が来るとすべてをささげたのに」とついに本音をぶつける。だがマーラーの答えは意外なものだった。あの交響曲の主題は君だと言い切るのだ。「音楽があるかぎり、二人の愛は永遠だ」と。マーラーとアルマの心は再びひとつになり、愛と悲劇の物語は汽車とともにサン・ポルテン駅に終着。汽車の中からマーラーと妻アルマが降りてくる。新婚旅行のように手を繋いでいる。愛を確かめ合い、互いに正気を取り戻し、笑顔すらこぼれている。「医者などいらん。僕らは永遠に生きる」マーラーは最高の笑顔で医者を笑い飛ばす。

旅の果てに

　病躯をおしてウィーンに戻った3ヶ月後、1911年5月18日、51歳の誕生日の6週間前にマーラーは敗血症で死去した。暴風雨の夜だった。ケン・ラッセルの〝特異な表現の旅〟はその後も続くのだが、ユリ・ゲラーの自伝を基にした「超能力者ユリ・ゲラー」(1996、TV映画)を最後に監督業から遠ざかり、2011年11月27日脳卒中のため死去。直前まで「不思議の国のアリス」のミュージカル映画の構想にかかわっていた。

　苦しみを貫いた孤高の才人マーラー。表現の世界で外圧に苦しんだケン・ラッセルだからこそ描けたのであろう。そして映画の幕は降ろされ、感動だけがいつまでも劇場に座っていた。

中世の街に響く鐘の音

◉文＝馬場紀衣

たとえば『シンデレラ』とか『柩の中の王女と番兵』（グリム童話）とかいった夢と詩情にみちた〈鐘〉のロマンチックな道具立ては、物語の幻想的雰囲気をかきたててくれる。エスメラルダをかくまった、背中と眼の上に醜い瘤をもつカジモドも、ノートルダム大聖堂の鐘をつく男である。

ゲーテと並ぶドイツ古典主義の代表的人物シラーが『鐘の歌(Das Lied von der Glocke)』でかかげたように、鐘の音は都市や農村に生活するすべての人にとって特別な意味を持っていた。古くも美しい物語の、あの重々しい雰囲気の中に、貴族や大商人の石造りの家、むごい残忍さと静かな心の動きといった不安定な中世の気分と一緒に、鐘の存在が思い起こされるのも、あの音色が、あるときは時刻を、あるときは死を、あるときは祝福を知らせるために、そして召集や警告のために鳴らされたからである。

アッシリアでは、円筒形の太鼓のほかに大きさと形の異なるシンバル、動物の形をした壷形のがらがら、そして青銅製の鐘が見つかっており、鐘の壁面には、ライオンの面をつけ、魚の皮で仮装する人物図の浮彫が施されている。その姿は踊っているようにも見える。人が踊る姿は何かしらの儀式と関連しているにちがいないだろうから、人びとはこの鐘を祓魔祭祀の楽器として祭儀用に使ったのかもしれない。エジプトでは粘土製の鐘が発掘されている。メソポタミアでは、湿気の多い土壌のせいで木材や獣皮で作られた楽器類はほとんどが朽ち果て、失われてしまったが、ここでも耐久性のある素材で作られた鐘が見つかっていて興味深い。

★ノートルダム大聖堂の鐘

ネブカドネザルの時代のバビロンでは、神殿の神々への奉納品として、子どもを抱いた女性や楽器を奏でる音楽家の粘土像が人気を集め、鐘の模型が新年の祭でも使われたという。最初期の鐘に描かれた絵が祭儀とのつながりを示しているように、鐘はあらゆる文明で、災いをもたらす悪霊を祓う目的で使われていたのだろう。

旋律どころかリズムすら刻めないこの美しい物体だが、響かせる音は、音楽のそれに近いように思う。中北部ボルネオの小民族集団ブラワン族は、葬式の期間中、複数の楽器をつかって強烈に騒がしい音を演出する。まず、大きな真鍮製のどらで死者が出たことを告げる。その反響は遠く離れた場所まで届き、たぶん、特別な合図の音を出すことで農園から人びとを呼び寄せるのだ。また、葬式のときだけ打ち鳴らす大きな太鼓がある。太鼓、どら、それから鐘といった楽器は、多くの文化で、何世紀にもわたって、葬式のほか、日食や新年といった重要な年中行事で使われてきた。低い打撃音は明らかに心臓の鼓動や生命のリズムと関連しており、多様なシンボリズムを示唆しているのだ。葬式で生み出される騒音は、悲しみの情緒と結びついているのである。

中世では、朝の鐘は修道院において祈りと礼拝のはじまりを告げるものだった。夕べの鐘は一回ではなく二回以上、鳴らされた。一回目は仕事終了の合図に、二回目は夜の時間の始まりを示していたのである。夕べの第二の鐘が鳴ると居酒屋は閉店しなくてはならなかった。それでも飲みものを出している店の主人は罰せられたというから結構、厳しい。裁判集会の終了の告知も鐘の音によって知らされた。

想像してみてほしい、喧騒というよりは雑音の世界に生きている私たちとちがって、静寂な世界に生きた中世の人びとはさまざまな恐怖と共に暮らしていたのだ。人びとは病気の治癒を願って鐘を鳴らし、収穫の際に豊穣を祈って鐘を鳴らし、馬や牛に鈴をつけて魔除けにした。神殿にも鐘が置かれ、森や草原に棲む悪霊の魔力に対抗した。「生ける者に呼びかけ、死者を悼み、嵐をくじく」とかかげたシラーは、鐘が、時に人と超自然的な存在との交信を助け、またある時には時間を中断し、分割する力を持っていることを知っていたのである。

ウツな時にはウツな曲を！

——ヤケクソでテンションあげるための小曲集

◎文＝日原雄一

朝、仕事に行きたくない。めっちゃ行きたくない。足も腰も腕の関節も痛いし目も開かないし開けたくない。頭ン中は茫としてどろどろ泥だんご状態だし、おまけに太陽はギラギラと照り、新型コロナウイルスだって蔓延してるなかだ。からだがかちこちに硬くって、ぜんぜん動くけはいがない。こんな日は布団にくるまったまま、家でごろごろ寝ていたい。

　仕事には行かねばならぬのである。私のオモテ稼業は精神科の医者のようなもので、きょうは外来の担当日だから、もう病院の待合に座ってる患者さんもいるだろう。とはいうもののやはり行きたくない。家から駅まで二十分、電車で一時間と五分、駅から病院までさらに二十分。その他なんだかんだで片道二時間かかる通勤経路を、想像しただけで溜め息が出る。

　布団のなかで眠気につつまれながら、打首獄門同好会の「はたらきたくない」をスマホで聴く。はたらきたくないねー、というこの歌詞に百八十パーセント同意しながら、二、三回聴くと徐々に目もさめてきたり、さめてこなかったりする。寒い季節だと、同じく打首の「布団の中から出たくない」も気分にピッタシな曲だ。はるな檸檬「ヅッカヅカ」では、ヅカファンの女子が宝塚歌劇「ミレニアム・チャレンジャー」のテーマ曲なら一発で目が覚めるよ、なんて話してる。自分もさいきんは、神木くんの初ミュージカル舞台「キレイ」で歌う「俺よりバカがいた」とか、神木くんのデビュー二十五周年記念企画「＃神木くんが尊い」の神木隆之介二五〇問二五〇答の動画を布団のなかで再生してる。もちろんまぶたがパッと開くし、神木くんデビュー二十五周年とかホント芸能の世界に入ってくれて感謝だしすげくすばらしい企画やってくれるんですよって話しはじめるとながくなっちゃうな。
　新久千映「タカコさん」では、主人公のタカコさんのこんなモノローグがある。「朝のニュースのオープニング曲が聴こえてくると　今日も一日が始まるなあって気になる」。「眠気を払う儀式　その日の始まりのBGM」とかんがえている。けれどもそのOP曲がかわると、洗い物をうっかりとりおとしたり、なんだかその日のリズムが狂う。「この曲　朝にしてはちょっとノリが良すぎない?」、「前のゆったりしたのがよかったな〜」なんておもってる。
　でも、だんだんその曲にも慣れてくる。そのうち「これはこれで仕事がはかどるやつだ」、「前の曲を聴くことはおそらくもうないのだろう」ってきりかえがスゴイ。私はいつかの「めざましテレビ」のテーマ、西野カナの「Have a nice day」を今でもICプレーヤーに入れて聴いてる。玄関のドアを開ける重たい腕を、なんとか動かしてくれる曲のひとつである。
　もちろん私みたいな陰キャが、西野カナをよく聴いてるというとバカにされる。ほかには戸松遥の「Q＆Aリサイタル」、アニメ「となりの怪物くん」OPとかもきいてますが、それはそれでバカにされるやつだ。

もう懐かしい二〇一九年

　立川談志は「囃されたら踊れ」とよく書いていた。三代目三遊亭圓歌は「出囃子が鳴ったら、上がるだけ」と言った。自分は、コウペンちゃんのいう「職場に着いた時点で満点」だとおもうようにしている。ただ仕事場に向かうだけ、ってつもりで、芸人さんの出囃子を聴いてくこともある。ホンキートンクの出囃子「ギザギザハートの子守唄」とか、瀧川鯉昇の「鯉」とか。

ドラマ「逃げるは恥だが役に立つ」では新垣結衣が、日々のつらい仕事をするモチベーションをあげるのに、脳内で葉加瀬太郎の「情熱大陸」のテーマ曲を流すというのをやっていた。私はほとんどやる気がないので、所ジョージの「まったくやる気がございません」、植木等の「スーダラ伝説」、「しじみメドレー」などクレージーソング、「あいうら」の岩沢彩生のキャラソン「やる気マイナス?100%」などを聴きながら、職場に向かう電車のなかに居る。乗り換え駅で、降りなきゃいけないのに足がうごかない日には、新型コロナウイルスに唯一対抗できるアニメと言われている「ギャルと恐竜」のOP「恐竜あげみざわ☆」を、「つーらつらつらつらみざわ」って歌いながら行く。ツイッターでもつぶやいたりする。この「つらみざわ」ってユーチューバーのkemioが流行らせたらしいけど、kemioの動画も由来不明のハイテンションオネエ感がつらみざわな朝をまぎらわせてくれる。「ぶっちゃけ2019年にイチキタしたくね?」って回はホント共感だ。二〇二〇年二月半ばくらいから、コロナでどこもかしこも強制自粛で、今年こんなんじゃなかったろ感がすごい。

いつも楽しみに行ってた落語会、浪曲会ものきなみ中止で、演芸情報誌「東京かわら版」によると、このコロナで中止になった落語会・演芸会はこの三月、四月だけで一〇〇〇件以上にものぼるようだ。神木くんの初の学園祭トークショーや、浪曲木馬亭五〇周年記念興業・イエス玉川師匠がトリの会もとりやめ。なので、日曜日は家で自粛か病院の当直かのどっちかで、なのに月〜土は通勤片道二時間って。精神科医として三年目で、この四月から八王子の病院に派遣されてるわけですが、前に派遣されてた鷺沼の病院とシステムやら雰囲気やらまったくちがうので、すっかり病みひはりーになっていた。そろそろ慣れてきた部分もありますが、でも油断するとヤバイんだ。北杜夫の「どくとるマンボウ医局記」を読み返してたら、「山梨県の病院へ売りとばされたこと」って章があって、これが今の私とおなじく「入局して三年目」。マンボウ先生もそうだったのかあ、ってぼんやりした。

暗黒気分のBGM

八王子へむかう電車内、心がふだん以上にささくれだって暗黒気分の日には、諸星大二郎原作のドラマ「栞と紙魚子の怪奇事件簿」のテーマ「赤い胃の頭ブルース」がちょうどよくおどろおどろしいメロディだ。「赤いもの、トマトジュース、フランス国旗の右の端……」とつづく歌詞で、「血のにじむような西のそらアーーー」と思わず口ずさむ。凛として時雨の「JPOP XFILE」、「Telecastic fake show」、クロマニヨンズ「エルビス(仮)」もそんな気分に合うささくれソングです。欅坂48の「黒い羊」もそういうときにいいけど、欅坂だからいつもの秋元楽曲なのがなんだかクヤシイ。まあ秋元康も青島幸男一門だからしょうがねえなって感じだ。

ちょっとはヤル気あるときには、ブルーハーツの「エイトビート」、「さらざんまいのうた」だったりする。「さらざんまい」。アニメ自体もかなり謎で、何が始まってるんだと思った。カッパ少年たちが敵とタタカウときに、突如うたい踊りだすんである。「とりもーどさなきゃーいけなーいものがあるー(ハコハコー)」って、さいしょはじまったときにはビックリしたが、だんだんこの曲の流れるのが楽しみになってくるからふしぎだ。それに、

「さらざんまい」というSFミュージカルアニメは他にも不可思議ポイント多いから、そのひとつとして受け入れられてしまう。ほかにも、敵のイケメンカワウソたちによる「カワウソイヤァ」もあって、どちらも、仕事という強敵にたちむかうのに力を貸してくれる曲だ。

久世岳「うらみちお兄さん」には、子供向け番組「ママンとトゥギャザー」で流されるなんだこれ、な曲がいっぱいでてくる。主役のうらみちお兄さんのやる「うらみち体操」は、「うらみちの『う』は『海とかいきたい』」、「『ら』は『楽になりたい』」、「『み』は『見出せない』」、「『ち』は『小さな幸せ』」なんてどんどん後ろ向きになる曲だ。「傘持ってないときに限って雨降るのなんで」とか、「袖かと思ったら襟ぐり」なんて救いようのない鬱ソングもある。「やっと帰れた午前二時 明日やればいいやの積み重ね 明日も朝が早いから自分で自分に言い訳」ってつらいつらい曲である。アニメになるらしいから実際にこの曲聴けるのがたのしみだけれど、「二〇二〇年アニメ化決定」ってニュースが昨年末に発表されていたが、その後続報がないままこのコロナ禍で。二〇二〇年五月十七日午前三時過ぎという現在、そろそろ落ちついてきたフンイキはありますが。ホントかよってにおいもあるし。

深夜テンションのために必要なパリハー

このコロナ禍で、私が予定してた学会発表も、ふたつあってふたつとも中止になった。調査や集計とかパワポづくり、倫理委員会の書類とかほんとうにたいへんだったのに。って愚痴はみなさんあるとおもいますが、話を戻すと。朝のめざめにはパンチのきいた曲がいいですが、ペールギュント「朝」はやさしく心地よいメロディですね。これが流れてポプ子が目をさまし、カーテン開けると実は夜で、『ペールギュント「朝」』というナレーションの文字を蹴り殺すって話が大川ぶくぶ「ポプテピピック」にありました。休日、さて何かたのしいことでもしたいなあって起きたらもう夜だったら、私も蹴り殺したくなりますね。自分を。

まずりん「独身OLのすべて」には、急遽きまったプレゼンのため、チーム全員徹夜残業って回があった。午前二時のアラサーOL・ノブ子は「GET WILD」のTKさながらにパソコンをあやつり、ぶっこわす。午前三時半にはノブドリューW.K.になって「PARTY HARD」、パリハーする。課長まで一緒になってパリハーで踊ってるのはやばみざわだ。でも、踊ってないと午前三時半に仕事なんかできないのだ。私も当直で午前三時半に呼びだされたときなんかはパリハーなアタマで病棟に行きます。
っていうかこの原稿もパリハーで書いてる。かけてる音楽は「落語のピン」ED・国本武春「ええじゃないか」とアニメ「じょしらく」ED・ももクロこと桃黒亭一門の「ニッポン笑顔百景」である。「ええじゃないかええじゃないか、春よ来い来いええじゃないかええじゃないか、お多福来い来い」と「笑おう笑おうさあ笑いましょこんな時代こそ笑いましょうヤケクソで笑いましょう」のエンドレスリピートで、謎笑いしながら文字を打ってる。ももクロは作詞作曲ヒャダインなのがやっぱアレだけど、「応仁の乱 大きんさえクリアして現代ニッポン人 笑おう」、「こんな時代こそ笑いましょう」ってでっかなスケールの歌詞が妙にこころに沁みてくる。この日本じゅうコロナで嵐のさなか、笑ってることを書いていられることが、ほんとうにありがたく感じる。出版、印刷、流通のかたがた、本屋さん、そして右や左の旦那さま、ほんとうにありがとうございます。

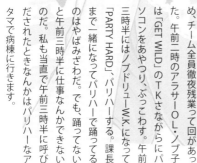

ポストパンクからアヴァン・ポップへ
――資本主義批判の戦略

◉文＝長澤唯史

ハードコア・パンク誌『DEBACLE PATH』第二号が「ハードコア・パンクと学術」という特集を組み、研究者となった三人の元パンクスへのインタビューを掲載している。彼らに共通するのが、パンクの「政治性」を再検討しようとする姿勢だ。「制度化された社会構造への批判」をするはずが、その批判のために「自分たち独自のルールを作る」ことで、制度化と抑圧を「再現してしまっている」（ジェフ・エヴァンス）。「パンクは露骨に過去を否定してきた／否定していて、自分たちの過去から学ぶことができません」（同）。あるいは「政治的なフリをすることで、それをパンクスのアイデンティティにしている人たちもいる」（マックス・ウォード）など鋭い指摘が並ぶ。

音楽における政治性は、ポップミュージックをめぐってつねに議論されてきた問題である。その中でパンクと同様に六〇年代のロックも、その「政治性」を特権化されてきたジャンルといえる。そしてその「政治性」とは「ロック」の商品価値でもある。佐藤良明は、アメリカの音楽産業とは、前衛的で実験的なサウンドや過激で反社会的なメッセージをも「商品」として流通させるシステムであり、その象徴が「六〇年代」である、と指摘する（「屈曲知らずのポップパワー――60年代の動力学」）。アーティストが前衛的で〈far-out〉な表現を作り出すことで、〈square〉なものとの二項対立というシステムを強化し、そのシステムを組み込んだアメリカの音楽産業の延命に利用される。このシステム内部では、たしかに音楽の多様性や豊かさは保証されるものの、他方ではそのシステムの外に出ることをますます困難にしていくのだ。

一九七〇年代にイギリスでパンクが誕生したころ、クラッシュやストラングラーズは〈反アメリカ〉を旗印に掲げた。つまりパンクとは反アメリカ／反商業主義であり、七〇年代的な商業ロックの否定でもあった。PILのメタリックでインダストリアルなサウンド、ザ・ポップ・グループのファンクと非西欧的サウンドの融合。そのザ・ポップ・グループの後継であるリップ、リグ＆パニックのフリー・ジャズとアフリカン・サウンドによる混沌、バウハウスやヘブン17などのヨーロッパ的で陰鬱な精神性。これらのポストパンクは、産業ロック中心の音楽状況に楔を打ち込もうとする試みだったといえる。

一方で、パンクからポストパンクへの移行期、七〇年代終わりから八〇年代初めのアメリカでの受容について興味深い証言がある。先のインタビューでもアメリカでのパンクの流通はアンダーグラウンドであったことが伺えるのだが、とくにイギリスからの輸入レコードを扱う専門の

★（上）クラッシュ「白い暴動」
（下）ストラングラーズ「夜獣の館」

ショップがこの時期、取り扱う商品をプログレッシブ・ロックからパンク／ニューウェイヴへと切り替えていったのだ。もちろん客層は大きく異なっただろうが、この英国プログレとパンク／ポストパンクのオーヴァーラップ現象は、サブカルチャー的心性や反アメリカ的美学の一つの表れではないか。

さらに、この商業的な枠組みの内部にあえて止まりながら、そのシステムを脱臼させるような仕掛けを随所に潜ませる戦略も生まれる。それが、文芸批評家ラリイ・マキャフリイいうところの〈アヴァン・ポップ〉であった。この呼称はレスター・ボウイのアルバムタイトルに由来するが、耳慣れたスタンダードナンバーの「中に折り重なる幾層もの美的可能性や共振をさらけ出してくれる」（ラリイ・マキャフリイ『アヴァン・ポップ』）作品であり、ジャズの方法論を転覆する奇天烈なスタンダード再解釈が並ぶ。

このレスター・ボウイに象徴される〈アヴァン・ポップ〉は、アメリカ的文化産業のシステム内で、どのように〈far-out〉でありつづけることが可能なのかを問いかける。ブルース・スプリングスティーン、カール・スターリング（ワーナーブラザースのアニメ音楽作曲家）やスパイク・ジョーンズなど、商業音楽の装いをまといながらその規範を破壊してみせるアーティストをその代表とし、ジョン・ゾーンやハル・ウィルナーなどのジャズ、パティ・スミス、トーキング・ヘッズ、マイ・ブラディ・バレンタインなどのロック、さらにキャプテン・ビーフハートやユージン・チャドボーン、ローリー・アンダーソンなどの分類不能の音楽などが、その実践例だ。

現代小説でも同様に、「前衛的」であることが「芸術的」であることと等価になり、「文学」産業というシステムの内部で商業主義へのアンチテーゼとしての価値を見出され、そのシステムの健全さの「アリバイ」として利用される状況があった。だがそこに逆説的に、文学や音楽の可能性を見いだすのが〈アヴァン・ポップ〉の戦略であり、その代表的作品の一つが、ルイス・シャイナーの歴史改変SF『グリンプス』だ。

★ラリー・マキャフリイ
「アヴァン・ポップ 増補新版」（北星堂書店）

★ルイス・シャイナー「グリンプス」
（ちくま文庫）

ルイス・シャイナーは一九五〇年生まれ、ウイリアム・ギブスンらとともにサイバーパンクの中核的存在であると同時に、音楽をテーマとしたアンソロジーを組むなどSFの枠を超えた活動も展開している。一九九三年に発表された『グリンプス』は、世界幻想文学大賞を受賞したシャイナーの代表作である。

主人公のレイ・シャックルボードは、ステレオ修理屋を営む三八歳の中年男（シャイナーと同い年の設定）。ある日レイは自分に、頭の中で想像した音楽を録音できる能力が備わっていることを発見する。頭の中で作り上げていた架空のサウンドが、いつの間にかカセットテープに録音されていたのだ。

レイは海賊版製作者と組んで、ビートルズ、ドアーズ、ビーチ・ボーイズ、ジミ・ヘンドリックスらの、ロック史上で名高い未完成、未発表のアルバムの制作に挑んでいく。そしてそれは同時に、挫折した六〇年代の夢を回復する試みでもあった。レイ自身も六〇年代にタイムスリップしながら挫折の歴史を修正しようとする。それは希望と友愛と平和に満ちた世界を実現することで、自分と父との確執の記憶を塗り替えようとする個人的な欲望の反映でもあった。

最終的に六〇年代の理想はまたしても挫折する。だが「過去をなかったことにはできない。受け入れることでしか前進できない場合もあるのだ」という認識に到達したレイは、父親との確執の記憶を乗り越え、新たな人生を歩みはじめる。

この小説に登場した未発表の幻のアルバムや楽曲は、その後実際に日の目を見ることになった。ジミヘンの『ファースト・レイズ・オブ・ライジング・サン』が一九九七年に、ビートルズのアルバムは『レット・イット・ビー…ネイキッド』（二〇〇三）として、また同じ年に発売されたドアーズのベスト盤に「トカゲの祝福」のスタジオ録音が収録され、そして二〇一一年にはついにビーチ・ボーイズの『スマイル』も発売された。だがそこには単なるノスタルジアを超えた意味がある。それは革新と前衛を求めつづける精神の再生と継承だ。

ポール・ギルロイが『ユニオンジャックに黒はない』の中で指摘するように、イギリスにおけるジャマイカ音楽の流入と流行は、サウンドシステムによる音楽文化の変質をもたらした。この可動式のハイファイ再生装置は、ライブ・パフォーマンスの空間であった路上に録音を持ち込むことで、音楽の即興性と録音による固定化の弁証法を止揚し、「パフォーマンスという言葉の意味を再定義」したとされる。技術革新による音楽の変容をプリミティブな身体性と対比する皮相的な二項対立に落とし込まないこのギルロイの視点は、ジミヘンを論じた「愛のように大胆に？」（『文藝別冊　総特集ジミ・ヘンドリックス』所収）でも際立っている。

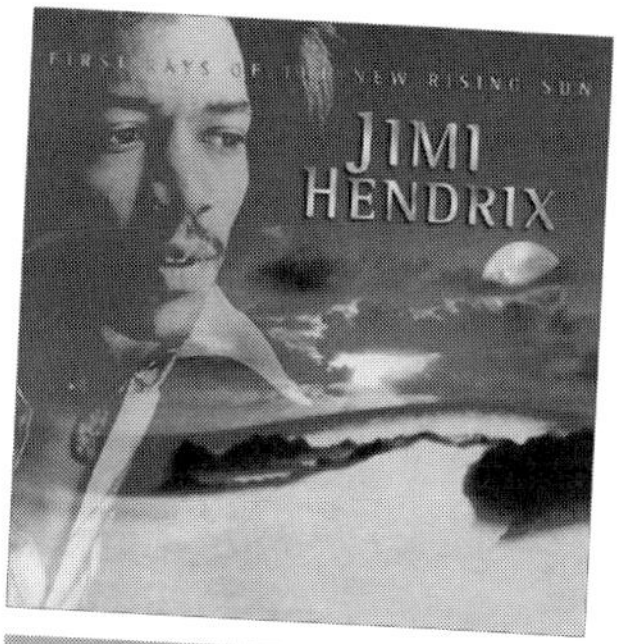

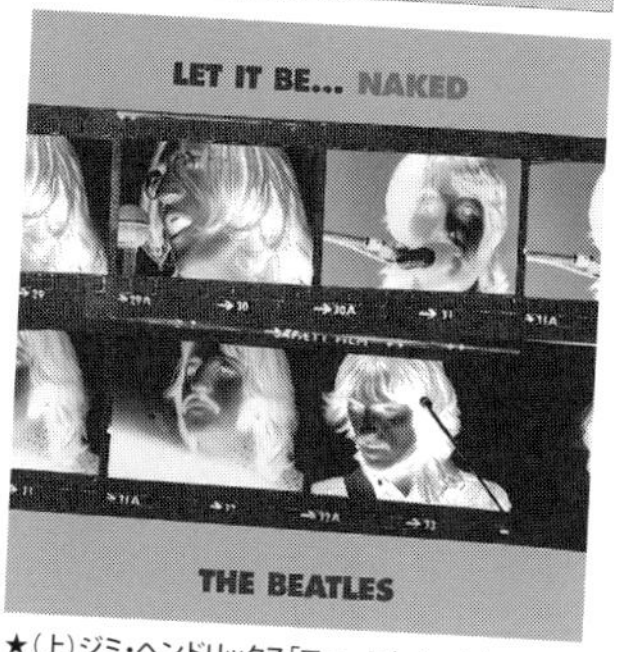

★（上）ジミ・ヘンドリックス「ファースト・レイズ・オブ・ザ・ニュー・ライジング・サン」
（下）ビートルズ「レット・イット・ビー・ネイキッド」


さらにそのジャマイカ音楽を大衆化したのがボブ・マーリィであったが、その「ブルー的なギター奏法と『ディスコ』調リズムの融合」は、商業主義的な妥協の産物などではなく「ポピュラー音楽に新たな空間を創出」するための戦略であった。その空間とは、さまざまな社会的抗議が資本主義批判と結びつく場所である。マーリィの死後、レゲエ人気を継承したのは、「レコード会社に仕込まれたジャマイカや英国の次世代」ではなく、「ポストパンク世代の白人レゲエ・ミュージシャンたちによるニューウェイヴ」であり、その代表格がザ・ポリスであった。だがギルロイはこれを白人による文化的簒奪とは看做していない。それはレゲエとポストパンクの間に「資本主義批判」という連続性を見いだしているからである。

人種をはじめとするアイデンティティ・ポリティクスと新自由主義批判をいかに接続するか。それがポストパンク以降の政治的課題だ。「再配分か承認か」というフレイザー／アクセル＝ホネット的論争は、それ自体が新自由主義的枠組の内部で捏造された問題意識であることを、筆者もウッドストックをめぐる論考で指摘した（『文藝別冊　ウッドストック1969』）。ファンクやレゲエにまつわるアイデンティティの政治を最先端の録音技術を駆使したサウンドに乗せ、商業マーケットで流通させる。これがポストパンクから〈アヴァン・ポップ〉へと継承された資本主義批判の戦略なのだ。

そうした中で『グリンプス』は、SFという商業ジャンル表現の中で、いかに新奇な科学やテクノロジーと政治的ラディカリズムを融合させるか、というサイバーパンクの精神を改めて問い直そうとしている。ヴァルター・ベンヤミンがいう「廃墟としての寓意」となったロックというジャンルの、「幾層にも折り重なった美的可能性」（マキャフリイ）をすくい取る〈アヴァン・ポップ〉的運動の、現時点での最良の成果の一つだ。ノスタルジアを装い資本主義システムの商品として振舞いながら、そのシステムの脱臼を虎視眈々と狙っている。そしてレイと六〇年代ロックは、かつては与えられなかった生を、現代の文脈の中で生き直すのだ。

パンク・スクワットでDIYを

◎文＝鈴木智士

ハードコア・パンクのシーンは、ラディカル・ポリティクスの学びの場であった——。というようなことを私が編集・発行している不定期刊誌『Debacle Path』の第2号（2020年4月発売）で特集した。この雑誌は国内外の「政治的パンク」に焦点を当て、その意味を今一度とらえ直すために始めた雑誌だ。

ハードコア・パンクとは自主自律の音楽であり、反権力、反資本主義、あらゆるヒエラルキーの否定——平等がその根底にある「反逆《レベル》のミュージック」である。よっておのずと運動《アクティヴィズム》と関係もすれば、パンクス自体が運動の場を創り上げてきたりもした。本稿を書いている6月上旬、アメリカでは白人ポリ公による黒人男性ジョージ・フロイドの殺害をきっかけとして、人々は新型コロナウイルス感染のリスクを背負いながらも路上へ出てBlack Lives Matterの声を上げているが、そこにも当然パンクスはいる。日本ではそういったパンクの「政治的」側面はあまり顧みられてこなかったが、海外では音楽表現よりも運動を優先するパンクスさえ存在してきた。現在も欧米だけではなく、フィリピン、マレーシア、インドネシアなどのアジア各国から、メキシコ、コロンビア、ブラジルなどの中南米まで、パンクを通して自分たちの「生」を自ら創造してサバイブしているパンクスは大勢いる。

さて、彼らはパンクシーンで何を学ぶのか。手がかりとなるのはアナキズムだ。と言っても学問としての主義・思想ではなく、自律した生活における実践としての「アナーキー」＝直接行動がパンク生活を下支えする。もちろんそのルーツをたどれば、たとえSex Pistolsのようなオリジナルのパンク・バンドが、パンク＝アナーキーという図式をショック・バリューとして使っていたとしても、それが端緒だと言うことができるだろう。そしてそういったオリジナル・パンクが死に、そのアナーキーのイメージをより純化させ、音楽的にも社会政治的にもより現実のレベルに引き寄せたのが、イギリスであればCrassやThe Exploited（Punks not Dead!）、Dischargeといった後続のアンダーグラウンドのバンド群だ。もちろんオリジナル・パンクが持ってしまったメジャー性、資本主義臭などは否定しながら。

Crassのメンバーは「ダイヤル・ハウス」という小規模コミューンを活動拠点としたが、当時ヨーロッパでは、パンクスや芸術家たちは空き家を占拠した「スクワット（Squat）」に住み着き、法や制度を逆手に取って資本に頼らない生活を試み、家賃など払う暇も手間も惜しみ、創作活動や政治運動に明け暮れた。そして今日に至るまで、スクワットはオルタナティヴな活動の根拠地として機能してきた。

少し古い話になるが、2012年の夏に私は東西ヨーロッパのパンクスを訪ね歩いていた。そのときに、ヨーロッパの中でもスクワット運動がさかんなギリシャのいくつかの都市で、実際のスクワットに泊めてもらった。中部のヴォロスという町で私に寝床を与えてくれたのは、〈マツァゴウ・スクワット〉という元タバコ工場の大きな建物をスクワットした場所だった。多くのスクワットがそうであるように、このマツァゴウはヴォロスのパンクス、アナキスト、左翼（と言っても一時期政権を握った急進左派連合《シリザ》よりももっと左）活動家たちの拠り所となり、週に数日は有志お手製のベジタリアン料理（アナキスト、パンクスには、動物の権利や環境保護の観点から肉食をしない人も多い）をカンパ制でふるまい、週末にはパンクやヒップホップのライブを行う、といった機能を果たしていた。

建物内にはそういった運動に深く関わる人たちが数人住んでいて（見知らぬ旅行者の相手をしてくれたのは、ここに居を持ったMという、往時のAmebixのBaronにちょっと似た風貌のパンクスだった）、電気は近くの電線から引っ張ってきたものを利用。また私が訪れたときはちょうど「経済破綻」の真っ只中で、それに合わせて移民排斥を訴える極右政党「黄金の夜明け《ゴールデン・ドーン》」が勢力を伸ばしており、地元のアンティファ《反ファシスト》たちが黄金の夜明けのメンバーを見つけてはバイクのヘルメットをかぶってゲバ棒で戦う、ということも起きており、一度そのパトロールに同行させてもらったこともあった。

ここまで書いて、空き家に勝手に住むなんて！ 電気を盗むなんて！ 21世紀にもなってゲバ棒なんて！ と、法律遵守の美徳に馴致されたポンニチの「良識的」読者の方は眉をひそめるかもしれない。しかし空き家占拠はそれ自体がただちに違法というわけでもなく、ヨーロッパの多くの国々では、一定の期間を住めばそこに住む権利を得られることもある。そして何より、生存権というものは法律よりも優先されるべきだろう。住む場所を借りる金がないからと言って野宿者を蔑むのか？

しかしスクワットを取り巻くその後の状況は決して明るくはなく、イギリスのEU離脱からも見えるように、自国優先の保護主義へと世界の趨勢が変化していることも影響しているのか、ヨーロッパ各地で権力・警察によるスクワッターの強制排除やスクワットの取り壊しが起きている。ギリシャもその後、各地のスクワットが極右による襲撃や警察からの排除に遭い、2015年に起きた「難民流入」における中東からの入り口でもある同国では、難民の一時的避難所として機能していたスクワットも存在したが（多くはアテネのアナキスト地域、エクサヒアにある）、それも2019年7月に新民主主義党が政権を奪取して以降、「浄化」の標的となり排除された。これにはジェントリフィケーションの問題も絡む。

★マツァゴウ・スクワット外観

ここまで日本ではあまりなじみのないスクワットの話に始終したが、このようにあくまで「音楽」を土台として自律した生活を経験できるのはもちろんスクワットだけではない。ハードコア・パンクのバンドのライブでは、クラブやライブハウス（は日本特有の形態だが）にレンタル料を払ってライブを行うのではなく、自分たちで必要な機材をフリースペースなどに持ち込み、「場」そのものを用意してライブを行うこともある。そうすれば入場料も安く済み、「ドリンク代別途」のようなムダなお金もかからず、何より自分たちの好きなように「場」を創ることができる。こういった「自分たちでやる」＝Do It Yourself（DIY）の精神は、パンク・ポリティクスに通底してきた考え方だ。そしてDIYは音楽だけの話ではなく、何にでも応用できる。それはつまり、とにかく何でも自分でやってみること。既存の考え方や媒体を離れて、自分自身が表現者となること。守らなければならない慣習やルールもいらないし、気に入らない広告なども不要。やりたいことをやりたいように自分でやるだけなのだ。


「人民にとって直接行動とは、他から物を奪い取ることなのではなく、みずからものをつくること、そのための妨害をものともしないことである」

（向井孝『暴力論ノート 非暴力直接行動とは何か』／「黒」発行所、2002年）

リヒャルト・ワーグナーの共苦と革命

◉文＝岡和田晃

★トーマス・マン
「リヒャルト・ワーグナーの受苦と偉大」の原書

一九三三年二月、トーマス・マンは有名な「リヒャルト・ワーグナー（ドイツ語読みではヴァーグナー）の受苦と偉大」と題した講演をミュンヘン大学の講堂で行った。わずかな手荷物のみを持った小旅行のつもりが、そのままマンは亡命を余儀なくされた。講演が激しい不興を買ったからである。同年四月、ミュンヘンの新聞に掲載されたマンを非難する文面には、バイエルン州の文化行政を司る要人たちの名前に並んで、リヒャルト・シュトラウスやハンス・クナーパッツブッシュといった音楽家たちの署名までもが連ねられていた。一月に成立したヒトラーの内閣は、早くも三月には全権委任法を国会で通過させていた。

しかし、実際に講演の現物を読んでみると、トーマス・マンの語りはワーグナーへの敬意を前景化させたもので、否定的な論調はまるで読み取れない。非難者たちによるマンへの弾劾文も支離滅裂である。とりわけ二一世紀の日本語読者からすると、なぜマンが亡命を余儀なくされたのか、奇妙に思われる向きも多いだろう。

なるほど、マンは講演で、二〇世紀の「現在」からの視点で、ワーグナーと、音楽家が生きた一九世紀の特質を相対化させようとする。そこでは、自然主義の代名詞のようなゾラの〈ルーゴン・マッカール叢書〉がワーグナーの仕事と対にして並べられている。さらには、フロイトの精神分析におけるマザー・コンプレックス理論で、ワーグナーの『パルジファル』が論じられる。あるいは、フリードリヒ・シュレーゲルの小説『ルツィンデ』で描かれた「死と愛の合一」による「快楽の恍惚」という「倒錯」が、『トリスタンとイゾルデ』に引き継がれていると論じられる……かように、マンはワーグナーを、赤裸々に露呈されたディレッタンティズムの徹底として描くのだ。ボードレールのような、反近代主義の退廃的な詩人たちがワーグナーを賛美したのも、そのためだろうとマンは示唆する。

つまり、ユダヤ人であるマンがワーグナーのイメージを、褒め讃えながらも既存の文脈からズラしていったことが怒りを招いた理由だろう。ワーグナーのオペラが表現するゲルマンの民族精神は普遍的な高みに立っている――けれども、それゆえに、国民国家などにはまったくの無頓着で、むしろ無政府主義的ですらある。ドイツ性を徹底して表現しようとするからこそ、それはグロテスクなパロディの域にまで達している。そのようにマンはワーグナーを論じるのだ。

実際、『パルジファル』の次にワーグナーは、ブッダの生涯をオペラ化しようといていた。ゲルマン民族とはどうにも結びつきようがない仏教の開祖を、である。

こうした知的な屈折を、二〇世紀のナチス・ドイツを支持した市民は理解できていない。その現状を、マンは暴露してしまったわけである。講演のタイトルの「受苦」は原文ではLeidenで、これにmitをつけた「共苦（Mitleiden）」は他者の苦しみを我がことして分かち合う営み。『パルジファル』で象徴的に描かれる、ナチズムとは真逆の思想だ。ショーペンハウアーの哲学に由来し、

★リヒャルト・ワーグナー（1861年）

マンもまた影響を受けていた。

それでは、マンが見抜いたワーグナーの「共苦」とは、いったい奈辺に由来するのか。大まかに分けて、一つは革命への期待であり、もう一つはベートーヴェン受容だと言える。

ワーグナーは一八四八年革命を支持していた。一八四八年にパリで起きた二月革命、そしてドイツ・オーストリア各地へと波及して起こった三月革命で、メッテルニヒが打ち立てたウィーン体制は崩壊する。革命によって政治・産業は動揺し、それらに庇護されてきた芸術もまた、多大な損失を被ることになった。

実際、ワーグナーはドレスデンでの革命争乱に参加した廉《かど》で指名手配され、逃亡生活を余儀なくされていたなか、論文『芸術と革命』を書いていた。これは一八四九年に発表されたが、キリスト教の到来以前の古典古代、すなわちギリシア芸術の理想は、復古ではなく革命によってこそ成し遂げられるものだと論じられている。

ギリシアの芸術はドイツ古典主義美学や、それを批判的に継承したロマン主義美学が規範とするノスタルジックな理想であった。だが、歴史を巻き戻すことはできない。逆を言えば、後生の人間は、なぜギリシアが衰退を余儀なくされたのかを認識するところから出発すべきである。革命によってその陥穽を迂回し、単一の国民性に縛られない自由な精神を獲得することを、ワーグナーは期待したのである。

ワーグナーはドレスデン革命を武力で踏みにじったプロイセンを終生、憎み続けた。この姿勢は、ワーグナーがもっとも尊敬した哲学者であるショーペンハウアーが一八四八年のフランクフルト蜂起に際して革命軍を「ならず者ども」と呼び、鎮圧軍の狙撃を手伝いさえしたことと、対照的であった。「共苦」を唱えたショーペンハウアーが反動的な振る舞いを厭わなかったことに対し、ワーグナーは理論を介して、革命と芸術を綜合し、隘路を避けようとしたのだ。

一八五一年に発表された『ベートーヴェンの《エロイカ交響曲》』では、ベートーヴェンの『交響曲第三番』を軍隊的なヒロイズムから切り離し、「英雄」という副題を「純粋に人間の感情のすべて」を備えた「広大な全人像（der ganze,volle Mensch）」へ結びつけようとワーグナーは試みている。彼はベートーヴェンの交響曲のなかでも、とりわけ第九番にこだわり、そこに表現されているものを完成した「作品」ではなく、合唱を介して表出されるシラーの頌歌「歓喜に寄せて」に典型的な、単なる音を超えた「叫び」に可能性を見出している（『ベートーヴェン』、一八七〇年）。それは既存の「美」の領域に自らを留め置かず、むしろ「美」の裂け目から逆照射される「根源的な媒介物（Grundelement）」としての「叫び」である。こうした「叫び」こそが、マンが見抜いた「共苦」の出発点なのだろう。

【主要参考文献】
トーマス・マン『講演集　リヒャルト・ヴァーグナーの苦悩と偉大 他一篇』（青木順三訳、岩波文庫、一九九一年）
薗田宗人編『ドイツ・ロマン派全集　第二十巻　太古の夢　革命の夢 自然論・国家論集』（国書刊行会、一九九二年）
リヒャルト・ワーグナー『ベートーヴェン』（三光長治監訳、池上純一・松原良輔・山崎太郎訳、法政大学出版局、二〇一八年）

それは、誰の音楽か。

◉文=加藤綾子

ここに一例を挙げる。その音楽家が、その人生を左右する審査を受けるとする。課題曲は、バッハの無伴奏曲からの抜粋と、指定された協奏曲から選んだ一楽章と、自由曲一曲。その日のために数週間、外出もせず風呂にも入らず、一日の終わりにようやく眠りにつけば、「なにをサボっているのか」と師から友から親兄弟まで総出で夢の中に御登壇、眉間に深い深い皺を刻んで目覚めれば、寝入ってから片手に足りぬ時間しか過ぎていないことを知る。

あるいは、こんな例もある。――その音楽家の、人生の集大成。休憩はさんで二時間弱のリサイタル、プログラムはバッハの無伴奏曲をまるっと一曲、ベートーヴェンのピアノとの二重奏ソナタを一曲、小品いくつかを挟んで、新作の初演で〆る。プログラム最後の新作は、なんと、作曲者本人が観客として来場してくれる手筈になっている。

そしていずれも思うのだ、「自分の音楽を聴いた人は、自分の音楽をどう思うのか」

そしてさらに思う、「そもそも、きょうこの演奏は、本当に『自分の音楽』でいいのか」

一般に『クラシック音楽』と呼ばれる音楽を実演するひとびとは、たぶんおそらく、「自分の音楽」というものに常に悩まされる。なぜなら、目の前に存在するその楽譜は誰かが、顔も知らない名前しかわからない誰かが書いたものであり、どこまでいっても、それは「自分の音楽」ではないからだ。

では過去の資料を丹念に調べ上げ、奏法を拾い、再現すればいつかはひとつの音楽にたどり着くのか――というと、そんなこともない。もっとも重要な資料である楽譜すら、毎年、多くの出版社が新たな「原典版」を出版し、まともな譜面が残っていない音楽だって、ざらにあるのだ。ときとして音楽家によって解釈の違いが生まれ、同じ音楽を求めているはずなのに、結局、ひとつの音楽にはたどり着けない。

途方もない矛盾である。ここにある音楽は既にして誰かが書いた音楽であり、「自分の音楽」ではない。にもかかわらず、突き詰めれば詰めるほど、ここにある音楽は幾億もの「自分の音楽」に枝分かれしてしまう。

コンサートにおいて「あんなのバッハじゃないよねえ」「バッハはもっと、こう弾かないと」などと意見が割れたりすることもよくある。それだけではない、例えば、審査員の講評と審査、「先生」と慕う師匠のレッスンもそうだ。実演者は、ただひとりの人間だ。ある作曲家の作品について、この解釈が正道であると百人が口を揃えても、自分だけは首を縦に振れないこともある。ある譜面に書かれた音楽が、どうしても腑に落ちず、どう弾けばいいのかわからないことだって、ある。

クラシック音楽。西洋の音楽。神話の時代より脈々と受け継がれ、ついには遠く東の島国にまで流れ着いた、個人が背負うにはあまりにも大きすぎる譜面。

それでもなお「自分の音楽」は、果たして、存在していてよいものなのか。

実演者としての自分と、聴衆が求める音楽は、果たして重なるのかどうか。

自分が思い描く「バッハ」と、審査の場で求められる「バッハ」が異なるとしたら、いったい、自分は、なにを選びとるべきなのか。

いったい、何が正しいのだろう。

自分は何を求められ、何を求めているのだろう。正解などないのだから、最後は、自分で選ぶしかない――そう思いながらも、誰か、正しい答えが欲しくて、わたしは自分の演奏を納めた録画を振り返る。それは宇宙からのメッセージを受信しているようで、度し難い。

はぁ…
どーした？
今日もお金を稼ぐ為に男に抱かれなきゃいけないのかと思うと…ね…
DARK ALICE
34. ハンナ by eat
しゃーねぇだろ
ゴンゴン
お忘れかもしれませんが今日は私の誕生日なのよ!?
ホレ
ミュージックプレイヤー!?
ア…アリス～♡
ふ…
何曲かは入れてやってるからな
♪

なんだ？
今日はごきげんだなー
ふふ
今日は音楽を流しながらプレイしない？
お
いいね〜
なかなかロマンティック
じゃなあ〜い？
やだ…
私ったら本気で感じちゃってる…っ♡
あ——♡
もう分けわがんなぁい
気持ち——ッ！

プツッ
ひっ
やだ…
お客さん…？
お客さん?!
し…死んでる…！
もっと気持ち良くなりたくて…
彼の首を絞めた事…
薄っすらと覚えてる…
私…どうして…
急にそんな……
あの…音楽……
ガチャ
おーいハンナ
もう時間とっくに過ぎてるぞー
だいじょーぶかー？
アリス！

わあん
どうしよお
あのね―…
ひっく
ひっく
ザ
ひっく
ひっく
まだ泣いてんのか
大丈夫だって
ザッ
でも～でもお
この業界ではよくある事なんだってば
キマリすぎて死んだだの殺しただのっつうのはよ
何なら自首するか？
―…それは嫌―…ッ！
次…から…気をつける
そうそう
ザ
ザ
あの音楽のせいかもしれない…
アリスには悪いけど…
怖いから消しちゃお
HOME
BACK
OPEN

ハンナさーん ご指名でーす
・・・・・・
どうしたの？ 元気ないね？
仕事なんだから 頑張って くんなきゃ
びく〃
ね？
やだ… どうしよ…
頭の中で 勝手にあの曲が 流れちゃう…
でも お仕事も 頑張らなきゃ だし…
大丈夫
大丈夫
そうよ 音楽のせいとも かぎらない じゃない
音楽の せいじゃや…

ら〜ぶ♪
こーんなーにもー
頭にこびりつくんだよ！
すーきなーのにー♪
だー
やめろ！歌うな！
えーなんでー
その歌嫌いなのに!!
イヤーワームっつうんだぞそれ
虫ィ？
なんかおもしろそー
あーいーしてーるー♪
やめろって！殺すぞ!!

それより
アリス
あの子どうにかならんのか
もう6人も殺ってるぞ？
えー？
俺が後始末してんだから
心配すんなよ
はぁ
またお前はめんどくさい
オモチャを作りやがって…
…
いつか女王に目をつけられても
知らんからな
大丈夫
大丈夫
ハンナさーんご指名でーす
こんにちは
……
無口な方なのですね
……
ギシ
それとも

ずるん
聞こえてないんですかね？
やはり
ひっく…
ひっく…
き…消えたァ…
あ…は…
…やった
よかった…
うわあああ
ありがとう
よしよし
もう大丈夫ですからね
女王に仕えながらアリスをかばっていた
ミスターホワイトは悩んでいた
もう女王に隠し通す事はできませんよ
アリス

四方山幻影話 44

◎写真&文=堀江ケニー
●モデル：salasa

ついにTHが音楽を取り上げる時が来ましたねー。なんせ自分の世代的にTalking Headsと言えばまごうことなく「あの」バンドなのですから。その Talking Headsが全盛の頃自分はLAに住んでおりました。

当時はパンクブームから次のムーブメント、ニューウェーブ全盛の頃でした。Talking Headsもその中にいましたが、実に奇妙奇天烈なバンドが続々と登場して来た時代です。B52's、Devo、Lena Lovichなどなど、今見てもなんじゃこりゃー?!と言いたくなるバンド達が数多登場しました。

余談ですが、当時Jタウン、日本街には

★Flower Travellin' Band「Satori」

Atomic Cafeなるラーメン屋があり、よく通っていたのですが、そこの店員はほぼすべて白人パンクロッカーで、なかなかシビレるラーメン屋でしたが、味の方は1ミリも覚えていません。噂で、あのBlondieのデボラ・ハリーもそのラーメン屋に通っていたなどと聞いたものです。

　しかし、今回スポットを当てたいバンドは、80年代からさらに時を遡ること10年、70年、大阪万博、Expo'70の熱い夏の日、当時Expo'70のフィバーぶりと来たら半端ないものがあり、自分のようなガキンチョの間では、万博に行くことが出来ればまさにヒーローでした。何せ関東に住む者にとって、家族での大阪旅行は海外旅行にも匹敵する程のものでしたから。

　しかし幸運にも当時父親が新車を買い、長距離ドライブがてら大阪万博に行きたいとなり、家族で憧れのExpo'70に行けることになったわけです。忘れもしない1970年の夏休み、うだる様な暑さの中、神奈川から大阪を目指して出発、果てしなく長い時間をかけて大阪へ到着しました。ちょっと話はそれますが、あの頃の子供は吐きました。乗り物に乗ると、取り敢えず吐く。何だか知らないが乗り物酔いをしたのです。むろん自分も、運転中の父ちゃんの肩越しに後ろの席からゲロ、ゲロゲロと吐き、めちゃくちゃドヤされました。

　そんなこんなで万博会場に到着。まずは人の多さに呆然。あそこのパビリオンに入りたい、月の石を見たい！とかの淡い思いは消え去り、向かったのは万博広場でした。何せアメリカ館で月の石を見るためには、炎天下の中2〜3時間並ばなくてはいけない！

　万博広場に着くと音楽を演奏していて、そこで衝撃的な、今で言うライブを見たわけです。それはバンドでした。何だか妙にハイトーンなボーカル。そして歌詞が日本語ではない。メロディも摩訶不思議なインド音楽と日本の祭り太鼓を掛け合わせたようなもので、子供の自分には衝撃度が半端なかったわけです。

　ギターはエレキなんだけど、当時は分からなかったが後で聞くとまるでシタールのような弾き方と音色。実際、後にも先にもあんなギターを聞いたのはあのバンドだけ。ドラムも普通のエイトビートとかそんなんじゃなくて、何だか和太鼓のようなリズム。そして何と言っても、あのハイトーンボーカルが、印象的なんてもんじゃないほどの衝撃だったのです。

　歌の内容は全く覚えていなかった、と、言うか何を歌っていたのか全く分からなかったのだが、後で正体が判明する。Satoriと言う歌で、バンドの名前はFlower Travillin' Band（以下、ＦＴＢ）。後に角川映画「人間の証明」のメインテーマを歌ったジョー山中率いるバンドだったわけです。70年代当時、確かにインド音楽ブームみたいなものがあり、ビートルズもストーンズもみんなこぞってインド的なものを取り入れていた。しかし、あんなにもダイレクトにインドとロックと和を混ぜ合わせて一つにしたのはＦＴＢだけだった。ちなみにプロデュースはあの内田裕也。

　あのインパクトが忘れられずＦＴＢのファンになり、彼らのライブにも行った。彼らはカナダなどのフェスにも参加して、多少海外でも活躍したみたい。久々にＦＴＢのアルバムを聴いてみたが、やはりあの強烈なインパクトは50年経った今も全く衰えてないな〜。ＦＴＢをきっかけに70年代の自分はロックに明け暮れる。特にイギリスのロックバンドは、来日するとライブに行きまくった。武道館で暴動に巻き込まれたのもこの頃。70年代はめちゃくちゃ熱かったのです。そのジョー山中も数年前には他界され、あの時代は遥か時の階段の向こうへ行ってしまいました。

　70年代音楽シーンの話をし出すと切りがないので今回はこの辺で。

　ちなみに自分は今もＫＧＢ、Koganecho Ghetto and Bluesと言うブルースバンドでギターを弾いているので、タイミング合えば見に来てやって下さいなんし。うちのバンドはオシャレ禁止で四万円以上の楽器を使うと燃やされます、はい、ブルースですねー。

　ちょっとしたサイドストーリーなんですが、そのＫＧＢでドラムを叩いているメンバーが以前働いていた飲食店に、ジョー山中の息子さんがバイトに来ていた。って、だから何？みたいな話ですが。

　それではみなさん、音楽ってなくても生きては行けるけど、ないと本当に人生がつまらなくなってしまうもんですよ！　それでは、さいなら、さいなら、さいなら〜。

時間旅行の手段としての音楽

——録音物を通じて、十九世紀以前の世界へ

◉文＝白沢達生

できることなら、世界は広く見て回りたい。それは古今東西、ずっと存在する欲望だ。

だが大きな移動は高くつく。定住生活の日常とは比較にならないくらい危険だし、その危険を避ける方策は無料で手に入るとは限らない。だから昔の人は旅をめったにしなかった。鉄道や蒸気船や飛行機が発達すると少しずつ状況は変わってきたにせよ、それらの手段も高価であることには変わりがない。疫病罹患のリスクも無料で避け続けるのは不可能だ（と、私たちは最近あらためて気づかされた）。大きな移動は高くつく——これは、物理的にどうしようもない。

では、物理的でなければどうだろう？

音楽の世界では、デジタル配信が一般化しはじめた頃から「物理的physical」という表現が使われ出した。CDやレコード盤など、かたちあるフォーマットでの音楽流通手段をさす単語としてだ。一方、そうした物理性から自由になったデジタル配信には今や定額聴き放題のサービスが多い。選択肢は広く（見つからないものもありつつ、大雑把には「録音史上、商業音盤化された音源はほとんどある」と言っても過言ではない）、音質はCD並かそれ以上。mp3圧縮音源ではない。Spotify・Apple Music・Deezer……いろいろあるが、筆者は検索速度が肌感覚レベルで圧倒的に早いSpotifyを個人的に偏愛している。聴きたい順番に予めトラックを並べておく機能＝プレイリストも作成が容易で、瞬時に全世界と共有できる。

このプレイリスト機能が「脳内世界旅行」を容易にする。否、世界どころか数百年単位での時間旅行も（脳内なら）思いのままだ。しかも月額定額制、高くつくことがない。

耳を介して「ここではないどこか」で生まれた何かに触れられるのが、音楽だ。昔の人たちが炉辺で語られる経験豊富な旅人の物語に耳を傾けたように、私たちは音楽を介して異界とつながる。一昨年くらいの武道館での熱狂をライヴ音源で追体験できるのと同じく、飲食店でふいに流れた音楽で一九九〇年代に連れていかれたり、自分がいたこともない一九八〇年代のロンドンの気配を味わったりできる。もう数十年前の世界にもコルトレーンやガレスピーを介して行けてしまう。

さらに、それがクラシック音楽だったら……？

クラシック音楽の世界は、限られた数の名曲を多くの演奏家が際限なく繰り返し演奏しながら、傑作の深みを延々探りつづけている……と思われがちだが、実はそれで終わりではない。どんな分野でも少し掘ればわかるとおり、過去の作品が残るか否かは偶然の作用も大きい——古今東西、作曲を手がけた人間は一流音楽家から有名無名の巷の才人、手すさびの王侯貴族まで遠大な数にのぼるわけで、過去数百年に紙に記され保管されてきた楽譜は欧州の現存作品だけでも全数把握不能なほど存在する。昔日の創作物に新たな喜びが詰まっていることを知っている演奏家・企画者たちが、そうした常人の視野外にこぼれた傑作を再発見しようと模索を怠らず、日々新たな発見が過去の蓄積からもたらされているのがクラシック音楽の世界なのである。

幸い、そうした再発見行為は記録欲と相性がよい——畢竟、録音物の大海は歴史的発見の宝庫だ。書物やネットの大宇宙に記されている歴史的情報を頼りにその海に乗り出してゆけば、過去の特定年代の、特定地域において人々が（ないし、特定個人が）触れていた音楽だけを抽出することもできる。時代ごとの曲目をまとめ、当時の音楽会の式次第にあわせた曲順で並べてみれば「当時のその地域」の日常感覚に限りなく近づけるのではないか。耳と脳が、距離と時間を易々と越えた体験をもたらしてくれる。

たとえば、十九世紀の都市生活を彩ったオーケストラ演奏会。当時は今の演奏会と違い、歌詞のある歌がほぼ必ず演目に盛り込まれた。都市から都市へ旅する凄腕奏者がゲストに迎えられもしたし、それでピアノも舞台に出れば、オーケストラぬきにピアノと歌だけのひとときも生じた。演目告知の数々は、そうした多彩な悦びを妄想させてくれる。

妄想ついでにSpotifyを漁ってプレイリストを組んでみたので、紹介してみよう。

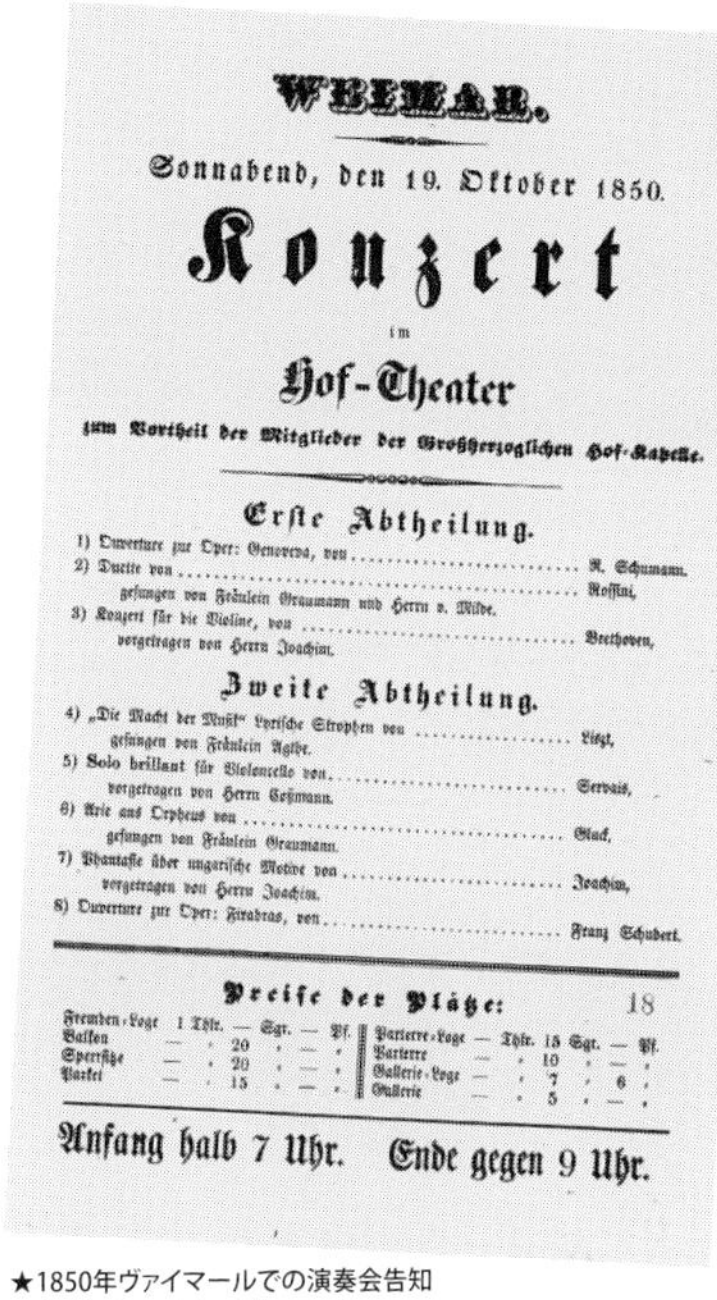
WEIMAR.
Sonnabend, den 19. Oktober 1850.
Konzert
im
Hof-Theater
zum Vortheil der Mitglieder der Großherzoglichen Hof-Kapelle.
Erste Abtheilung.
1) Ouverture zur Oper: Genoveva, von .... R. Schumann.
2) Duette von .... Rossini,
gesungen von Fräulein Graumann und Herrn v. Milde.
3) Konzert für die Violine, von .... Beethoven,
vorgetragen von Herrn Joachim.
Zweite Abtheilung.
4) „Die Macht der Musik" Lyrische Strophen von .... Liszt,
gesungen von Fräulein Agthe.
5) Solo brillant für Violoncello von .... Servais,
vorgetragen von Herrn Coßmann.
6) Arie aus Orpheus von .... Gluck,
gesungen von Fräulein Graumann.
7) Phantasie über ungarische Motive von .... Joachim,
vorgetragen von Herrn Joachim.
8) Ouverture zur Oper: Fierabras, von .... Franz Schubert.
Preise der Plätze: 18

Fremden-Loge	1 Thlr. — Sgr. — Pf.			Parterre-Loge	— Thlr.	15 Sgr.	— Pf.
Balkon	—	20	—	Parterre	—	10	—
Sperrsitze	—	20	—	Gallerie-Loge	—	7	6
Parket	—	15	—	Gallerie	—	5	—

Anfang halb 7 Uhr. Ende gegen 9 Uhr.

★1850年ヴァイマールでの演奏会告知
（出典：josephjoachim.com）

★1730年代のヴェネツィア。華やぎの裏に危険がひしめく観光地

①② 「諸民族の春」の革命前夜ともいえる一八四五年頃のライプツィヒで、あるいはドイツ語圏の覇権をプロイセンに奪われた一八七〇年のオーストリアで、それぞれ開催されたかもしれない演奏会、それが①②だ。メンデルスゾーンの有名なヴァイオリン協奏曲も、そうした当時の文脈に組み込んで聴くとまた違った聴こえ方がするかもしれない（しかもこの作品、後年改訂され一般化したものと微妙に違う初演時の楽譜を使った録音もあるので、そうしたものを選んでみた）。②は十九世紀末に最も頻繁に演奏された交響曲のひとつ、ラフの「森にて」で締めくくられるが、これも当時の音楽感覚に浸った耳で聴けばいかに新鮮・痛快な音楽だったか追体験できるのでは。固めに泡立てたクリームを乗せたウィーン風コーヒーを飲みつつ、150年前の二重帝国にいる気分も飲み物とともに味わえたらなお幸せだろう。
③ 場所が変われば音楽感覚も変わる。やはり十九世紀を通じて「歌」が頻繁にとりあげられたのがサロン、つまり特定個人の私邸の客間などでピアノを囲んで音楽を楽しむスタイルの音楽会——アール・ヌーヴォーの曲線美が室内装飾を彩り、象徴主義めいたものが薫る小説だの印象主義美術だのが紳士淑女から場末のカフェまで人々の話題を彩った十九世紀末のパリで、こんな演奏会もあっただろう……という妄想プレイリストがこれだ。
④ 一方、保養地での休暇生活が広まった当時、ノルマンディのディエップで海を眺める日々を過ごしながら、ピアノを囲んでこんな音楽を聴いていた人もいたのでは……といったリストも用意した。
旅の目的地や年代をもっと絞ってみても、音源は意外に揃う。
⑤ 英国の議会で公共の富の必要性が熱く論じられ、ロンドンにナショナル・ギャラリーができた頃の英国（ベートーヴェンの愛弟子リースがこの王都を離れた年でもある）ではこんな音楽が……というリストも。幸い、現代のピアノとは違う当時の歴史的ピアノを使った音源だけで架空のサロンの演目が再現できている——スコットランド流の音楽が増えつつあった頃だけに、同じ演目がエディンバラでも聴けたかもしれない。

★ディエップのカジノ。観光で潤った1885年に新装されている

⑥ あるいは、アンデルセンが『即興詩人』を発表してデンマーク語話者たちを驚かせた頃の、一八三〇年代のコペンハーゲンにおける管弦楽演奏会……イタリア滞在中オペラに瞠目しつづけた文人は、母国の劇場で自らも音楽家と交わりながら、どんな音にふれていたか。
⑦ さらにもう一世紀遡っても、音源は豊富に見つかる。大革命前夜、マリー＝アントワネットがモードを先導していた一七八〇年代のパリにだって行ける（さらに言うと、革命前後のフランスの音楽は一年単位で精密な演目リストも作れるレベルで音源が豊富に存在する）。かの文化首都、その頃は諸外国からチャンスを求めて技術者や芸術家たちが集まっていた。王妃と同じくドイツ語圏から来た音楽家たちも人気を博すかたわら、イタリアの歌劇人たちがフランス流儀の瑞々しい音楽で人々を瞠目させもした。モーツァルトの同僚サリエーリが空前の人気を得たのも、そんな時代のことだった。

⑧ サリエーリの故郷ヴェネツィア共和国まで足を延ばし、もう数十年前まで旅を続けてもいい——運河と青空が歴史建築を彩る壮麗なカナレットの景観画に描かれた世界、一七三〇年代のヴェネツィア音楽も陰影あざやかな音源に事欠かない。
もちろんこの世界時間旅行、あくまで脳内で起こっていることにすぎない。しかし我々が物理的な旅先で得る経験も、そもそも感じ取って記憶するのは同じ脳である。外出がままならない状況下なら、そのことを肯定的に捉えて積極的に脳内旅行したらいい。しないより、したほうが断然いい。

※QRコードを読み込めば、丸数字の部分に対応するSpotifyプレイリストに飛べます。

①
ライプツィヒ（ドイツ）1845年頃
鉄道発達期の管弦楽演奏会
（メンデルスゾーンの協奏曲初期稿含む）

②
グラーツ（オーストリア）1870年頃
蒸気機関時代の管弦楽演奏会
（ラフの交響曲「森にて」ほか）

③
パリ（フランス）1897年頃
ピアノを囲んでのサロン演奏会
（象徴主義とベル・エポックの時代）

④
ディエップ（フランス）1887年頃
カジノのある沿岸保養地とピアノ
（市民文化の爛熟とフランス近代音楽）

⑤
ロンドン（英国）1824年頃
ナショナル・ギャラリー開設時の音楽会
（歴史的ピアノによる当時の響きの再現）

⑥
コペンハーゲン（デンマーク）1836年頃
ビーダーマイアー期の管弦楽演奏会
（アンデルセン『即興詩人』の時代）

⑦
パリ（フランス）1784年頃
マリー＝アントワネット、革命前の音楽会
（外国人作曲家たちとパリの前ロマン派的気配）

⑧
ヴェネツィア（イタリア）1738年頃
慈善演奏会の再現
（ヴィヴァルディ晩年、オペラと合奏の世界）

パンソリはなぜ女性たちのものになったか

◎文＝穂積宇理

朝鮮半島に伝わる伝統芸能の一つにパンソリがある。李朝時代の大衆小説や仏教の説話等を元に、数時間にわたる物語を唱者が暗唱し上演するもので、17世紀頃から盛んになったが、戦前戦後のパンソリ伝承者を描いた韓国映画「西便制《ソピョンジェ》」（1993）のヒットで再評価され、この映画は翌年日本で「風の丘を越えて／西便制」というタイトルで公開された。

パンソリは本来男の旅芸人によって演じられたが、現在は女唱《ヨチャン》と呼ばれる女性らによって演じられることがほとんどであり、韓国の友人に尋ねても女唱を聞きなれたものと考えているようだ。これは日本の歌舞伎が女性によって始まったとされながら、江戸幕府の禁制で男性によって演じられるようになったことと対照をなす。本稿では東洋文庫の『パンソリ』（1982）と、現・梨花女子大学校の崔南卿《チェ・ナムギョン》教授による「伝統社会におけるパンソリ名唱の男女学習差異に関する研究」（2011）等を参考に、女唱の発生と増加の理由の検証を試みる。

私個人とパンソリの関わりを言うならば、2010年に日本で韓国の絵本の原画展を企画・展示した中に、パンソリを絵本化した作品が二作品あり、その内容を日本語で紹介したり、作者が日本に来た時の通訳をしたことがある。作者は多くの名唱を生みパンソリの故郷と呼ばれる全羅道高敞《コチャン》の出身で、故郷の伝統芸能に誇りを持つ作者の言葉の節々から、韓国のパンソリは過去の遺産ではなく、今を生きる文化だと感じさせられた。

先述の東洋文庫『パンソリ』では「パンソリを業《なりわい》としたのが、広大《クァンデ》と呼ばれた賤民階級の遊芸人であった」と記されている。広大は男性に限られる身分であり、彼らは王族や両班《ヤンバン》と呼ばれる貴族階級に招かれパンソリを上演した。ここでいう賤民階級とは朱子学的な身分制度から外れた人々という意味であり、日本のそれとはやや意味が異なる。庶民の文化でありながら両班の支援によっても支えられた二面性が、パンソリを芸能として高めることにつながった。

同書の原著者である申在孝《シン・ジェヒョ》（1812-84）は下級官吏でありながら自らパンソリを演じ、広大らと親しく付き合ってパンソリの演目を記録し体系化した一方で、国王高宗《コジョン》の父であり李朝末期の実力者であった興宣大院君《フンソンデウォングン》（1820-89）とも私的な交流ができた人物である。大院君自身がパンソリを愛好していたためで、最初の女性によるパンソリの上演として、申在孝の弟子とされる妓生《キーセン》の陳彩仙《チンチェソン》（1847-?）が1867年に慶福宮内の慶会楼再建の落成宴で「成造歌」を歌ったという記録があるが、この頃既に多くの

★Lee Nalchi「水宮歌（Sugungga）」

★「西便制」ポスター

★（右頁）「牟興甲（モ・フンガプ）パンソリ図」
朝鮮王朝時代の名唱牟興甲が歌っている様子だと伝えられている。


妓生らによってパンソリが歌われていたことを推測できる。この慶会楼は秀吉の朝鮮出兵で焼失して永らく再建されなかった建物であり、女性による最初のパンソリ上演の記録は日本と因縁があると言えなくもない。日本で大政奉還が行われた年でもある。

間もなく朝鮮半島は日清戦争と日本による植民地化の激動を迎える。日清戦争と並行して、1894年から95年にかけて日本政府の強硬な要求で甲午改革が行われ、身分制の廃止によって広大らは職業の保証と両班というパトロンを同時に失った。彼らは社会の激変に翻弄されながら、1902年に王立劇場としてソウルに作られた協律社《ヒョムニュルサ》を皮切りに、各地に作られた近代劇場に生活の基盤を求めた。

先述の崔の論文によれば、この時期にパンソリの大衆芸能化が進み、成人男性の観客を満足させるために女唱が求められたという。当時の女唱の名手として許錦波《ホ・グムパ》（生没年不明）、姜小香《カン・ソヒャン》（生没年不明）、裴雪香《ペ・ソルヒャン》（1895-1938）、李花中仙《イ・ファジュンソン》（1889-1943）らが知られ、レコードへの録音も行われている。また、日本政府の要求により1908年に「妓生取締令」「娼妓取締令」が発令され、各地の妓生を券番《クォンボン》という組合に編入し、そこでパンソリ等の伝統芸能を学ばせたことも女唱の増加に繋がったようだ。これは日本の芸妓制度を反映させたものだと考えられる。映画「西便制」では、日本の植民地下でユボンという男唱の名手が貧しい旅芸人を続けながら、養女のソンファにパンソリを厳しく手ほどきしている。日本による近代化の強制と植民地支配の中で、不要とされた男唱が大衆に求められる女唱にパンソリを教えていた事実が背景にある。

その後日本の敗戦による解放の喜びもつかの間、同胞相争う戦争の悲劇に見舞われる。北朝鮮ではパンソリは「堕落した貴族文化」とみなされ、今日まで上演されたことは無いという。韓国でも戦後すぐの記録は乏しいが、当時の女唱朴緑珠《パク・ノクス》（1906-79）らが国楽同好会「国劇社」を組織し命脈をつないだ。朴正熙政権下で1961年に社団法人韓国国楽協会が発足し、64年には名唱らが無形文化財に指定され、大学に国楽科が設けられるなど保護と継承へ向けて動き出すが、当時は既に伝承者の多くが女性だったようだ。

パンソリが女性中心のものへ変わった背景には植民地化と分断の歴史、そして女性の商品化の問題も垣間見えるが、パンソリはそれらを乗り越えながら時代ごとに新たな生命力を獲得してきた。今を生きるパンソリの一例として、韓国のグループ「LEE NALCHI」を紹介する。李朝末期の男唱の名に由来するグループだが、パンソリの女唱らとベースとドラム、そしてダンスの融合を試みたユニットである。「LEE NALCHI」の「踊れるパンソリ」を、ぜひ検索して聞いてみてほしい。異端でもあり本流でもある音楽がそこにある。

●参考文献
『パンソリ』申在孝、訳注＝姜漢永・田中明、平凡社、1982
「伝統社会におけるパンソリ名唱の男女学習差異に関する研究」崔南卿、2011
『「賤民」の文化史序説―朝鮮半島の被差別民（補遺）』野村伸一、2008

「ラジオ・スターの悲劇」から40年、ラジオの全盛期はこれからだ！

◎文＝待兼音二郎

今さらラジオかよ。自分もちょっと前まではそんな気でいた。CDからダウンロードへ、さらにはストリーミングへとデジタル化の世代交代が進むなか、ラジオはオールドメディアの最たるものであり、早晩消え去ると思っていたのだ。

けれどもその一方で、MP3のシャッフル再生に物足りなさを感じてもいた。ランダムな出会いなのにときめきがないのだ。そんななか、ふとしたことから自分はラジオの魅力を再認識し、どっぷりハマって現在に至る。

きっかけは、昨年パソコンを買い替えたことだった。radikoでも聴こうかと起動したところ、こちらは愛知県なのになぜか地域判定がHYOGOになっていたのだ。馴染みのない関西ラジオ局の番組一覧に映画評論家・浜村淳の名前を見つけ、何気なしにクリックしてみた。すると流れたのは、こんな女声アナウンスだ。

一番に入れるスイッチなんでしょう。来る日も来る日も毎日放送1179。

――「ありがとう、浜村淳です」（〝ありがとう娘〟たちのユニゾン）――

お早うございます鳥井睦子です。花の放送局MBSから、AM1179、FM906で、夢いっぱいの番組をお届けします。

続けて、♪ありがとう、ありがとう、ラララ ンランラランラーというテーマ曲が流れ、それに重ねて浜村淳と鳥井睦子の掛け合いのトークが始まったのだ。

このにじみ出るような関西っぽさの空気感をどう表現したらいいだろう。大阪生まれでも何でもないのに551の豚まんが恋しくてたまらず、名古屋から近鉄電車でなんば駅に降り立つたびに魂の故郷に帰ってきた感慨に包まれるという自分はたちまち虜になってしまった。スマホでも聴けるようにradiko premiumの有料会員になり、それこそ未明から夕刻まで、MBSラジオからFM大阪、CBCラジオ（これは名古屋の局だが）、ラジオ関西、FM　COCOLOとラジオ漬けの毎日になったのだ。パソコン作業をしながら流すのにテレビと違ってラジオはさほど邪魔にならないし、警備の仕事がある日もBluetoothの片耳ハンズフリーでこっそり聴いているほどだ。

ラジオDJのトークの魅力はこの短い記事では語りきれないし、「オールナイトニッポン」でググっていただければ、テレビの圧倒的な優勢の隙間に新たな市場を開拓した60年

★MBSラジオ「ありがとう浜村淳です」公式サイト（https://www.mbs1179.com/arigato/）。
関西ローカルで1974年から続く生放送の長寿番組である。

代の深夜放送ブームの一端に触れることもできるだろう。ただ、間違いなく言えるのは、DJがプレイリストやリクエストから紹介してくれる楽曲には、機械的なランダム再生とはまったく異なる、その日その時ならではの出会いのときめき、炭酸の泡のように湧き上がる想いがあるということだ。南野陽子の「吐息でネット」のような懐かしい曲がかかればうんうん、あの頃そうだったよねとうなずいてしまうし、Official髭男dismの「I LOVE」やSHISHAMOの「明日も」など、自分のような50男が自身の楽曲コレクションに閉じこもっている限りは接点がなかったはずの最近の曲の魅力を知ることもできた。

ラジオはたいてい独りで聴くもの。だけどあちこちでさまざまに今日を生きている人々が同じ時間に同じ音楽を聴いているということが、DJのトークを通じてひしひしと伝わってくる。独りの時間を豊かにしてくれ、今日を生きる元気を与えてくれるメディア、それがラジオなのだと自分は思う。

DJの魅力も十人十色だが、自分のいちばんのお気に入りは珠久美穂子さん（以下、しゅくちゃん）だ。芦屋のお嬢さま的な上品さとじゃりン子チエ&上沼恵美子的な要素とが緩急自在に入れ替わるあの関西弁トークがたまらないのだ。

★バグルズ「ラジオ・スターの悲劇」のPV（上）とEP（下）

と、ここまで思い入れ過剰気味に語ってきたが、客観的にみて、ラジオの未来はほんとうに明るいのだろうか？

となると否応なしに想起されるのが、バグルズのシングルヒット曲「ラジオ・スターの悲劇」（一九七九年）である。「Video killed the radio star」というコミカルなリフレインがラジオ時代の終焉を告げるこの曲は、MTVの第一回放送（八一年）で流されたことに象徴されるように、マイケル・ジャクソンの「スリラー」に代表される音楽産業のマルチメディア化の先駆けとなった。

たしかに現在、ググって表示されるYouTubeやVevoの楽曲を見るにつけても、音楽ビジネスにプロモーション動画はもはや不可分とも思える。スマホでどこでも再生でき、SNSにも埋め込めるとなればなおさらである。

SNSは人とつながるための新たなメディアだ。投稿がバズるあの波及感や昂揚感は麻薬的ですらある。だがその快感に、裏返しの危うさがあるのではないかと自分は思うのだ。

電車の座席にならぶスマホ画面に釘付けの人々。彼らには周囲が見えていない。電脳空間への没入と引き換えに現実世界へのつながりと観察力を奪われているのだ。文明開化期には写真に魂を抜かれると言われたものだが、どうやら二一世紀になってほんとうに人々は魂を抜かれてしまったらしい。

その点で決定的に異なるのがラジオである。耳しか使わないのだから当たり前だが、リスナーの意識は外界に向けられ、目に映る光景が想像力への刺激にもなる。

思えば小説は文字情報のみの超オールドメディアだ。その制約がむしろ想像力を刺激する働きをなすからこそ小説の魅力と将来性は尽きないのではないか？ そして同じことがラジオにも言えそうだ。音声情報のみであることがＤＪの語りの求心力をむしろ高める。だからラジオで聴く曲にはときめきがあるし、その曲へのリスナーの思いをＤＪが電波に乗せることで、見えない共感の輪が広がりもするのだ。

ＮＨＫ放送文化研究所がラジオ放送90周年の二〇一五年に実施した「もしラジオ未利用者が一週間ラジオを聴き続けたら」という調査の結果がじつに示唆的だ。回答者の75%が調査終了後にも実際にラジオを聴いたそうだし、10代のリスナーからの「ラジオは面白い」という回答の比率は他の年代の二倍にもなったというのだ。

というわけで今日もしゅくちゃんの「Marché Coucou」を警備現場でこっそり聴きながら、南佳孝の「憧れのラジオ・ガール」を脳内再生する自分なのである。♪Radioガール やさしい声で／Radioガール ささやいて と。

「東京に転勤になったけど、radikoでたまに聴いています」というリスナーに「関西弁が恋しくなったら、また聴きにきてくださいね」と答えていたしゅくちゃん。自分も関西弁が恋しいので、毎日聴いてます！

★南佳孝「憧れのラジオ・ガール」(1980年)

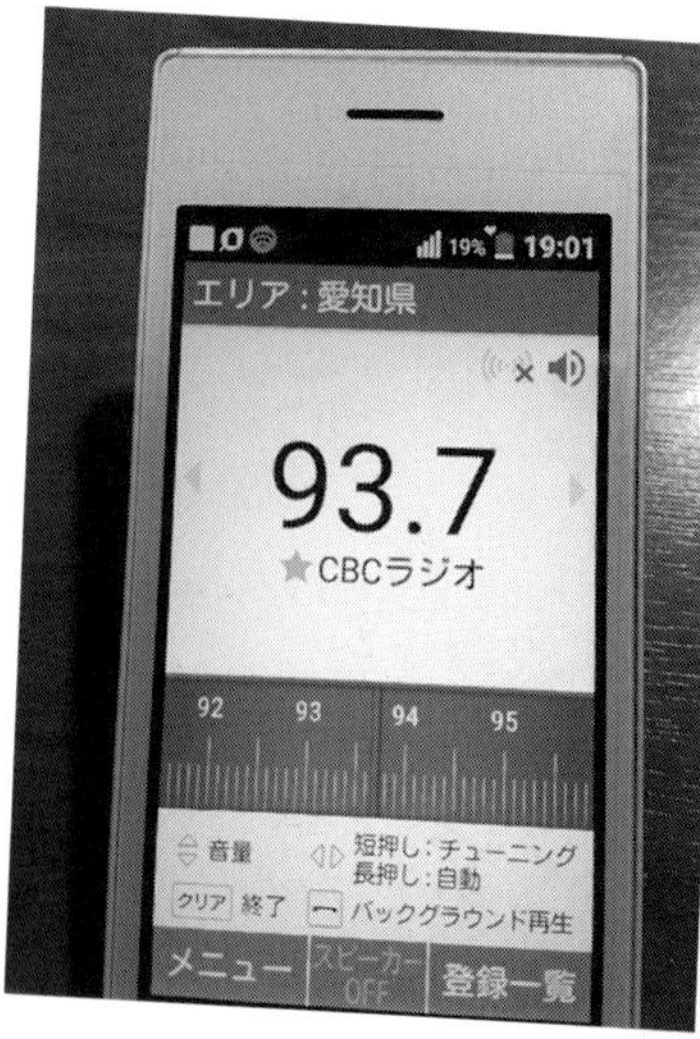

★ガラホを買い換えたらFMチューナーがついていた！
今やAM局もこれで網羅できるので百人力を得た心地だ。

笛吹き男の音色。
音楽に身を委ね歩き出す子供達。
いつしか行進は碧落の彼方へ。
聾と盲の子を残し、
鼠の群れも子供達も消え失せた。

岸田尚一コマ漫画 ◉ コラージュ＆文＝岸田尚

美しい音色の魔力
——「ハーメルンの笛吹き男」——

◎文＝馬場紀衣

キリスト生誕後の一二八四年、
この地に生まれた
一三〇人の子どもたちが
笛吹き男によって、
ハーメルンから連れ出され
山の中に連れて行かれた。
これは、ドイツのハーメルン市庁舎に刻まれた、事件のあらましを伝える文章である。
このあまりにも衝撃的な出来事が起こったのは、町でネズミが大発生した年のことだった。町はどこもかしこもネズミだらけで、人びとは家の中でも安心できず、夜もおちおち眠れなかった。ネズミは犬と喧嘩し、猫を噛み殺し、ゆりかごの赤ん坊に噛みついた。そこへ、あでやかに着飾った一人の風変わりな男が姿を現した。ネズミ捕りだと称する男は、報酬と引きかえに町のネズミを退治してやろうと公言した。
さて、男は住民たちと話をつけると小さな笛をとりだし、それを吹きならした。すると家々からネズミが転がり出てきて男の周りに集まった。男が町を出ていくと群れなすネズミもそのあとに続き、男が河に入るとネズミもそのあとを追い、一匹残らず溺れ死んでしまった。しかし人びとは苦しみから解放されるや否や笛吹き男との約束を後悔し、支払いを拒んだ。
復讐を誓った笛吹き男はヨハネとパウロの日である6月26日、ハーメルンに再び姿を現した。例の笛を吹きならすと今度はネズミでなく子どもたちが表に出てきて、通りを歩く笛吹き男のあとについていった。そうしてハーメルンの町から130人もの子どもが消えてしまったのだ。かくして笛吹き男が通った道は、ブンゲローゼシュトラーセ（舞楽禁制通り）と呼ばれ、ここでは音楽を奏でたり踊ったりしてはいけないと

★ロバート・ブラウニング「ハーメルンの笛吹き男」の挿画
（画：ケイト・グリーナウェイ）

いう。

　130人もの子どもたちが失踪したという事実は、今日にいたるまであらゆる解釈がなされてきた。もはや事実のほどは確かめようがないが『ハーメルンの笛吹き男』の物語のように、えもいわれぬ音楽が人を魅了し、死を連れてくるといったような伝説は各地で語り継がれている。

　たとえばゲーテの詩『魔王』では、夜の闇を父親の腕に抱かれて馬で駆けぬける少年が、妖精の国へ連れていってくれるという魔王の歌声を聞く。風に吹かれる枯れた葉や木々が、まるで魔王の囁きに聴こえたのだ。父親は耳を傾けるなと忠告するが、少年の魂は歌に誘いだされて息絶えてしまう。スカンディナヴィア人に伝わるバラッドでは、若者がエルフの乙女の甘美な歌声に惹きつけられる。ローレライの伝説でもウンディーネ（水の精）が美しい歌声で船乗りを水に引きこんだりするのである。

　グアテマラには人を踊らせる〈笛〉の話が伝わっており、ハーメルンの笛吹き男と似た発想が感じとれる。ケルトの妖精物語でも、笛は快い調べを吹く楽器であり、妖精の持ち物だった。また、ルテニア人は死人の脛骨でこしらえた笛を吹きならすが、その音を聞く者は睡気におそわれるという。

　それにしても、ふしぎなのは〈笛〉があらゆる土地で「死」のイメージと結びついていることだろう。

　日本にも、縄文時代に、人と神を結ぶ神聖な楽器として崇められていた石製の笛があった。自然崇拝に根ざした古代日本人の呪術的な音感覚が、石笛を祭祀と結びつけ、自然や神との対話に使っていたのだと思われる。いずれにせよ、死の思想が多くの人びとの胸に深く食いこんでいた時代、笛の音など特別な音楽には魔力が宿っていると考えられていたらしい。

　笛は、古くから祝宴や宗教的な祭儀のためなど各種の用途があった。15世紀、ヨーロッパの農民の結婚式にはダンスの伴奏をするバグパイプ吹きと太鼓たたき、そして、笛吹きがなくてはならなかったという。鳥刺しは笛で鳥をおびき寄せ、羊飼いは羊を追いながら笛を吹き、角笛で集合と出発の合図を轟かせたのだ。古代ギリシアで霊魂を表す言葉「プシュケー」が「息」「呼吸」を意味することや、英語のGhostが「風のように吹き出す」という意味のラテン語からきていることも、息を吹いて音を出す〈笛〉が魔力を持つ楽器であることと無関係ではないだろう。

〈写と真実……7〉

Out of the blue

◉写真・文＝タイナカジュンペイ

いかなる時もどんな場所だって
耳に飛び込んだ瞬間に呼び起こされる

これは記憶のどこかで聞いた音の連なりだからか
それとも記憶の中に勝手に入り込んでいたものだからか

音はメロディの時もあれば
まるで意味を成していない音や
ノイズの時もある

聞いたことのない
馴染みもない
それでも
聞こえてきた音が
スイッチになり
突然
フラッシュバックのごとく

記憶が呼び起こされる

辛いものばかりではない
決して失いたくないかけがえのない記憶が――
すでに忘れかけていた大切な記憶が――
手触りもある、味もある、においもある
涙が流れてくることだって――
伝えられなかった想いへの後悔だって――

かつての時と同じような心模様が
体全身を侵食し時間を超越
あの時に存在している！

ダークサイド通信 no.2

無言のメロディ

最合のぼる 文・写真

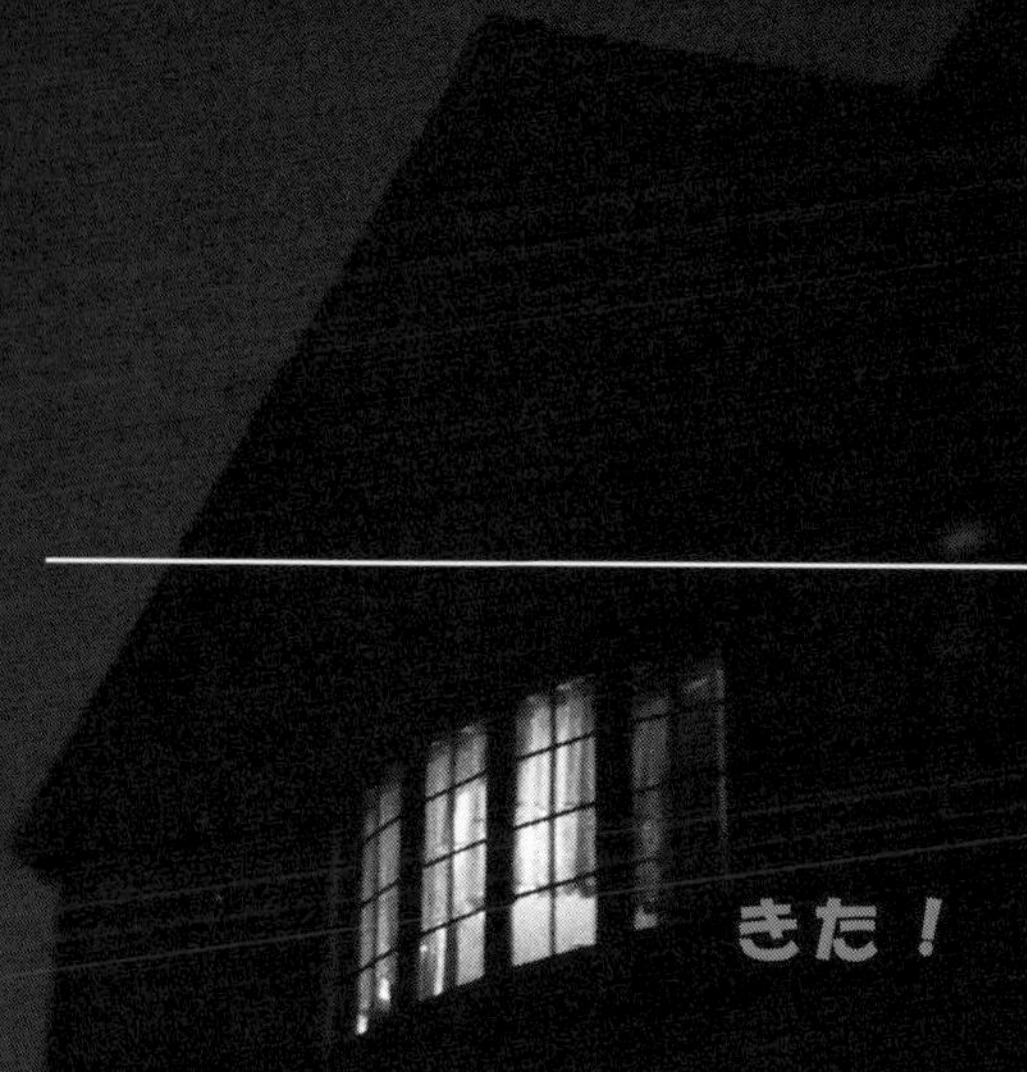

まだかな

夜の住宅街だ。

夕食時を少し過ぎたくらいの時間だが、辺りに人影はない。

男がひとり、歩いてきた。

ツバの狭い中折れ帽を目深にかぶり、手には書類鞄を提げている。

男の少し先、通りを横切ろうとした三毛猫が歩みを止めて振り返った。

警戒した様子で前足を浮かせた猫は、瞬く間に近くの家の植え込みへと逃げ込んだ。

やがて男は一軒の家の前で立ち止まる。

門灯が弱々しく灯るだけで、家は息を殺したように黒く沈んでいる。

男は腕時計で時刻を確かめる。

腕時計から視線を上げるのとほぼ同時に、二階の窓が明るくなった。


きた！


玄関から続く廊下には、リビングから明滅する光が漏れていた。

リビングに入って来た男は、室内を見渡す。

点けっぱなしのテレビに流れていたのは、古いモノクロの映画だ。

テレビの前のソファでは、痩せこけた中年女がだらしなく眠り込んでいた。

テーブルには吸い殻で一杯になった灰皿や、飲みかけのワイングラスなどが乱雑に置かれている。

男は何かを探しているようだ。

テーブル脇の小物入れや開いた雑誌の下……ワイングラスを倒しそうになってひやりとする。

眠る女の足元に落ちていた膝掛けを拾い上げると、テレビのリモコンがあった。

リモコンでテレビを消した男は、女を起こさないように膝掛けをそっとかける。

男は静かに、リビングを出ていった。

そろそろかな

やく はやく

はやく はやく

まだ こないよ？

どうしたのかな？


その部屋の壁紙は水色で、飛行機や気球がプリントされている。

ベッドカバーと毛足の長い円形のラグは明るいブルーだ。

出窓に観葉植物の鉢植えが置いてあり、壁には子供が描いた絵が何枚か貼られている。

背の低い本棚はあるが、勉強机はない。

ラグの上に、スケッチブックや色とりどりのクレヨンが散らばっている。

ベッドの上には、ぬいぐるみやおもちゃのロボットが好き勝手に寝転がっていた。

部屋の主は、四、五歳の少年に違いない。

そんなごく一般的な子供部屋の中で、ひときわ存在感を放っているものがあった。


こんばんは！

階段を上る足音が聞こえてきた。


ドアが開き、入ってきたのは先ほどの男だ。

「やあ、こんばんは」

男は帽子を取り、人当たりの良さそうな顔をほころばせる。

男が声をかけた相手は、黒光りするアップライトピアノの前に座っていた。

少年は足先で床を蹴り、回転式のピアノ椅子をくるり回して男の方を向く。

薄茶色の巻き毛に薔薇色の頬、くりくりとした瞳は好奇心に満ち溢れている。

「お待たせしちゃったかな?」

男は少年の機嫌を伺うように問いかける。

少年はにっこりと笑みだけ返し、首を横に振った。


やっときた！

だいじょうぶ！

ドレミファソラシ
C D E F G A B

きょうは なにするの？

「さてと――」

　男は持っていた鞄の中からカラフルな表紙の本を取り出すと、最初の方のページを開いてピアノの楽譜立てに置いた。それは子供用のピアノ教本で、色分けされた大きな音符が七つ、ＣからＢの英字と共に五線譜に並んでいる。

「音階の宿題はできたかな?」

　大きく頷いた少年は、右手の人差し指で鍵盤のひとつを押した。

　次に楽譜に書かれた［Ｃ］の音符を指し示し、にっこりと微笑む。

「ＯＫ。Ｃはドレミの最初の音だね」

　どうやら男はピアノの先生らしい。

　前回のレッスンで出された宿題は、七つの音と名前を覚えることだ。

「ちょっとしたゲームをしようか。音当てクイズだ」

　ルールは簡単、目をつぶって男が鳴らす音を当てればいい。

　少年は楽譜立ての教本を膝の上に置き、緊張した面持ちで目を閉じた。

　男は音をひとつ鳴らし、ゆっくりと鍵盤から手を離す。

　考えること数秒、目を開けた少年は［Ｂ］の音符を指差した。

「正解、シはＢだね。じゃあ、これはどうかな?」

　続けて男は、先ほどより右に数個離れた鍵盤を押す。

　しばし考え込んだ少年は、助けを求めるかのように男を見上げた。

「もう一回鳴らすよ。良く聴いて」

　再び同じ鍵盤が押されると、少年の顔がパッと明るくなった。

　少年は自信たっぷりに［Ｅ］の音符を指差す。

「そう、ミだ」

　男は今一度三つの音を続けて弾いた。

「ＢとＥが二回でＢｅｅ、ほらミツバチになったよ。面白いだろ?」

　男が音で言葉を作ったことに、少年は目を丸くして喜んだ。

「じゃあ、これは?」

　少年はすぐに［Ｃ］と答え、次の音を待ち構える。

　続いて鳴らされた音は――［Ａ］と［Ｂ］。

　すぐに意味を理解した少年は、ピアノ椅子から飛び降りると一目散に向こうの壁へと走った。少年が満面の笑みで指差すのは、自分の描いたタクシーの絵だ。

「うん、上手に描けてる。だけど教本を粗末にしたらいけないよ」

　少年は床に落ちた教本を拾い上げ、申し訳なさそうに楽譜立てに置いた。

「七文字しかないけど、好きに遊んでごらん」

　頷いた少年は、言葉を探しながら鍵盤を押し始めた。

おぼえたよ
わかった♪
できるかな
わー すごい！
どんなのが できるかな？
CAB タクシー
FACE かお
BED ベッド

男の視線が、少年の鳴らす音に合わせて音符のアルファベットをなぞる。

EDAG 刃

BAD 悪

FADE
出窓の観葉植物が枯れ、クレヨンの絵が色褪せて剥がれ落ちる。
ブリキのロボットは錆び、ぬいぐるみは腕がもげて中綿が飛び出す。
使い込まれたピアノ教本も、古びて黄ばんでいく。

DEAD 少年は執拗に繰り返す。
DEAD ピアノが軋む。
DEAD 教本が床に落ちる。

少年の頬から血の気が引き、眼孔が深く落ち込む。
ぼくは
柔らかな巻き毛は艶を失い、脂汗の浮いた額に張りつく。
なんで?
小さな手は変色し、ミイラのように干からびる。
鍵盤を叩きつける骨の指に涙が落ちる。
深く押された鍵盤は沈んだまま戻ろうとしない。
なんで?
それでも少年は鍵盤を叩き続ける。
ぼくは
何度も、何度も。

男は少年の手を押さえて動きを止めさせた。
少年は蒼白の顔で鍵盤を凝視している。
その横顔は、怒っているようにも悲しんでいるようにも見えた。
男は少年の手を両手で優しく包み込み、腰を低くして顔を覗き込んだ。
「何か一曲弾こうか。楽しいやつがいいかな?」
少年は唇を噛みしめ、微動だにしない。
しかし男は根気よく返事を待つ。
やがて少年は視線を合わせないまま、小さく頷いた。
「ＯＫ、飛びきり賑やかなのをやろう」
少年はそろそろと立ち上がり、男に席を譲った。
男は鍵盤の上にゆったりと両手をのせる――軽快で楽しいメロディが流れ出した。
男の奏でる音のひとつひとつが色鮮やかな粒となり、少年の周りに漂い始める。
少年が手を伸ばすと、音の粒はシャボン玉のように弾けた。
部屋は徐々に元通りになり、少年の顔にも笑顔が戻る。
少年の、声なき笑いが子供部屋に満ちていった。

ソファで寝ていた中年女が目を開けた。

リビングは静まり返っている。

女が立ち上がると、膝掛けとテレビのリモコンが床に落ちた。

まだ酔っているのか、女はよろける身体をソファの背で支えつつキッチンへ向かう。

マグカップに水道水を一杯、喉を鳴らして飲み干した。

口元を袖で拭いながら部屋を出て、二階へと上がっていく。


階段を上りきると、寝室の手前にある部屋のドアが少し開いていることに気がついた。

女はしばし考え、ドアを押し開いた。


破れて垂れ下がるレースのカーテン越しに、弱い月明かりが差し込んでいる。

部屋の空気は淀み、黴臭い。

女のスリッパにクレヨンが当たり、ベッドの下へと転がっていく。

厚く埃を被ったアップライトピアノの蓋に女が手をかけると、軋んだ音を立てて開いた。

人差し指で鍵盤を押してみるが音は出ない。

指を離しても沈み込んだままの鍵盤が、やがてゆっくりと上がってくる。

隣の鍵盤も、その隣の鍵盤も音は鳴らず、ただ深く沈み込むだけだ。

女はピアノの蓋を乱暴に閉め、床で埃にまみれるピアノ教本を踏んで部屋を出て行った。


夜の深い時間だ。

一軒の家の前に佇む男は、二階の窓を見上げている。

その視線の先、暗い窓辺で半透明の少年が手を振っていた。

男は帽子を少し上げて挨拶し、歩き出す。

男の少し先、通りを横切ろうとした猫が足を止めて振り返る。

一瞬警戒心を強めるが、何事もなかったかのように走り去る。

男の姿は、すでに闇に消えていた。

END

本物の愛を求めて歌う、魂の叫び

ジョン・キャメロン・ミッチェル監督
「ヘドウィグ・アンド・アングリーインチ」
◎絵と文＝さえ

東西冷戦時代の東ドイツでロックスターを夢見る少年・ハンセル。ある日出会った米国軍人と結婚をするために、名前を母の名であるヘドウィグに変え、性転換手術をするが…なんと手術は大失敗！　股間には男性器が１インチ（アングリーインチが）残されてしまった。その後無事に渡米はしたものの、しばらくすると夫は若い男と出て行ってしまう。

捨てられてしまった彼女は、生きるために歌手として活動する傍らベビーシッターのバイトを始め、バイト先で少年・トミーと運命的な出会いをする。惹かれ合った二人は共に歌の道を進むが…。

いくら愛しても裏切られ、その度に傷付く。それでも本物の愛を求め彷徨う彼女が劇中で歌う、まさに魂の叫びでもある一曲『愛の起源』は、何度聴いても胸が引き裂かれそうになる。

自分を飾っていたもの全てを脱ぎ捨て、夜の路地に消えていくヘドウィグ。愛、怒り、哀しみに満ちた彼女の魂が辿り着くのは、平穏か破滅か。どうかその目で見届けて欲しい。

幻のトランペットをめぐる熾烈な争奪戦

中村文則
逃亡者
幻冬舎、1700円

★その特徴的な形状や音色のためだろうか。喇叭やトランペットと聞くと私たちはつい、楽器としてよりも先に、シンボルとしての価値に目を奪われてしまう。それは古代の人々にとっても、どうやら同じだったようだ。『イメージシンボル事典』(大修館書店)によると、トランペットは「名声」や「賞賛」を司る持ち物でありながら、同時に戦争や恐怖、死を象徴する不吉なものでもあった。古代ローマでは犯罪人の処刑から都市の創設まであらゆる場面でトランペットが用いられたし、キリスト教における最後の審判で天使たちが吹き鳴らすのがこの楽器であることも、周知の通りだ。神や人間の栄光を讃える和平のシンボルか、はたまた世界の終わりを吹いて知らせる「死の喇叭」か……。いずれにせよ昔から多くの人々が、この楽器にただの楽器として以上の価値を見出そうとしてきたことは確かなようだ。
かつて第二次大戦下、壊滅寸前の日本軍を音楽で鼓舞し、ある作戦の成功へと導いた美しいトランペットがあった——。そんな御伽噺のような導入から、物語は始まる。英名で「ファナティシズム」と名付けられたその楽器はフィリピン・マニラでの奇跡的な発見以来、現代にふたたびその音色を吹き鳴らそうとするテロリストグループや保守派、あるいはブローカーやマフィアまで巻き込んで熾烈な争奪戦が繰り広げられていた。そんな楽器を図らずして持ち去ることになってしまったフリージャーナリストの「僕」は、国内外のあらゆる組織から目をつけられ、逃亡者として追われることになるのだが……。

単行本で五〇〇頁を越える長編でありながら、その筋や構造はいたってシンプル。にも関わらず、読後にはずしりと重いものを残す、中村文学の真骨頂だ。直訳で「熱狂」を意味するトランペットの存在が今日における世界的なナショナリズムの高揚と重ねて描かれていることは明らかで、二〇一四年の『教団X』、二〇一七年の『R帝国』に続き、作者はここでもフィクションと現代社会との接続を、果敢に試みている。いっぽうで語り手の「僕」を「隠れキリシタンの末裔」として設定するなど、歴史という「大きな物語」への接続の希望をこのタイミングで語り始めた点については——現代を生きる多くの個人が、そのようには生き得ないという意味で——意見が分かれるところか。

楽器の話に戻ろう。「第二次大戦下、その演奏によって日本人兵士の志気を高めたトランペッター」という本作の設定には、じつモデルがいる。日清戦争に従軍し、盛歓の戦いで戦死した喇叭の名手、木口小平である。戦場で被弾してもなお自らの楽器を手離すことがなかったという彼の伝説は当時の小学校教科書にも載り、彼の功績を讃える「喇叭の響」という軍歌まで作られた。

その伝説が、どこまで事実に即していたかはわからない。しかし当時の人々が、少なくとも彼を——そして作中のトランペッターである〝鈴木〟を——ある種の熱狂とともに「英雄」として受け入れたのは間違いない。コロナ禍の時代を生き延び、ファナティシズムという魔物がふたたび世に解き放たれたとき、私たちはその音色に何を聞き取ろうとするのだろうか。(梟木)

孤独を抱えたふたりの魂を深く共鳴させた歌声

天童荒太
孤独の歌声
新潮文庫、630円

★友達がいないなんて恥ずかしい。そんな思いから無理に周囲に合わせて自分を見失っている人があまりに多い。人間の強さは孤独から生まれる。孤独を抱きしめられる者こそが真に強靭な人間なのだ。
この小説は孤独を抱えた三人の物語である。コンビニで夜勤バイトをしながらミュージシャンを目指している潤平と、独り暮らしの女性警察官風希。ふたりの暮らす八王子で連続女性監禁殺害事件が発生し、事件を追って張り込みをする風希がコンビニ勤務中の潤平と言葉を交わす間柄になり、やがて奇妙な連帯感のようなものがふたりの間に芽生えていく。両者に共通するのが、青春時代の心の傷、人に明かせない罪悪感を胸に抱えて生きていることだ。

風希は中学生の時、親友宅に泊まって夜中にふたりでコンビニに行った帰りに、補導されそうになったことがあった。補導員を装った男は保護者を連れてくるように要求し、風希がすかさず親友宅から彼女の祖母を呼んでくる役を買って出たのだ。しかし現場に戻ると親友は男に連れ去られており、数年後死体で発見された。保護者を呼ぶならあの子のほうが実家に戻るのが自然な流れだったはずで、風希は悔やんでも悔やみきれないあの日のことを思い返すにつけ、自分はとっさに危険を察知して彼女を身代わりに差し出した卑怯者なのではないか、そんな自責の念に絡み取られて今を生きている。そのような、誰かを犠牲にして自分は生き延びたのではないかという罪悪感は、潤平の苦い体験にも共通するものだ。

潤平がミュージシャンとして強く憧れ、魂の支えともしているのが、伝説の黒人ブルーズマン、ロバート・ジョンソン（一九一一―三八年）である。古い録音の「シー・イズ・ア・カインドハーテッド・ウーマン」のCDを風希に聴かせたことがきっかけで、ふたりはより深く共鳴し、卑劣な犯人を捕まえるために協力し合うようにもなる。

「淋しいんだけど慰められる、淋しいけれども励まされる、淋しいけれど勇気が出る……（中略）孤独の歌声」これは潤平のデモテープを分析した専門家のセリフなのだが、十字路で悪魔に魂を売り渡す代償に才能を得たという伝説を残して若死にしたロバート・ジョンソンへの作者の思いの丈が込められた言葉で、この作品を成立させている精神的な芯のごときものだと思えてならない。

さて第三の人物が、事件の犯人である。風希や潤平と違って孤独を抱きしめることができなかった彼は現実を曲解していびつな愛で自己を正当化し、女性の監禁と殺害を繰り返す。事件解決に至る展開のスリリングさも読ませどころだ。

本作は別名義での文学新人賞受賞から七年を経ての天童荒太の再デビュー作。作家のすべてがデビュー作に凝縮されているという言葉があるが、『永遠の仔』や『悼む人』などその後の天童作品をみるにつけても、まさしくその言葉の見本のような小説でもある。（待兼音二郎）

60年代初めの韓国ロック黎明期を生き生きと描く

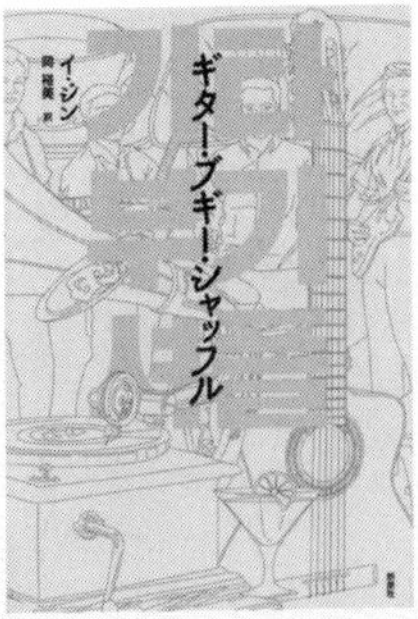

イ・ジン
ギター、ブギー、シャッフル
新泉社、2000円

★韓国のポピュラー音楽といえばK−POPが世界的な人気を誇るが、本書はその先輩ともいえる韓国ロック、それも初期、60年代の音楽シーンを描いた作品だ。
1962年のソウル、主人公キム・ヒョン20歳、音楽茶房やラジオでアメリカのポピュラー音楽を聴くことだけを唯一の楽しみにしている。日本統治期には満州で裕福だったヒョンの日常は朝鮮戦争の勃発で失われ、一家は各地を転々とし、やがて父は行方知らず、母も病死。ヒョンはソウルの叔父の工場の社員寮に身を寄せていたが、そこも工場の火事で放り出される。途方に暮れたヒョンに救いの手を差し伸べたのが、偶然再会したウギ。叔父の工場で働いていたウギは、米軍基地の音楽ショーで楽器や照明を運ぶヘルパーをしているという。八軍（在韓米軍）のショーはヒョンにとって憧れの世界だ。明日からの寝場所にも事欠くヒョンは、当時一般の人々には〝タンタラ〟と呼ばれ胡散臭く見られていた音楽芸能の世界に飛び込む。そしてある日、ギタリストの急な退場というハプニングからエアギターで代役を務め、それをきっかけにバンドのメンバーに加わることになる。

タイトルはベンチャーズのヒット曲、各章のタイトルはスタンダードやオールディーズの歌詞から取られ、演奏するのはまだカヴァー曲が中心という時代である。訳者あとがきによると、本書に（少しだけ）登場する天才新人ギタリスト「ビッグ・チェ」はシン・ジュンヒョン（申重鉉）をモデルとしているとのこと。シン・ジュンヒョンは韓国初のロックバンドといわれるAdd4を結成し、他にも様々なグループで活躍、後進の育成も行い、〈韓国ロックのゴッドファーザー〉として敬愛されている人物で、そのキャリアの初め、まさしく韓国ロック黎明期が舞台である（ちなみに彼の曲ではクレイジーケンバンドがカヴァーした「美人」が日本ではよく知られているかもしれない）。

人懐っこい酒飲みのドラマーと生真面目なベーシストの兄弟に、陰のあるイケメンギタリストという個性的なバンドメンバー、ヒョンが秘かに思いを寄せる10代にして妖婦と呼ばれる歌姫キキ、金に汚い興行主など各キャラクターが実に生き生きと描かれている。また、当時の音楽業界（オーディションのランクづけで報酬が決まる米軍ショーの厳しいシステムや阿片の蔓延）や歴史的背景（夜間通行禁止令、イ・スンマン大統領の退陣、パク・チョンヒのクーデターなど）が作中で随時織り込まれているのも、登場人物たちを身近に感じさせてくれる。熱い季節を通り抜けた後の余韻を味わうようなエンディングにもしみじみとした温かさがある。また臨場感のある筆致からは意外なことに、イ・ジン自身は1982年生まれ。資料調査のみで本作を作り上げたということに驚かされる。

激動の時代を背景にしているが、展開は王道中の王道で全体に軽やか。ひとときの夢のような持ち味が本作にはあるが、それもまたロックンロールらしくもある。（放克犬）

夜な夜な響くヴィオラの調べとともに高まる狂気

H・P・ラヴクラフト
エーリッヒ・ツァンの音楽

宇野利泰訳、『ラヴクラフト全集２』所収、創元推理文庫、540円

★夕闇の色に染まる、沈鬱な三角屋根の町並み。夜な夜なアパートの上階から聞こえてくる、孤独な唖の老人によるヴィオルの調べ。作品のラストへと進むにつれ高まる演奏家の狂気と、窓の外に浮かぶ異形の影……。
二〇世紀中に書かれた、音楽ホラー小説の傑作だろう。少なくとも、ラヴクラフトによって生み出された恐怖小説の中でも最良の部類に属する作品であることは間違いない。「エーリッヒ・ツァンの音楽」は初期ラヴクラフトにおけるポーの怪奇小説からの影響を色濃く残しながら、読者の聴覚に訴えるホラーという未踏の領域に挑んだ一作だ。

小説の舞台はオーゼイユ街という、のちの語り手の回想によれば「ほんとうに存在したかどうかもわからない」町。その町の下宿に滞在することになった大学生の「わたし」はある晩、屋根裏部屋から不思議な音楽が聞こえてくるのを耳にする。そこにはエーリッヒ・ツァンという、ヴィオル弾きの老人が一人で住んでいた。すっかりその音楽の虜になってしまった「わたし」は、演奏している様子を目の前で見せてもらうべく老人の部屋を訪ねるのだが……。

「宇宙からの色」や「狂気の山脈にて」では人知を越えた種族との邂逅による視覚的なスペクタクルの恐怖を追求したラヴクラフトが、ここでは一転して日常的な「音」を手がかりに、語り手の「わたし」が少しずつ狂気の淵へと追い詰められていくさまを表現している。（本作の語り手がそうであるように）ラヴクラフト自身に音楽の素養はなく、幼い頃にヴァイオリンを習った程度だったようだ。しかし彼によって始められた〝クトゥルフ神話〟という「遊び」はその派生として、天才的なアーティストたちによる素晴らしい音楽作品をいくつも生んだ。音楽的な要素を取り入れたクトゥルフ神話小説作品もないではなく、海外には「Song of Cthulhu」というアンソロジーもある（日本語未訳）。

どうにかエーリッヒ・ツァンの説得に成功し、彼の部屋で演奏を聞かせてもらえることになった主人公の「わたし」。しかし夜な夜な聞こえてくるあの不思議な旋律を奏でることを、老人は頑なに拒否する。その後も「わたし」はツァンの奏でる音楽を廊下で盗み聞きし続けるが、彼の演奏は日ごとに激しさを増し、そしてそれに反比例するように彼自身の身体はやつれていった。

そんなことが続いたある晩。いつものように廊下で音楽を盗み聞きしていた「わたし」は、突如として老人の演奏が荒々しい騒音と化し、続けて彼の悲鳴が聞こえてくるのを耳にする。急いでその名を叫びながら部屋のドアを叩いた「わたし」を、ツァンは安堵して迎え入れた。はたして老人が演奏中に遭遇することとなった、恐ろしい怪異とは……。

秋の夜長に、あるいは妙に底冷えのする初夏の夕暮れに、古めかしいヴィオルの演奏に耳を傾けながら読みたい作品だ。

（梟木）

音楽によって奪われたものを再生するというフェイク

FAKE

森達也監督

写真はDVD

★二〇一四年の日本を騒がせたあの事件について、もう忘れてしまったという方もいるかもしれない。あるいは覚えてはいても、もはや新しく言うべきことは何もないと考えている人が大半なのだろう。ほかでもない、〝全聾の天才作曲家〟として世に広く知られていた音楽家・佐村河内守による、ゴーストライター問題である。
なんだか種村季弘の『ペテン師列伝』か、もしくは『詐欺師の楽園』の世界でも覗いているかのようだ——。騒動の詳細について追っていくと、そのような奇妙な感慨にとらわれる。一八年もの長きにわたってメディアや業界の音楽人を騙し果せたこと。全聾ではない（聴覚障害があることは事実）にも関わらずそのような肩書きを名乗り、耳の聴こえない作曲家としてついには「現代のベートーヴェン」と呼ばれるまでになったこと。そして最後には作品のゴーストライター（佐村河内の言葉を借りるなら「共作」）であった新垣隆にあっさりと裏切られ、すべての悪事が暴露されてしまったこと……。だがそれはどこまでが真実に基づくストーリーで、どこからがメディアが生み出してしまったフェイク（うそ、まがい物）だったのか。森達也監督の『FAKE』（二〇一六年）は、一年と四ヶ月にもおよぶ佐村河内守への密着取材によって別視点からの騒動へのアプローチを試みた、衝撃のドキュメンタリー作品だ。

この作品を見て、はじめてわかったことがふたつある。まずは科学的な検査によって証明された佐村河内守の聴覚障害をはじめとして、この問題を報道するマスコミの側にも大きな偏向があったこと。そしてもうひとつは佐村河内守は豆乳が大好き、ということだ。これは冗談でもなんでもなく、その程度のプライベートな情報や彼の人柄を知ろうともしないまま、私たちは彼のことを根っからの悪人と決めつけ、糾弾し続けた。「あ、佐村河内守って豆乳好きなんだ」は、相手を理解しようと努めることの第一歩でもある。

佐村河内守はたしかに許されない嘘をついた。だが彼の音楽に対して「全聾の音楽家」という〝物語〟を要請したのは、ほかでもない私たちの側でもある（そうでなければ「現代のベートーヴェン」などという肩書きは意味を持つまい）。はたして純粋な〝音楽〟の評価に、物語は必要なのか。この角度からの問いは、残念ながら映画の中でも置き去りにされたままだ。

『ＦＡＫＥ』とは意味深なタイトルだ。映画のラスト一五分、佐村河内はついに誰の手も借りずに自己表現としての音楽の創造に向かう。そのメロディは大仰で、お世辞にも商業音楽としての水準に届いているとはいえない。だが彼自身の再出発を高らかに告げるものとして、これ以上のものはない。

音楽によってすべてを奪われた男の、音楽による再生。もちろんそれは彼自身の再起のために作り出された、一種のフェイク（つくりごと）にはちがいない。しかしそれによってはじめて彼が自らの内面と向き合い、未来への前進を決意したことは確かである。『ＦＡＫＥ』はその「フィクション」が生まれる奇跡のような瞬間を捉えたドキュメンタリーであり、刺激的な「音楽映画」だ。（梟木）

アングラの世界から帰還した破天荒なピアニスト

黙ってピアノを弾いてくれ

フィリップ・ジュディック監督

写真はDVD

★チリー・ゴンザレス。自称〝天才〟ミュージシャンであり、そのパワフルな演奏とステージ上での奇抜なパフォーマンスによって世界中から注目と賞賛を集めるアーティストのひとり。ただし日本での知名度はいまひとつで、二〇二〇年五月現在、日本語版のウィキペディアに彼の項目はない……。二〇一八年公開の映画『黙ってピアノを弾いてくれ』は、そんな彼のアウトサイダー的な人生の軌跡を振り返るとともに、エンターテイナーとしての素の表情をも捉えてみせた、優れたドキュメンタリーだ。
「私は史上最高のミュージシャンだ」

冒頭のシーン。椅子に座った髭面の男が、不適な笑みを浮かべながら画面に向かって呟く。「成功し、賞賛され、すべてを手に入れた。こんな男は憎らしいだろ? なぜこんなやつがスクリーンに映っている? こんなやつがなぜ」。自分の音楽を愛するだけでは駄目だ、愛しつつ憎んでほしい、と繰り返し要求してくる不遜な男。この自己顕示欲の塊のような男こそが、本ドキュメンタリーの主人公――チリー・ゴンザレスにほかならない。

実業家の父を持ちながら音楽の道を選んだ彼自身の人生がそうであるように、音楽家としての彼のキャリアもまた安定と呼べるものとはほど遠い。チリー・ゴンザレス、本名ジェイソン・ベックは一九七二年、カナダのモントリオールで生まれた。三歳から祖父にピアノを習い始めたが、彼がピアニストとして脚光を浴びることになるのはずっと後(二〇〇〇年代に入ってから)の話だ。若い頃の彼を夢中にさせたのはオルタナティブ・ロックでありラップであり、ベルリンの実験的なアンダーグラウンド・ミュージックの世界だった。映画はこの混乱した――といって悪ければ「ゴンザレス」としてのキャラをまだ確立していなかった――時期の諸相を、当時の貴重な映像を交えながら伝える。

ここまでが作品の(そして彼自身のキャリアの)第一部だとすれば、二〇〇四年の『ソロピアノ』に始まる商業的成功は第二部の幕開けを告げるものだ。過激なアングラの世界に染まった〝放蕩息子〟のピアノの前への帰還は少なからず人々を驚かせ、その巨体からは想像もつかない繊細な演奏によって多くのファンの心を掴んだ。その後も彼は『ソロピアノ』で受けた注目を活かすかたちで二〇〇九年にはギネス記録を超える二七時間のピアノ・ソロ・コンサートを完遂、二〇一二年にはウィーン放送交響楽団のフル・オーケストラをバックにピアノを弾きながらラップの歌詞を歌ってみせるなど、徐々に破天荒なピアニストとしてのキャラクターを確かなものとしていく。

チリー・ゴンザレスは、本質的には不器用な人間なのだろうと思う。自身を天才と僭称するのもステージ上での過度なパフォーマンスも、裏を返せば自分に対する自信のなさの現れだ。だがその音楽に込めた想いと、観客に楽しんで貰いたいというエンターテイナーとしての魂は本物。このドキュメンタリーを見た後なら、誰も彼に対して「黙ってピアノを~」なんて言おうとはしないはずだ。(梟木)

ラップは、希望のない若者たちの、有効な自己表現手段

★近頃、若い人たちの間で急速にラップ・ブームが拡大しつつある。一時は「DQNのための音楽」とまで言われ、不当に低く扱われてきたラップを今の地位にまで引き上げたものは、いったいなんだったのか。ラップ文化の一部であったMCバトルを語彙力と瞬発力を競うスポーツとして一般に広く認知させたテレビ番組『フリースタイルダンジョン』の放送。それに伴う「R－指定」や「般若」のような凄腕ラッパーのメジャー化。あるいは男性声優一八人のキャラクターユニットによるラップ音楽プロジェクト『ヒプノシスマイク』からラッパーを主人公としたフィクション（入江悠『SR サイタマノラッパー』や若杉公徳『ライミングマン』、土屋貴史『花と雨』など）まで、近年のラップ・ブームは留まるところを知らない。ともあれそうした多様な層からのアクセスが可能となったところに、日本の新たなラップ・シーンが形成されつつあることは間違いない。

WALKING MAN

ANARCHY監督

写真はDVD

それだけではない。ラップは二十一世紀の日本で希望のない生活を送る若者たちにとって、有効な自己表現の手段でもあった。ラップを始めるのに、特別な楽器は要らない。その気になればスキルさえ必要ない。スマホと紙とペンさえあれば、誰でもラッパーとして自らの情報を発信できる世の中になったのだ。二〇一九年の映画『WALKING MAN』は、人とのコミュニケーションが苦手だった若者がラップを通して成長し、ラッパーになりたいという夢に向かって一歩踏み出すまでを描いた、今の時代には珍しいまっすぐなメッセージを伝えようとする作品だ。

川崎の工業地帯。幼い頃から吃音症で、人前で話すことが苦手なアトム（野村周平）は極貧の母子家庭で妹のウラン（優希美青）と寄り添いながら、将来に対する希望もなく不要品回収のアルバイトで生計を立てて暮らしていた。ところがある晩、母がパート先で事故に遭い、病院へと運ばれてしまう。家計の苦しさから保険料を滞納していた母の入院には高額な費用が必要であると知らされ、目の前が真っ暗になるアトム。さらに社会はそんな彼らの不幸を嘲笑うかのように、自己責任という理屈のもと冷たい言葉を浴びせるのだが……。

本作の監督を務めたのはヒップホップ・カルチャーを日本に広めた先駆者であり、自身も地方の市営住宅で幼少期を過ごした経験をもつというラッパーのANARCHY。映画の製作については専門外ながら、アマチュア精神溢れる映像の遊びや、アトムが劇中の登場人物から受け継いださまざまなグッズ（黒のキャップやカセット式のウォークマン、金のネックレス）を身につけていくことで少しずつラッパーらしく「なっていく」過程を見せるアイデアは楽しい（クライマックスのライブシーンは必見！）。作品の最後にアトムが披露するラップは昨今の自己責任社会に対する強烈なアンサーにもなっており、その有効性は〝コロナ失業〟によって生活困窮者が急増した現在、なお失われてはいない。（梟木）

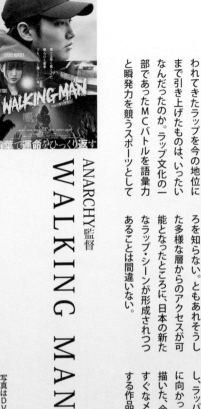

女にモテたくて始めた音楽、からのBL展開

★バンドを始めた理由は、女にモテたいから。ワンマンライブにもお客が入るようになってきて、メジャーデビューまであと一歩。「だからこそ今遊ぶ!」、「デビューしちまったら、こんな自由に遊べねえしな」、「女も酒も煙草も、ヤって一番楽しい時にヤるのが俺の主義だ」って気持ちいいくらいのチャラ男さんである。そんな朝一に惚れて、そのインディーズバンドに新メンバーとして加入したヨルとの物語。
ライブのあとの打ち上げで、飲み会から乱交パーティになり、ノンケだった朝一が暗がりで、相手がヨルだとわからず交わる。ことが済んだあとにようやく、向こうが男だって気づく。「普通間違えるか」ってほかのバンドメンバーにわらわれるなか、「部屋まっくらにしてたし…酔ってたんだよ」って言い訳する朝一。「だいたいこいつが! 抵抗しねえのがわりいんだろうが!」と逆ギレする彼に、ヨルが口を開く。「朝一かっこよくてドキドキしちゃって」。

はらだ
よるとあさの歌

竹書房バンブーコミックスQpaコレクション、全二巻各657円

かっこよくて? 周囲の評判じゃ、「身長低いし 楽器はできないし 歌も顔もフツー」なんて朝一の、どこにそんな惚れる要素があるのか。とフシギにおもうが、あるのである。学生時代、「たいして賢くもないのに難関校受験させられてノイローゼになって見かねた友達が地元のバンドのライブに誘ってくれた」。そこで前座として出ていたのが朝一で、「誰も聞いてないし、床に座り込んじゃってる女子高生とかいるのに、怯みもせず一生懸命煽って歌ってさ」、「歌もパフォーマンスも下手くそだったけど、かっこよかった」。

そして、だんだんに二人の距離はちぢまっていくが。そこは、みんな大好きはらだ先生のことである。はらだのBL作品には、往々にしてハードな展開があるけれど、この作品でもわりとやばみ多い。朝一が客の暴力団に因縁つけられて強姦されたり、デビューを誘われた事務所が詐欺だったり。しかし、そんな鬱展開もひきずらず、どこかノーテンキな空気で終わるのがはらだ作品の魅力である。

それにしても。女性にモテたくて音楽を始めたのに、それがもとでBL展開になったり、暴力団のひとに強姦されるとは、因果は巡るものですね。私の古い知人にも、モテたいからバンドって奴がいたけど。結局いまのお相手と知り合ったのはアプリらしい。そういえばチャラいことで有名な某J事務所の某手越氏も、最終的に「よるとあさの歌」の状況になったらわらう。謹慎ってきて、事務所のほうも抜け。この先どうなるものか。

こんな時「噂の真相」のことを、懐かしく思い出す。岡留安則は享年七十一。惜しいつぼみは散りたがる。私は死にたい夜が来るたびに、「長生きも芸のうち」と呟く。桂米丸九十五歳。三遊亭金馬九十一歳。小沢信男九十二歳。みんな今もご健在だ。七十四の水前寺清子は、「人生これから」なんて新曲をだしてる。彼女の明るい歌声を聴き、自分もまだまだ、と思いたい。

（日原雄一）

悪魔に魂を売ったブルーズマンの奇妙な遍歴譚

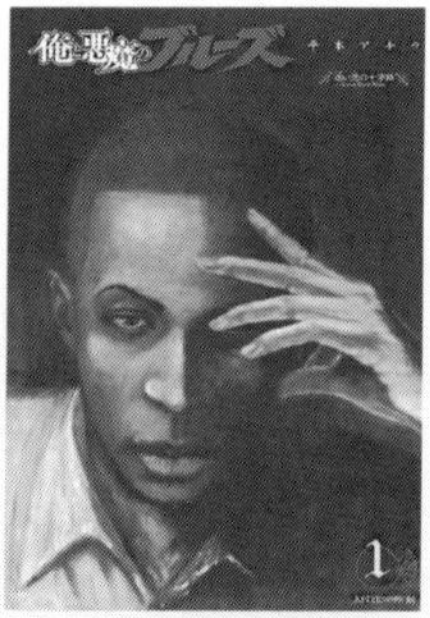

★伝説のブルーズマン、ロバート・ジョンソン（作中ではＲＪ）の生涯の劇画化と銘打った本作。二十七歳で夭折し、生前に二枚しか写真を残さず、楽曲として聴けるのは四十二テイクしかない。あまりにも茫漠としているその生涯を、独自の解釈で視覚化させたのが本作だ。悪魔に魂を売って天才的なギターの腕前を身に付けた、というその逸話に、本作では大胆な新説が様々に加えられ、そのまま「絵」として表現されている。最近では各種エロティック・アクションで名を馳せる平本アキラの真の代表作が、この〈俺と悪魔のブルーズ〉だ。

平本アキラ
俺と悪魔のブルーズ
講談社、一〜五巻各666円

他の平本作品が精緻なプロット構築とは真逆を行く下ネタのドライブ感がウリなのに対して、本シリーズは禁酒法時代のアメリカ文化を綿密に調べ、その成果を一コマ一コマに結実させているのが特徴的だ。巻が進むほどに、緊密さの度合いは上がっていき、物語の展開はゆるやかになる。息が詰まるほどに苛烈な人種差別状況が日常茶飯事の世界で、つかみ出される「ブルーズ」とはどのようなものか？　この劇画（という形容が適切だろう）では、その問いが手を変え品を変え反復されている。

　ブルーズは単なる音楽の一ジャンルではなく、「生きざま」の領域にすらも留まらない。黒人がリンチで殺される不条理までもが「ブルーズ」でありえるのだと、作中では言明されるのだ。

　こうした回答に説得力を与えるため、作家は自家薬籠中としたミシシッピ・デルタの光景を、匂いまでも伝わるかのように再現する。その執念こそが、この劇画の解像度を高めている。とりわけ演奏シーンは鬼気迫る迫力で、多重写しになった悪夢のように、巻を追うごとに描写はうねりを増していく。後にＲＪの超絶技巧は、文字通り右手が二人ぶんあったからだと明らかにされるが、もちろん、一緒に演奏しているのは悪魔である。

　一巻の時点でＲＪは、悪魔と契約後に記憶を失い、身重の恋人を捨てて、半年あまりも各地の酒場を放浪していた。その後も悪魔はＲＪのペルソナとして密かに旅路に同伴しているが、要所、要所で顕現し、その存在論的な意味が上書きされていく。

　さらには、アメリカン・ニューシネマの先駆作『俺たちに明日はない』（1967）で描かれた銀行強盗ボニーとクライドの挿話までもが、ＲＪの旅路と交錯する。彼らは「酒を飲んだら死刑になる」街へと行き着き、そこで盲目の支配者マクドナルドが放った魔犬との対峙を経て、無垢な子どもを餌食にせんとするマクドナルドの本性が剥き出しになる直前に……単行本の続刊は途絶している（二〇一五年刊行の五巻が最後）。

　四巻が出た後にも八年あまり間が空いたという経緯があるので、もはや再開は見込めないと危惧する向きもあるようだ。けれども、すでにして本作は平本アキラのライフワークと呼ぶにふさわしい強度を獲得しており、いつか続きが世に出るものと信じてやまない。（岡和田晃）

音楽を通して見つめる、死や悪夢へのあこがれ

写真はCD

urema 光の棺

★悪夢にうなされていたはずなのに、目覚めるとどんな夢だったのかは忘れていて、ただひどい夢を見ていた気がする、という意識だけが残されている。現実と相違なく思えた恐怖は、もう扉の向こうに消えてしまい、どれだけ気配をたどろうとも思い出すことはできない。そして、起きて顔を洗う頃には夢を見たことすらすっかり忘れている。誰にもそんな経験があるだろう。
そんな悪夢に魅入られ、目覚めながらにして悪夢を見ようとこころみたミュージシャンがいた。それが urema（ウレマ）だ。二〇一一年発売のデモ盤をふくめて五作、計二十三曲を残してわずか六年で解散した urema は、日本のオルタナティブ・ロックバンド好きの中で今でも根強い人気がある。初の全国流通盤である『光の棺』は、彼らを代表する一枚と言って差し支えない。かぼそいギターの音色に耳をかたむけていると、そこに耳をつんざくような歌声が重なって、聴き手の心臓を容赦なく鷲掴みにしてくる。

とくにリスナーを惹きつけてやまないのは、展開のよめない不穏なメロディに乗せられた歌詞だ。ボーカル・長江慧一郎の書く歌詞は、死や悪夢へのあこがれと畏れに、海外文学のエッセンスをくわえて書かれている。ドストエフスキー、エドワード・ゴーリー、オスカー・ワイルド。それらはただの引用の羅列ではなく、長江が音楽を通して見つめる世界の輪郭を補強するためのものだ。夢と現実、死と生、眠っていることと起きていること。それらの境界を見きわめようという試みが、urema の音楽のなかで行われていたのではないだろうか。

そして、眠っているときは起きていられず、死んだら生きることができない我々にとって、物語というのは生きながら死ぬ数少ない方法の一つだ。

絵本作家エドワード・ゴーリーは『ギャシュリークラムのちびっこたち』や『不幸な子供』など多くの著作で子供の死を残酷に描いた。テンポのよい韻律や言葉遊びなどユーモラスな部分も含み、それが陰惨な絵と相まって、悪夢のような後味の悪さを際立たせている。

言わずと知れたロシアの文豪ドストエフスキーは、自身のシベリアでの懲役経験から『死の家の記録』を書いた。その中で、幼少期から殴られて育ち、今では夢の中でも鞭で打たれ続ける囚人について言及している。起きている間は体刑と重労働ですり切れ、眠っている間も鞭が襲ってくる彼にとっては、反対に言えば現実こそ夢同然だったのだろう。

眠りというのは毎夜くりかえされる仮死でもある。ならば、眠って見る夢は彼岸への入り口か。楽しければいいが、強烈な悪夢はくり返し見れば現実をむしばみ始める。アルバムタイトル『光の棺』は、光で作られた棺という意味だろうか、それとも、光のための棺？　死も眠りも、光から離れた場所で私たちを待ち構えている。urema の音楽は、そして長江の歌詞は、まるで自力では帰って来られないその暗がりに進んで足を踏み出していくようだ。（関根一華）

剣豪が主人公の、ほとばしるほどのスサマジイ歌謡浪曲

玉川奈々福
刀剣歌謡浪曲 舞いよ舞え
CD=1667円

★かつて歌謡浪曲というジャンルがあった。三波春夫の「俵星玄蕃」をはじめとして、浪曲の演目が歌謡曲となって歌われる。三波春夫のほか村田英夫など、浪曲師から歌手になった例も多い。浪曲が、歌と演劇の両方の魅力を兼ね備えた「和製ミュージカル」とも称されることを考えれば、当然のようにも思えるが。宇多田ヒカル・藤圭子の家も、もともとは浪曲師の家系。三代目玉川勝太郎、澤孝子、イエス玉川など浪曲師のレジェンドたちも、若き日は歌謡曲のレコードを出している。なかでもイエス玉川師匠の「がま音頭」は傑作で、ぜひCD化してほしいところだ。
ただ、それももう昭和のころの話で。ここ最近は「歌謡浪曲」というフレーズもあまり聴かない。氷川きよし、辰巳ゆうとなどの演歌歌手が「俵星玄蕃」などを歌うことはあるが、本職の浪曲師ではなかった。

けれども先年。ついに玉川奈々福が「刀剣歌謡浪曲 舞いよ舞え」をリリースした。玉川奈々福といえば、三味線の大師匠・沢村豊子とのエピソードをつづったドキュメンタリー浪曲「豊子・奈々福の浪花節更紗」、小沢信男原作の「悲願百人斬の女」など刺激的な浪曲を唸り、銀座・観世能楽堂で伊東四朗と会をやるなど精力的に活動する女流浪曲師である。もとは筑摩書房の編集者、ってだけでセンスいいのがわかる。

あの「俵星玄蕃」は忠臣蔵だったが、玉川一門にはお家芸の演目、「天保水滸伝」がある。酒に生まれて酒に死す悲劇の剣豪・平手造酒を中心とした、ばくち打ちの物語である。「利根の川風たもとに入れて月に棹さす高瀬舟」から始まり、「わたしゃ九十九里荒浜育ち と云うて鰯の子ではない」と続く天保水滸伝の歌いだし、外題づけは大好きで、二代目・三代目玉川勝太郎、弟子のイエス玉川、玉川福太郎、それぞれの師匠でちがった持ち味があるのも面白い。もちろん、玉川奈々福も演る。

この演題をモチーフに、新たに編まれた歌謡浪曲。しかも大酒家の剣豪平手が主人公だから、刀剣歌謡浪曲である。「舞いよ舞え夢よ どうせ儚いおろかもの」という歌詞が耳に残り、その力強いメロディと、浪曲師の唸る歌謡浪曲ならではの節回しがたまらない。「ときに天保十二年、八月半ばの十三夜 利根の川風向かい風 病んだからだに鞭打って、喧嘩場へ駆ける平手造酒」というくだりは、華々しく実力ある浪曲師の奈々福さんが語るんでいっそう映えるフレーズだ。「ほとばしる浪花節」という玉川奈々福のキャッチフレーズがあるが、まさにほとばしるほどのスサマジイ歌謡浪曲である。

このCDに同時収録の、新作浪曲「玉川奈々福殺人事件」も面白かった。浅草の浪曲定席・木馬亭も登場したりする。奈々福さんの浪曲はいろんなところで聴けるが、歌謡曲のコンサートもぜひ定期的にひらいてほしい。あと澤孝子、イエス玉川といった浪曲で現役の大師匠の新曲も聴きたい。（日原雄一）

いまは誰も知らない懐メロを歌いまくる歌物語

★懐メロは知ってるふりしてた。立川談志がよく話してたから、藤山一郎、岡晴夫はそれなりに聴いた。岡ッ晴なら「上海の花売り娘」、「憧れのハワイ航路」がいいンです。寄席では川柳川柳が「ガーコン　歌謡曲で綴る太平洋戦史」で「月月火水木金金」、「エンジンの音、ごうごうとー」って

いろいろ歌ってたんで、軍歌も割と頭にある。青島幸男の一連のクレージーソングも好きだし、図書館で七〇年代ベストヒッツなんてCD借りて、「木綿のハンカチーフ」とか「時には娼婦のように」とか繰返し聴き、懐メロはわかるつもりになっていた。
だけど。知らない曲がどんどんでてくる。「山の煙」、「あの人とっても困るのよ」、「ああプランタン無理もない」ってなんだそれは。「よく考えてみると、こんな歌はいまは誰も知らない」と当人も言う。「だけど私とおんなし年代の人はみんな知ってるはずです。だってこの歌、ほんとに流行ったんですよ!」と柳家小三治

柳家小三治
あの人とっても困るのよ

CD＝3025円

は熱弁する。

御年八十歳。立川談志と川柳川柳とも同じ、五代目柳家小さん門下。現在は、落語界唯一の人間国宝。なのに、歳を経てどんどん自由になっていく。十二年ぶりにだすCDシリーズの、六枚のうち二枚は古典でなく「ま・く・ら」だ。その一枚目の本篇は、二〇〇二年七月十四日、有楽町朝日ホールでの「柳家小三治ま・く・ら独演会」の記録。歌好きの小三治師は、この舞台でどんどん歌う。その歌とともに語られるのは、「好きだとわかっていても言わないのが本当の恋だと、愛だと思っていました」という、淡い恋の物語。

東京駅で待ち合わせて、日比谷公園のお堀ばたで「山の煙」を歌ってと、その女の子にねだられる。「そのとき心に決めました。『山の煙』は、この人の前以外では歌わないと」。会場では笑いが起きていた。マジか洒落かわからないが、なぜか心に残る。柳家小三治の噺には永い人生の蓄積を感じる。

恋の話だけでない。それに挟まって、「ビートルズってのは私にとっちゃ、最近でてきた若いやつらですから。おかっぱ頭で」ってところから、サッカー選手がみんな茶髪という話になって、「何人かならいいけど、全員だもの。バカの集団だよ」、「もっとうまいやつ呼んで来いよ!」ってどんどん脱線して、「やぁまあのけむぅりー」と、ひとふし。好きな歌をうたいながら、ラジオDJをしていた頃の思い出、名作まくら「ドリアン騒動」の後日談、師匠・五代目小さんとのエピソードなどを縦横無尽に語り、「今日はね、こんな話をするつもりじゃなかったんです」と照れる。

そして現在の柳家小三治は、寄席のトリでも「公園の手品師」を歌って高座を降りたり、クリアファイルやマスキングテープなどグッズを売ったり……。小さん文楽圓生といった昭和の大名人や、談志や川柳ともまたちがう、令和の不思議な仙人になった。その仙人の歌物語が聴ける、貴重なCDである。(日原雄一)

REVIEW

歌を殺すための歌
――近代日本の音楽の闇

◉文＝宮野由梨香

あなたがある国の支配者だとする。巷《ちまた》で、あなたを批判・揶揄する歌が流行《はや》り始める。

歌の力が大きいことを、あなたは知っている。フランス革命では「ラ・マルセイエーズ」、公民権運動では「We Shall Overcome」が、人々を団結させ、革命や運動を成功へと導く役割を果たした。

手をこまねいてはいられない。しかし、その歌を禁じても、また別の歌が出てくるだけだ。もっと効果の持続する対策はないだろうか。

あなたは、教育に目をつける。

子供たちに、「歌うべき、文化的に高い歌」を教えて、それを歌わせるようにしたらどうだろう？　政策への批判をこめた歌を「下賤な俗謡」と蔑《さげす》み、自ら口にしたがらなくなるように仕向けるのだ。

年に何回か儀式を行い、「歌うべき歌」を必ず歌うようにさせよう。それを歌っているうちに、牙は折られていくだろう。「下賤な俗謡」に固執する者、皆で歌うべき歌を一緒に歌わない者は、疎まれ孤立するだろう。

これで、うまくいくはずだ。

○　○　○

「うまくいった」例が、近代日本の音楽である。

それは、次のようにして形成された。

日本の義務教育制度は、明治五年（一八七二年）の学制公布に始まる。その時、音楽を扱う教科として、小学校に「唱歌」（＝歌を歌うこと）が置かれた。しかし、設備も教員配置も整っていなかったから、必修ではなかった。

風向きが変わったのは、明治二四年（一八九一年）のことだ。儀式の際に皆で歌を歌うことが、文部省令で定められた。儀式は年に十回あった。元旦、紀元節、天長節、元始祭、神嘗祭、新嘗祭、孝明天皇祭、春季皇霊祭、神武天皇祭、秋季皇霊祭である。

「唱歌」の授業が行われていなくても、儀式では歌を歌わなくてはならなくなった。

さらに、三年後の明治二七年（一八九四年）、文部省は小学校内で歌うすべての歌に対して、文部大臣の認可を必要とする旨の訓令を公布する。

その理由について、訓令の周辺資料をもとに須田珠生は次のように述べている。


「歌」には「濫《みだり》がましき俗曲」が「多分」にあるとされていた、しかもこうした「歌」が、学校に唱歌教育を取り入れようとした明治期以降も家庭の中に取り込まれ、人々のあいだに浸透していることが、問題となっていた。――中略――こうした社会状況を受けて、世間の風紀を乱す俗曲を「改良」することが求められるようになっていく。具体的な「改良」方法については、各人によってそれぞれの主張が展開されたが、中でも学校での唱歌教育の充実を図るという方法は、共通してみられるものであった。

（須田珠生『校歌の誕生』五三〜五四頁）


しかし、当時、この訓令は「ほとんどの学校にとっては無関係な法令でしかなかった。なぜなら、唱歌教育自体が未だ全国的には普及していない状況だったからである」（四九頁）と須田は説明し、それが後の「校歌の誕生」のもとになったとしている。大正期に郷土教育運動が高まった時、多くの校歌が作られることとなった。もちろんそれにも認可が必要であったが、独自性を出す余地は既にそこにしかなかったのだ。

明治二七年（一八九四年）は、日清戦争開戦の年でもある。その後の日本がたどった歴史を、改めて確認するまでもあるまい。


日本は、かつて、どうして、あのまったく無謀な侵略戦争を引き起こし、ファシズムの方向をつきすすみ、そのために、いかに音楽と教育を手段にし、その健全な展開をはばみ、不毛にしたか。

（河口道朗『音楽文化　戦時・戦後』一一頁）


「まえがき」でこのような問題提起をした本の中

★（右から）須田 珠生「校歌の誕生」（人文書院）
高室 陽二郎「山と人」（山梨日日新聞社）
河口 道朗「音楽文化 戦時・戦後」（社会評論社）

で、河口は、「手段化された音楽」の一例として、「ベートーヴェンの作品「ゲレルトの詩による六つの歌曲」の中の第四曲「自然における神の栄光」（Die Ehre Gottes aus der Natur）を「君は神」に改名し、天皇を賛美する内容の歌詞に改作」（二七頁）などを挙げている。これは一九三七年（昭和一二年）」に挙行された「音楽報国週間」のためのものだった。それは、「国民精神総動員運動」の一環であったという。

こういった「なりふりかまわぬ音楽利用」に行きつく前に、歌ってよい歌を制限し、歌わなくてはならない歌を強制した文部省令があった。

学校において、歌を選ぶ自由はない。

儀式において、歌わない自由はない。

こうして、文部省が「改良」すべきとみなした「濫《みだり》がましき俗曲」「世間の風紀を乱す俗曲」は消されていった。

それはどんな歌だったのだろうか？

○　○　○

山梨放送の社長を務め、二〇一七年に亡くなった高室陽二郎は、明治期に民間で歌われた歌を記録にとどめている。

山火事焼けろ
もしきは燃えろ
乞食はあたれ
カラス勘三郎
お前の家が焼けるぞ
早く行って水かけろ
（高室陽二郎『山と人』二四四頁）

単純なわらべ歌のようでいて、実はかなり過激な内容を含んでいる。

「もしき」とは「燃し木（薪《たきぎ》）」であるが、実はもうひとつの意味が隠されている。「ももしき（百敷）」つまり宮中である。

これは、呪詛の歌なのだ。

この「呪詛の歌」とセットになっているのが、次の「感謝の歌」である。

山崩《やまく》え水は逆巻きて
美《うま》し田畑を押し流し
うつろい変わる国原や
茂る民草色あせぬ

御恵み深き大君は
御心いたくなやまされ
御料の林いとさわに
下したまいし畏こさよ

青垣山の色ふかき
甲斐のおす国ゆるぎなく
栄ゆる御代の千代八千代
君の御恵み仰ぐかな
（高室陽二郎『山と人』二四九頁）

「恩賜林記念日の歌」というタイトルのこの「感謝の歌」を、「七十歳以上の山梨県民なら誰でも歌える」と、高室は説明している。「恩賜林記念日」に学校で儀式が行われ、この歌を歌わされたからだ。

作曲者は弘田竜太郎、歌詞は地元山梨県から公募当選した堀田静のものである。

この「感謝の歌」によって、「呪詛の歌」は消し去られていったらしい。

○　○　○

「呪詛の歌」で歌われている「山火事」が起きている山は、江戸時代においては入会地だった。生活に必要な薪や木の葉、キノコや木の実や薬草、材木などを、人々はそこから得ていた。

明治六年（一八七三年）、政府は地租改正で入会地に多額の税金を課した。税を支払う者がいない多くの山が官有地になり、さらには御用林（皇室の財産）となった。

そこへの出入りを禁じられ、人々は生活に困窮した。

現代生活にたとえるならば、ガスと電気を止められるというのよりも、もっと酷い仕打ちである。生活基盤を奪われた人々は、番人の目を盗んでは盗伐・濫伐に走った。犯罪者として多くの者が処罰されたが、事態は悪化する一方だった。

難民化した人々の多くが北海道に流れて、過酷な環境の中での労働に従事した。

山梨からも「六百六十戸、三千百四十二人」が北海道に移民したが「寒さと飢えのため病人が続出した」「現地に留まり成功した人は全体の一割にも満たなかった」（『山と人』二五二頁）という。


農商務省は入会慣行を完全に否定し、官有地に編入された山林は払い下げによらない限り一本一草の伐採をも禁止する方針でのぞんだ。――中略――山梨県の農民は入会地の官有地編入を認めておらず、なかにはあえて法規を無視して、広範な濫伐を行なう場合も少なからずあった。明治22年、山梨県の官有山林原野はそっくり皇室財産である御料地に編入された。

（飯田文弥ほか編『山梨県の歴史』二四九頁）


このようないきさつで、自棄《やけ》になった人々による放火が横行するようになった。生計の場を御料地にされ「乞食」とならざるを得なかった者たちが、燃える山を見ながら囃し歌を歌った。

「もしきはもえろ」……素朴な頭韻の囃し歌を聞きとがめられたら、あくまで「もしき（薪）」であって「ももしき（百敷＝宮中）」ではないと言い張ったのだろう。

こうして山は荒れ果て、保水力を失い、大洪水が起きた。

明治四〇年に山梨で起きた水害では、二三三二人が亡くなっている。流失田畑七六〇〇ヘクタール、浸水一五〇〇〇戸、流失一二〇〇〇戸。大災害である。それによる地域の食糧難は大変なものだった。

こういった入会地の官有化による人々の困窮は、山梨県だけに起きたことではなかった。島崎藤村の『夜明け前』には長野県木曽谷で起きた悲劇が詳細に語られている。また、向井豊昭の小説の中にも、青森県に関して次のような記述がある。


ここでやってきたのが明治維新である。木材の積み出しでにぎわっていた下北半島の森林のほとんどは、明治新政府の作る大日本帝国国有林となり、自由な伐採ができなくなってしまうのだ。

（向井豊昭『骨踊り』一一九頁）


この時代、多くの山に放火が行われ、囃し歌が歌われたのだろう。

それはもちろん、「濫《みだり》がましき俗曲」「世間の風紀を乱す俗曲」であったに違いない。

○　○　○

大洪水の後、「御料の林」は「恩賜林」として山梨県に下された。県は山林の保護と開発に関する条例を制定し、各地に巡視小屋が建てた。

不満分子の報復を恐れたのだろう。知事発議により、「恩賜林報恩碑」が甲府市中央の小高い場所に建てられた。そして、御下賜のあった三月十一日には儀式を行い、「君の御恵み」への「感謝の歌」＝

★恩賜林報恩碑

「恩賜林記念日の歌」を歌わせることにした。

戦時中に山梨県に疎開していた井伏鱒二は、昭和二九年（一九五四年）に次のような文章を発表している。全集でのタイトルは「甲府」となっていて、次のように始まっている。


甲府城址に大きな記念碑が建つている。遠く車窓からも見える。一体あの大きな棒のようなものはなんだ。はじめて甲府に来た旅の者は、たいていそう思うだろう。もと天守閣があったと思われる基礎のあとに、六十尺あまりの途方もなく大きな石造りの四角い塔のようなものが建つている。山を背景にしても雲を背景にしても、あたりの風景と対照しても、相当に目ざわりな存在である。

（『井伏鱒二全集　第17巻』（筑摩書房）四二七頁）


今も甲府城址に残る「恩賜林報恩碑」の姿である。県民がどこからでも眺められるような場所と形を選んだのだという。

この碑の由来について甲府の住民に尋ねても、「当たりさわりがあるので話をごまかす」と井伏は述べ、その背景を「明治の廃藩置県のあと、政府が人民の私有山林に対してものすごい税金をかけ」「所有者のなくなった三十何万町歩の山林を、みんな政府が没収して御用林にしてしまった」「その結果は山林の盗伐と濫伐が始まった。大水が出たら一とたまりもない」というふうに語っている。

この碑の建立にあたっても、相当なことがあったようだ。


こんなのは明治の悪政の一端を後代に伝える記念塔だと言って、街頭で建碑反対の演説をするものもいた。その者は狂人として牢に入れられた。

（『井伏鱒二全集　第17巻』（筑摩書房）四三〇頁）


報恩碑の前で、毎年、記念日には知事らが儀式を行った。下賜の「御沙汰書」を読み上げ、皆で歌を歌うのだ。

時を同じうして、県下の小・中学校でも儀式が行われ、子供たちは声をそろえて歌を歌った。もちろん、大日本帝国憲法下において、「歌わない自由」などあるはずがない。

○　○　○

戦後、学校での儀式は廃止されたが、県の行事としての儀式は今なお続けられているという。

★永井愛「歌わせたい男たち」（而立書房）

近代を経て、我々の生きる現代がある。

高室陽二郎がこの二つの歌を記録した文章を雑誌に寄せたのは、平成十六年（二〇〇四年）のことだ。

永井愛は、戯曲『歌わせたい男たち』の執筆の契機として「二〇〇四年の春、東京では二五〇人もの先生たちが、国歌斉唱時の不起立や伴奏拒否で処分された」という記事を読んだことを挙げている。（同書「あとがき」一一九頁）。

その戯曲の中で、校長が、次のように演説する。


これは私だけの独断ではありません。最高裁判所だって、その判決でこう認めているのです。国歌のピアノ伴奏をしたくない先生が、職務命令で仕方なく弾いたとしても、その先生の内心が傷つけられることにはならない。なぜなら、「あ、職務命令だから弾いてんだな」と思ってもらえる自由が残っているからです。

（永井愛『歌わせたい男たち』一一〇頁）


この作品の初演は二〇〇五年だが、その後も職務命令や処分の違憲性を問う訴訟のいくつかが、最高裁判所まで行った。二〇二〇年現在、どの判決もこれを合憲としている。

日本国憲法第十九条……「思想及び良心の自由は、これを侵してはならない」

これは、こういうことではないのか？

「歌を殺してはならない」

空腹の若きバッハのもとに本当にニシンは降ったのか

◎文＝遠藤雅司

音楽史を説明するうえで、間違いなく避けては通れない大作曲家の一人であるヨハン・ゼバスティアン・バッハ。今回、バッハと超常現象についてお話しすることにいたしましょう。

[生]1685・3・21 アイゼナハ
[没]1750・7・28 ライプツィヒ

これがバッハの生涯の長さです。バッハは17、18世紀において、長寿と言っても過言ではない65年にわたる生涯を送りました。そんなバッハは、生没の都市を見てもわかる通り、今のドイツ国内の都市を巡っています。まず、その各都市と結びつけて彼の生涯を追ってみましょう。

1 バッハのキャリアと、拠点とした都市

まず、ドイツ中部の町、アイゼナハでバッハは生まれました。8歳になったゼバスティアン少年はアイゼナハのラテン語学校に入学します。学業の成績は抜群で、音楽も美しいソプラノで合唱隊の重要なメンバーとなっています。

しかし、楽しい日々は長くは続きませんでした。1694年に母エリザベート、翌95年に父アンブロジウスと立て続けに失い、兄ヤーコプと共に、オールドルフにいた長兄ヨハン・クリストリフの家に身を寄せます。ここでレベルの高さで定評のあるラテン語学校に通いました。ルター正統派の宗教教育を受けるとともに合唱隊にも属しました。結局ゼバスティアンはオールドルフで、1700年までの5年の時を過ごしました。

この後のバッハが生活した都市は次の通りです。

★まだ若い、1715年(30歳)ごろのバッハとも言われている肖像画

リューネブルク、ヴァイマール、アルンシュタット、ミュールハウゼン、再びヴァイマール、ケーテン、そしてライプツィヒ。

オールドルフからおよそ350㎞離れたリューネブルクでは、聖ミカエル教会付属高等学校へ入学しました。ここではおよそ3年過ごしています。

続いてヴァイマールで3ヶ月という短い期間ながら音楽家及び宮廷楽師としてのキャリアを始めます。そして1703年から07年までアルンシュタットのボニファチウス教会のオルガニストを勤め、同年ミュールハウゼの聖ブラジウス教会のオルガニストに転任します。また、この年バッハはアルンシュタット近郊のドルンハイムでマリア・バルバラと結婚式を挙げています。

1708年から再びヴァイマールに本拠を移し、宮廷オルガニスト兼宮廷楽団楽師となり、1714年にはヴァイマール宮廷楽団の楽師長に就任し、およそ9年この地で活動します。

宮廷の内紛に巻き込まれ、自身の評価が芳しくないと見るやヴァイマールに見切りをつけ、1717年ケーテンへ移り、ケーテン候レオポルトの宮廷楽長に就任します。ケーテンでは、およそ6年活動しました。

バッハの終着地はライプツィヒでした。38歳になった1723年にライプツィヒ聖トーマス教会の教会所属音楽監督兼作曲家・指揮者に就任しています。この年から亡くなる1750年まで、27年もの長きにわた

リライプツィヒに留まりました。

2 バッハ伝説の誕生

バッハがドイツの各地で音楽家の職を得て、昇給していく「成り上がり物語」の一端がご理解できたかと思います。そして、バッハの死後、新たな逸話《でんせつ》が生まれることとなりました。ドイツの音楽評論家フリードリヒ・ヴィルヘルム・マールプルク(1718-95)が1786年に刊行した『音楽家列伝(Legende einiger Musikheiligen)』のバッハの章で記されたとある逸話です。

あらかじめ記しておきますと、バッハは一般的な手紙やメモをほとんど遺さない人物でした。そのため、これから記す逸話はマールプルクの創作の可能性が高いです。が、その逸話は物語の力を持ち、現代にも伝承されています。お待たせいたしました。「バッハ、九死に一生を得る」。ご覧ください。


ヨハン・ゼバスティアン・バッハと言えば、ホラティウス流に「比類なき人士」と称えるべき存在ではあろうが、今はひとつ、彼が若い頃に音楽をもとめて旅したときの面白い逸話をご紹介したい。

それは、彼がハンブルクからそう遠くないリューネブルクの学校に在籍していた頃のことだった。ハンブルクには当時、実に立派というほかないオルガン奏者=作曲家がいた——栄華を誇った名匠ラインケンだ。この大家の演奏をじかに聴くため、バッハはおのずと現地まで何度も足を運ぶところとなった。

そんなある日のこと、資金が許すかぎりハンブルクに長々と滞在してしまったことがあった——リューネブルクへの帰路、財布を見ればもう、あと1、2シリングしか残っていないというありさま。道中まだ半分も戻らないうちに、強い空腹感に襲われた彼は、どうにもこらえきれなくなって居酒屋をみつけ転がり込もうとしたのである。調理場からは実にうまそうな匂いが漂ってくる、それがもう、いつにもまして辛くてたまらない。どうにもきまり悪そうにためらっているうちに、ふいに窓を開けるガタッという音がする。いかにも、見上げれば開いた窓からちょうど、一対のニシンの尾頭付がゴミ箱めがけて投げ落とされるところだった。テューリンゲン出身のよるべなき余所者の哀れさよ、彼は魚の形が見えただけで舌なめずりを禁じ得ず、目が離せなくなってしまった。だが、驚くなかれ——なんということだろう! よく目を凝らしてみると、こともあろうにニシンの頭ひとつひとつに、それぞれデンマーク金貨が埋め込まれているではないか! それだけあれば、みじめな状況にいた彼でも肉料理の食事をとることができるどころか、なんならもう一度ラインケンの演奏を聴きに易々とハンブルク旅行ができてしまうくらいだ。

実にめずらしい出来事というほかないが、これはおそらく、窓辺にいた人が様子をこっそり伺っていて、篤志をかきたてられたことで起こった出来事に違いあるまい——自分の贈り物が意味をもつのを見たい、そのことで幸せを感じられる…というわけだ。たんなる悪戯心などではなかったのだろう、財産のある人はそれだけ心にも余裕があるのが常なのだから。

(Marpurg, Friedrich Wilhelm "Legende einiger Musikheiligen", Cologne: Peter Hammer, 1786.／訳:白沢達生)

3 逸話の変容とその正体

改めていつ頃のどこで起きたお話なのかおさらいすることにしましょう。バッハがドイツ北部の都市リューネブルクで研鑽を重ねていた頃の1701年に、リューネブルクからハンブルクまでのおよそ50kmの道のりも徒歩で向かっています。ハンブルクでは、オペラ、宗教音楽などを多分に吸収していったのでした。この逸話もそのハンブルクからリューネブルクの帰り道に起きた出来事として書かれています。お金のなかったバッハがハンブルクからリューベックへの帰路に、ニシンが窓から捨てられてそれを食べて飢えをしのいだということは、ありそうな話ではありません。ただ、ニシンの頭にデンマーク金貨が埋め込まれていたというのはにわかに信じられませんが。

マールプルクの逸話では、バッハの様子を見ていた人が実は財産を持ちで、親切心からニシンのおかしらつきにデンマーク金貨を挟んで窓からゴミ箱に投げ捨てているとしていますが、時代が経つにつれ、それ

は伝言ゲームのように変容していきます。

20世紀のドイツの音楽学者であるマルティン・ゲック（1936-2019）が著した『バッハの人生と作品（Johann Sebastian Bach）』では、マールプルクの逸話を「バッハがハンブルクからリューネブルクの途中で体験した小さな奇跡」として引用しています。つまり、人為的で親切心から登場したニシンの逸話がいつの間にやら奇跡の物語へと言い換えられてしまったのです。

窓から投げ捨てられたおかしら付きの二匹のニシンは、そのまま逸話には残されていますが、人が投げ入れたものなのか超常現象として魚が降ってきたのかははっきりとしていません。もしこれを超常現象と捉えるならば、広義のファフロツキーズ現象と言って差し支えないでしょう。

何やら耳慣れない言葉かもしれないので、ファフロツキーズ現象について説明します。まず、ファフロツキーズの原義から。この単語はFalls From The Skies（空からの落下の意）の頭文字から付けられました。Falls From The Skies→FaFroTSkies=ファフロツキーズとなります。辞書を引くと「小魚やカエルなどの異物が、空から大量に降る現象」と出てきます。

実際、現代でもこのような現象が時々見られます。1989年オーストラリアのイプスウィッチで、小雨時に約800頭のイワシが空から降ってきてとある民家の庭の芝生を覆ったとか、2018年6月中華人民共和国の山東省青島市で強い雨や雷雨の影響で、どこからか集められたタコやエビなどが車のフロントガラスにぶつかり、さながら「魚介類の雨」という形容でニュースとなったり、日本でも2009年6月石川県七尾市で空から大量にオタマジャクシが降るという珍現象が起こるなど、たびたびニュースとして取り上げられています。

4 ファフロツキーズ現象と『海辺のカフカ』

ここからバッハから離れ、ファフロツキーズ現象に焦点をあてます。小説に出てくると、この現象はどのような舞台装置として使われるかをご紹介します。村上春樹著『海辺のカフカ』でもこのファフロツキーズ現象が登場しています。

「空から雨が降るみたいに魚が降ってきます。たくさんの魚です。たぶんイワシだと思います。中にはアジも少しは混じっているかもしれません」

（中略）

翌日実際に中野区のその一角にイワシとアジが空から降り注いだとき、その若い警官は真っ青になった。何の前触れもなく、おおよそ2000匹に及ぶ数の魚が、雲のあいだからどっと落ちてきたのだ。多くの魚は地面にぶつかるときに潰《つぶ》れてしまったが、中にはまだ生きているものもいて、商店街の路面をぴちぴちとはねまわっていた。魚は見るからに新鮮で、まだ潮の匂《にお》いをはなっていた。魚は人や車や建物の屋根に音を立ててあたったが、それほど高いところから落下してきたものではないらしく、幸いなことに大きな怪我《けが》をした人はいなかった。それよりも心理的ショックの方が大きかった。大量の魚が雹《ひょう》のように空から降ってきたのだ。まさに黙示録的な光景だった。

（村上春樹『海辺のカフカ』新潮文庫上巻 p.356-357）

★（上図）19世紀の風刺画家ジョージ・クルックシャンクが描いたファフロツキーズ現象

中野区に住んでいるナカタさんが警官に空から魚が降ってくるファフロツキーズ現象がこの後、起こるだろうと伝えている場面と翌日、実際にイワシとアジが空から降り注いだ描写を書いているシーンです。『海辺のカフカ』ではこの後もヒルが降ってきたりする超常現象が現れ、これからどうなっていくのだろうと読者は思いながら物語は進んでいきます。また、この現象の「謎解き」は特に書かれていないのも特徴です。作者も書いている通り、「黙示録的な光景」を印象づけるためのファフロツキーズ現象と言えるでしょう。

閑話休題。『海辺のカフカ』で取り上げられている音楽は、ベートーヴェンの『大公トリオ』です。バッハへの言及はというと、「多くの人はバッハやモーツァルトに比べてハイドンを軽く見ます」のみでした。ハイドンの曲の説明から派生して、ハイドンへの過小評価の在り様を、知名度の高いバッハやモーツァルトに比べて軽んじられていると比較対象に挙げられているだけです。逆に言えば、生前では知名度の高くなかったバッハの死後の高評価と知名度の高さが垣間見られた場面と言っていいかもしれません。

5 ゼバスティアンの新たな冒険

これらを踏まえて、バッハの成り上がり伝説を飾りつけるとこのような感じになるかもしれません。

18世紀をまもなく迎えようとする頃、リューネブルクの聖ミカエル教会付属高等学校にとある音楽家の卵が在籍していました。ヨハン・ゼバスティアン・バッハその人です。ここからは、親しみを込めてゼバスティアンと呼ぶことにしましょう。ゼバスティアンは元々、ドイツ中央部のアイゼナハ生まれでしたが、両親の早逝と兄弟の自分への負担、そして「朝課合唱隊」で「貧しい家庭で美しい声の歌手」という募集に惹かれ、当時住んでいたオールドルフからおよそ350km離れたリューネブルクまで徒歩で向かい、このチャンスをモノにします。無事メンバーとなったゼバスティアンは、実はこの頃に変声期を迎えてしまい美しいソプラノの声を失ってしまいます。しかし、そんな逆境にもめげず、ゼバスティアンはオルガンやヴァイオリンの演奏者として活躍の場を広げていきました。

そんな、ゼバスティアンの身に起こった不可思議な出来事を紹介しましょう。時は、1701年。リューネブルクから50kmほど北に位置するハンブルクに、非常に有名な作曲家兼オルガン奏者のラインケンがいました。ラインケンの演奏をじかに聴くため、ゼバスティアンはリューネブルクからハンブルクまで徒歩で向かい、資金が許すかぎり音楽漬けの日々を過ごそうとハンブルクに長々と滞在しました。滞在を終えてリューネブルクへの帰り道、ゼバスティアンは財布を見やります。そこにはわずか1、2シリングしか残っていない切迫した状況がありました。

リューネブルクまでまだ半分以上の距離があるというのに、強い空腹感に襲われたゼバスティアンは、どうにもこらえきれなくなります。すると、美味しそうな匂いを漂わせている居酒屋を見つけました。本能のままに居酒屋の扉を開けて、食べたいものを注文したい衝動に襲われたゼバスティアンは、なんとか理性を振り絞ってその気持ちを押さえつけました。

「腹いっぱい美味しいものが食べたい!」というゼバスティアンの祈りが通じたのでしょうか。ゼバスティアンが空を見上げると、大量のニシンの群れが空からどっと振り注いできたのでした！　辛抱も限界となり、道路に降り注いできたニシンを鷲掴みにするのでした。そして、そのニシンをよく目を凝らしてじっと見やると、その一匹一匹の頭にデンマーク金貨が挟まれていたのでした。

これだけのお金があれば今からハンブルクに戻って巨匠ラインケンの演奏会をはしごしてもいいななどと考えを巡らせてしまうゼバスティアンですが、まずはニシンの群れをいただいて空腹を満たすことにしました。

若かりし16歳のバッハに文字通り降り注いだニシンとそこに埋まっていた金貨の意味は何なのか。この謎を解くべく、音楽家の卵ヨハン・ゼバスティアン・バッハの冒険が始まったのでした——と、物語の導入部に持ち込んでも、話が進んでいきそうなワクワクとする展開です。バッハとニシンと音楽の新たな物語。逸話の伝言ゲームを経て、新たな音楽家列伝が始まりそうです。

もしも暴れん坊将軍がバッハを聞いていたら

◎文＝いのうえとーる

★バッハ

★徳川吉宗

徳川吉宗が1684年に生まれ1751年に亡くなり、ヨハン・ゼバスチャン・バッハが1685年に生まれ1750年に亡くなったと知ったとき、この二人は空間を超えて接近する。バッハが技術の粋を極めた作品を作っていたとき、吉宗は享保の改革や西洋からの知識の導入に踏み出していたという同時代性には普段あまり気づかない。もし、鎖国ほど厳しい政策が行われず、せめて文化の流入、それに伴う人の交流があったとするなら、吉宗の西洋文化への関心を考えれば、西洋音楽を耳にするチャンスが必ずあったはずであり、そしてその中にはバッハの音楽が含まれていても不思議なかったはず。実際は周知のとおり、日本は鎖国によってその道を閉ざしてしまった。

禁教と鎖国が日本を西洋から遠ざける前、西洋文化とのアクセスはキリスト教と宣教師というインターフェースによってなされたが、その中で西洋知識を持つ人々が生まれ、その後の短い西洋諸国との貿易期間には日本人と西洋人のダブルが生まれた。ここではその延長線上として日本が西洋音楽にアクセスしえた可能性を妄想したい。そして隣国中国がその雛形として近かったことにも簡単に触れたい。

まずはドラマ「関ヶ原」

1981年のお正月に3日間に渡って放送されたドラマ「関ヶ原」をご存知の方はどのくらいいるだろう？ TBSの開局30周年記念ドラマであり、司馬遼太郎原作に早坂暁脚本という大型時代劇。キャストも豪華で主人公の石田三成に加藤剛、徳川家康に森繁久彌、と話しだすと本題にいつまでも入れないのでそこは割愛して……詳細はググっていただきたい。

このドラマはとてもユニークな場面で始まる。1598年春、伏見城の大広間、宇野重吉演じる豊臣秀吉を中心に、家康、利家、三成などの重臣、ねね、茶々などの妻女がいならぶ中で、洋装の日本人数人が古楽を演奏するのだ。

厳密な時代考証としては正しくないが、日本の西洋音楽史上重要なイベントを映像化した貴重なものといえるだろう。

史実では、1582年に大友宗麟、有馬晴信、大村純忠の3名のキリシタン大名が織田信長の承認のもとローマ教皇に送った天正遣欧少年使節が1590年帰日する。すでに信長は亡く、秀吉は伴天連追放令を1587年に出しており、キリスト教国から伴天連とともに戻った使節への関心は低く、周りもその対応に苦慮し、謁見は1591年3月まで引き伸ばされる。その謁見の最後に使節は洋楽を演奏した。

もしこれがドラマのように1598年であったなら、その1年前にキリスト教史上古代ローマでの大迫害以来の惨劇といわれる長崎26聖人殉教が起き、こんな謁見は不可能だったろう。

このとき、4名の使節は、ドン・アスカニオ・コロンナ枢機卿から贈られたクラヴォ（チェンバロかヴァージナル）、ハープ、リュート、ヴィオラ（ヴィオラ・ダ・ブラッチョかヴィオラ・ダ・ガンバかは不明）によって「皇帝の歌」を演奏し、その珍しい響きと、「皇帝のため」という題名に気に入った秀吉が3度演奏を繰り返させた、と伝えられる。

その後、秀吉は楽器を寄贈するよう要求し、貴重な楽器を使節たちは手放す。権力者というのは横暴なもので演奏できるが人いないにもかかわらずだ。秀吉ひどい……。

このあと秀吉によるキリスト教大弾圧、禁教、徳川幕府による弾圧、鎖国と続き、当時日本に入ってきたであろう西洋の楽器類は一切残っていない。超残念。

どこかの商家などの蔵をひっくり返したらリュートが一本くらい出てこないものかとはかない思いをいだいてしまうのだが。あそこの琵琶は実は元々リュートだったとかないものだろうか。

アジアに渡る西洋の楽器

日本への海外からの楽器流入は、奈良時代の正倉院御物に残る楽器たちが現存する楽器として最古ということになる。琵琶などのいくつもの楽器が今でも残っていることはご存じのとおり。もちろん御物のような貴重品でなくとも、中国から日本に入ってきた楽器とその音楽文化はさまざまあった。私たちが今、雅楽を長い伝統を持つ日本の音楽だと感じていても、それは中国由来のものであることに変わりはない。長い間、日本にとっての外国または世界というのは中国のことであった。日本にとってはわずかな期間と例外をのぞけば、唐物＝外国のものであり、その唐物がさらに外の文化の影響を受けたものであったとしてもそれに気づくこともめったになかっただろう。

つまり西洋音楽の伝搬という視点からみると、中国に西洋音楽、楽器が渡ってくることが、一つのチャンスということができる。歴史をひもとくと、中国には元（1271-1368）の時代にパイプオルガンと思われるものが宮廷に運ばれてきたことがわかっている。もちろん今の大ホールにあるようなものではなく、ポルタティフオルガンとよばれるものの大型なものだったと考えられるが、それであっても当時、西欧から北京まで運ぶのは大変だったに違いない。日本が当時中国と貿易をしていたことを思えば、わずかでも楽器が日本に貿易商とともに渡ってきてもよかったと思うのだが、日本に西洋の楽器が渡ったことが記録として残るのは、キリスト教が伝わるまで待つことになる。

誰もが日本のキリスト教伝達とともに知るフランシスコ・デ・ザビエル（1506-52）が、西洋の楽器を伝えた最初の人物であった。1549年に鹿児島に到着したザビエルは、まだ見知らぬ日本の領主への貢ぎ物の一品として鍵盤楽器を携えていた。現在、それはチェンバロまたはクラヴィコードと考えられているが、運びやすさからいえば後者と判断するのが妥当だろう。この楽器は、ザビエルの滞在中、手篤く迎え庇護した、山口を中心に領地を持つ大内義隆（1507-51）へ献上されたことが記録に残っている。しかし、1551年大内氏が陶晴賢の反逆で滅亡するさい滅失したとされる。まだザビエルが日本に滞在している間のことだ。はかない……。

しかし、この後も日本への宣教師の渡来は続き、それに伴い、小型の

★クラヴィコード

オルガン、クラヴィコードなどの鍵盤楽器、ヴィオール類を中心とする弓奏楽器、リュートまたはビウエラのような撥弦楽器、ショーム、フラウタなどの管楽器が日本に流入したと考えられている。

そしてそれらの楽器は、民衆に広まるのではなく（実際は将来的にチャルメラのような形で残るものはあったにせよ）、宣教師による布教ツールであり、さらに信者になった者たちが宗教を学ぶ際のツールであった。日本の音楽は古来ヘテロフォニーといわれる、楽器や歌によって似た旋律がずれをともないつつ演奏する音楽であった。その耳にとっては西洋の和音が伴うメロディーはどのように聞こえただろうか。新鮮さと神秘さを持った体験だったに違いなく、それが目新しい宗教の教義とともに信仰へと誘ったことだろう。

冒頭で述べた天正遣欧少年使節も当然のようにこれらの楽器に秀でたものだちだった。彼らは欧州に向かす途中のゴアでもオルガンの練習などを行い、スペインの教会でオルガンを巧みに演奏することで当地の貴族たちを驚かせることになる。ただ、キリスト教はあくまでも宗教中心であり娯楽的なことは教えなかったため、各地の宮廷や貴族の館で開かれる舞踏会でのダンスへの誘いにはとまどったそうだが。

しかし、このようにして日本人信者が西洋の楽器に巧みになることはあっても、音楽理論を学び西洋音楽の曲を作ったという記録はない。もしかしたら見よう見まねで作ったことはあったかもしれない。時間と教育者がいれば、日本で西洋音楽が作られる可能性はあっただろうが、結局はキリスト教弾圧と鎖国がそれを許さなかった。日本国内で西洋音楽を聴くチャンスは潰え、残念ながらバロック音楽は日本で響かず、吉宗はバッハを聞くことはできなかった。

しかし、やはり妄想したい。

西洋で活躍した日本人

吉宗がバッハを聞けなかったとしても、日本人が西洋音楽を学び、優れた奏者、作曲家が生まれるチャンスはなかったのかと。

日本はキリストを禁教し、宣教師と信者に対して歴史上最大規模といわれる迫害を加えたが、秀吉の伴天連追放令以降、国外（主にルソン、マカオ）に出て、そこでラテン語、キリスト教学、印刷術等を学び、司祭の資格を得た日本人は数多い。これらの人たちは、当時の日本人としては知の最高峰であり、コスモポリタンであったといえる。当時の学術言語であったラテン語の読み書きが自由にでき、翻訳も行い、論理学などを講じることができる日本人が海外にいたことはあまり知られていない。

この延長線上で妄想したいのは、日本人が国内で西洋に接することができなかったなら、国外で音楽を学び、奏者や作曲家になる可能性はなかったのか、ということだ。

音楽に限らず、日本人が西洋文化を学び、その中で一流となった例があることを紹介すれば、もし鎖国がなく日本に西洋音楽が入ってきたり、西洋へ音楽を学びにいった時にどのくらいの可能性があったかを推察できる。そしてその実例はあるのだ。

今でも日本では日本人と外国人のダブルは目立つことがあるだろう。江戸時代であればなおさらだ。倭寇には日本人だけでなく日本とアジアのダブルは数多くいただろうし、戦国時代から江戸時代にかけても少なくない人数のダブル（今回は西欧人とのダブルも）が日本以外の居場所を求めて、

★「洋人奏楽図屛風」（右隻）16世紀ごろ

海外の商人や傭兵となったことが近年明らかになりつつある。その中に、日本人として西洋で活躍した数学者、鉱山技師がいることをご存じだろうか。名をペーター・ハルツィンク（1637-80）という。

1637年、平戸のオランダ東インド会社の商館にいたカール・ハルツィンクと当地の豪商の娘との間に生まれ、1641年の鎖国政策により商館は閉鎖され両親とともに海を渡った。帰途中、母は亡くなり、ドイツでギムナジウムを卒業後、ライデン大学で哲学、ドゥイスブルク大学で形而上学、物理学を学ぶ。なぜ、彼が「日本人」といわれるかというと、この学籍簿にはラテン語で「ペテルス・ハルツィンギウス ヤポネンシス」と記載されているからである。

彼にはなんと二人の歴史的人物と関わる仕事が残っている。ルネ・デカルト（1596-1650）とゴットフリート・ライプニッツ（1646-1716）だ。デカルトの代表作「幾何学」（ちなみに有名な「方法序説」はこの序論）はフランス語で書かれたが難解であり、読者に恵まれなかった。これをライデン大学のフランス・ファン・スホーテン（1615-60）がラテン語に訳し、多くの補足、注解を弟子たちとともに行い、1661年に出版した。この版が一般的に当時読まれ、ニュートンやライプニッツもこの第2版を読み、微積分学の端緒にしたといわれる。ハルツィンクは弟子の一人としてこの本に携わり、「数学に秀でた門弟で、新たな結果を見つけ出した日本人青年ハルツィンギウス」と注釈に書かれることになる。日本人が西洋科学の書籍に名前を残した最初といってよいだろう。それもデカルトの注釈書に！

この翌年、ハルツィンクはハノーファー候の宮廷に招かれ、30年戦争で疲弊し開発が途絶していたハルツ地方の鉱山の再開発を託される。10年後には責任者である鉱山官になり、その翌年には宮廷顧問官に。同時期、ライプニッツも宮廷顧問官として、この鉱山の排水機構の機械設計などに携わっており、おそらくハルツィンクとライプニッツは面識もあり、さらに技術導入に関してはライバルとして競いあっていた（一説にはライプニッツがややずるく立ち回って自分の技術を売り込んだともいわれる）。

なんとライプニッツと宮廷で鍔ぜりあいする日本人がいたとは！

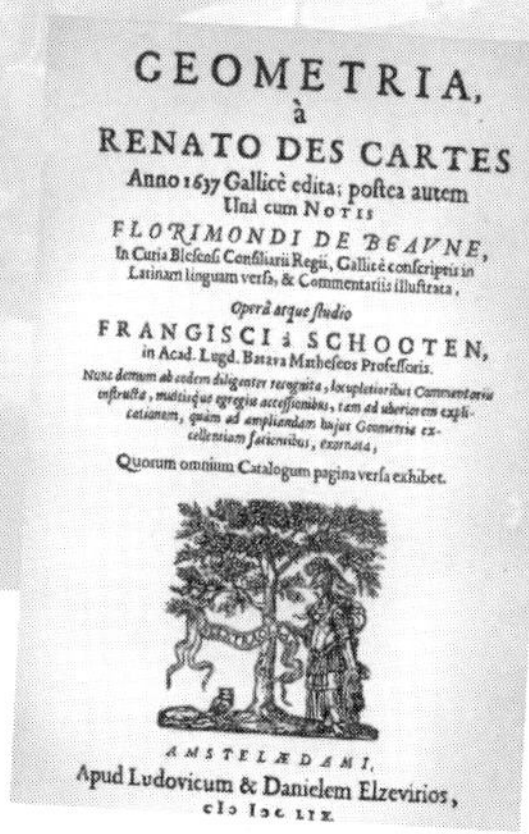
GEOMETRIA,
à
RENATO DES CARTES
Anno 1637 Gallicè edita; postea autem
Una cum Notis
FLORIMONDI DE BEAUNE,
In Curia Blesensi Consiliarii Regii, Gallicè conscriptis in
Latinam linguam versa, & Commentariis illustrata,
Operâ atque studio
FRANCISCI à SCHOOTEN,
in Acad. Lugd. Batava Matheseos Professoris.
Nunc demum ab eodem diligenter recognita, locupletioribus Commentariis instructa, multisque egregiis accessionibus, tam ad uberiorem explicationem, quàm ad ampliandam hujus Geometriae excellentiam facientibus, exornata,
Quorum omnium Catalogum pagina versa exhibet.
AMSTELAEDAMI,
Apud Ludovicum & Danielem Elzevirios,
cIɔ Iɔc LIX.

★デカルト「幾何学」ラテン語版（1649）

このような人物（それがダブルであったにせよ）が歴史上いたこと、そして日本で教育を受けた少年使節や海外で学んだ日本人が多くおり、西洋人から高い評価を受けたことを思えば、西洋音楽においても優れた奏者を生んだ可能性は否定できない。

さいごに

隣国中国では、日本より遅れてマテオ・リッチ（1552-1610）が1582年に広東での布教を開始し、1601年に皇帝に謁見し、このときにやはりクラヴィコードを献上している。しかしこの後が、日本とは異なる。中国ではキリスト教の承認と弾圧は繰り返されるが、宮廷というせまいエリアにおいて、皇帝が西洋文化を楽しむ気質はある程度維持された。西洋の楽器が17世紀通して流入し、音楽に秀でた宣教師もやってきて宦官たちが楽器や理論を学び、私たちが歴史で名をみる万暦、康熙、乾隆といった皇帝たちがその演奏を聴くこともあったことを思うと、日本でもそうなっていればという思いに耐えない。

結局は日本は明治維新以降まで西洋音楽から隔絶した歴史を送る。もちろんそれ以降の西洋化を思えば、今私たちは日本の伝統音楽の方を知らないほどだが、早くに接していれば、もっと豊かで融合した音楽文化をはぐくんだかもと妄想はつきないのだ……。

舞踏と音楽
——音ともに生み出されてきた前衛舞台の系譜

◉文＝志賀信夫

日本独自の身体表現である舞踏と音楽は、どのような関係にあるのだろうか。

これは他の舞踊、ダンス、バレエとは異なる点がある。多くの舞踊、ダンスは音楽とリズムに合わせて踊る。音楽によって踊るともいえる。そのため、音楽とともに踊りがあるといえるだろう。

だが、舞踏の舞台では音楽のリズムに乗って踊る、ということは多くない。無音も多く、すべて無音という舞台すらある。ノイズや自然音も多用され、メロディのないリフレインのミニマルな音も使われる。そして音楽があっても、そのリズムやメロディ、その雰囲気に合わせない踊りが多い。激しい音の中で静かな動き、静かな曲で激しい動きなど、さまざまに音楽とは異なる表現がある。それはどうしてなのか。このことを含めて、舞踏と音楽の関係を探る。

土方巽と舞踏創世記

舞踏の始まりといわれるのは、一九五九（昭和三四）年に、土方巽が振り付けて、大野一雄の次男、慶人とともに踊った『禁色』である。その音楽は、大野一雄の横浜の自宅で、近くの電気店の協力によって、深夜、土方巽が自ら「ジュテーム」という言葉やあえぎ声、「性行為のクライマックスのうめき声や激しい呼吸音」を発して録音したもの。そして、大野一雄が戦地で出会った音楽家、安田収吾が即興で生演奏した、ハーモニカのブルースがエンディングだった。安田は、一九六一年の『土方巽 DANCE EXPERIENCEの会』でも音楽を担当し、大野の舞台にたびたび関わった。そして安田は、それに先駆けて、大野の師である江口隆哉の『山のあなた』（一九四八年）の作曲も手がけている。これは大野の紹介だろう。戦時中、大野は中国でピアノを弾ける安田と出会った。そして戦後、再会し、安田は音楽家として大野の舞台の稽古や舞台作品に協力していた。

では、ここに至る以前の土方巽や大野一雄の舞台の音楽は、どうだったのか。土方巽の公演記録を見ると、最初に手がけた舞台は、秋田工業高校時代に学んだ増村克子の舞台に出演後、一九五〇年に、友人の網代四郎らと企画し、秋田の映画館「旭館」で、上映後に踊った『月の浜辺』である。筆者はその場所を秋田で探し当てたが、そのときの音楽は増村のレコードだろう。

その後、土方巽は上京して、先に上京していた増村克子の五反田の研究所に身を寄せ、一九五三年に安藤三子（哲子）舞踊研究所に入る。そこで最初の舞台が、一九五四年の「安藤三子ダンシング・ヒールズ特別公演」（日比谷公会堂）の『鴉』、『サラダ・イン・LP』、『スリル・ジャンクション』である。『鴉』は大野一雄が出演して、岡本太郎が美術、ペギー葉山が歌い、原信夫とシャープス＆フラッツという、いまからみるとすごく豪華な音楽陣だった。振付・演出は安藤三子と川路明である。川路明は作家川路柳虹《りゅうこう》の息子で、一九四六年、戦後、日本で初めて『白鳥の湖』全幕を踊った松尾明美の夫である。

それから、安藤は堀内完とパートナーを組み、「安藤三子・堀内完ユニーク・バレエ・グループ」を結成する。安藤三子は後に哲子《のりこ》と名乗るが、バレエ、ダンス創生期の高田せい子の弟子。同門の江口隆哉の弟子が大野一雄であり、さらに土方が秋田で学んだ増村克子である。当時はモダンダンスとジャズダンスの区別がなく、安藤らはジャズダンス創世記を担った一人といえる。そのためモダンを学んだ安藤はジャズを使った作品も上演し、またジャズダンスを生かしたショー、さらに創生期だったテレビにも何度も出演している。

実は土方のジャズやショーとの出会いは古い。秋田時代に憧れた女性がいるクラブに通った。その後、上京してから東京のクラブでボーイのアルバイトをしていた。そのため、そこで流れていたジャズやラテンなどの音楽に触れていた。そして、安藤三子のところにいるときに、矢田茂のダン・ヤダ・ダンサーズの一員として、江利チエミの映画『ジャズ娘誕生』（春原政久監督、一九五七年）に出ることになる。これは江利チエミと石原裕次郎が主演で、土方がテーブルの上で踊るチエミを二度、リフト、というか持ち上げて移動させる場面がある。音楽は村山芳男、また撮影は姫田真佐久、美術が木村威夫という鈴木清順の映画で知られるコンビだった。

この安藤三子の元で土方は、舞踊家、図師明子と出会うが、図師は美術家の小原久雄（庄助）とともにブラジルに渡り、弓場農場で弓場バレエをつくる。小原庄助は、篠原有司男、黒木不具人とともにグループアルシミストとして、三人展を行っている。彼らは、土方が上京時に出会った美術家たちだ。なお、コンテンポラリーダンスで活躍している、たかぎまゆは、安藤哲子の弟子だ。

その安藤の音楽の多くを担当していたのが、宅孝二（一九〇四〜一九八三年）である。当然、宅は、当時の土方の音楽観に影響を与えただろう。

宅孝二

宅孝二は戦前、非常に著名な作曲家、ピアニストだった。宅孝二の祖父は、神戸の蔵元として清酒「澤亀」を出し、大日本麦酒などいくつもの会社の要職をつとめた大実業家だった。宅は同志社大学を中退後、山田耕筰らに師事し、パリに留学してエコールノルマル音楽院でアルフレッド・コルトー、ナディア・ブーランジェらに学んだ。帰国して、お茶の水女子大学を経て、東京芸術大学教授となり、フランス派音楽を数多く紹介し、近衛秀麿指揮のオーケストラとともにピアノリサイタルを日本青年館などで行う人気ピアニストだった。

ところが、基礎のソルフェージュの授業でヌード写真を見せて即興で弾かせたりと自由な教育を行い、当時は「奇行」とされた。そしてジャズに関心を抱いて、芸大教授を辞めて埼玉のジャズクラブのピアニストになった。その弟子のピアニストや音楽家も多い。

作曲家としても活躍し、その『プーランクの主題による変奏曲』や『ソナチネ』は現在も国内外で演奏されている。また、市川崑監督の『処刑の部屋』『日本橋』（共に一九五六年）など数多くの映画音楽、『林檎の花が降りそそぐ』などの歌曲、多くの学校校歌を作曲している。

宅孝二の舞踊音楽は、大野一雄の師である江口隆哉の一九四六年の『歓び』、『りんごのたねが歌う哀れな身の上の歌』（一九四七年）、高田せい子と山田五郎の高田・山田舞踊団ではピアノを演奏し（一九四九年）、一九五一年には檜健次の『BAN・BAN』も作曲している。そして、安藤三子のパートナーとして、その舞台のために多くを作曲した。クラシックをしっかり学びながらジャズ、即興を重視した宅は舞踊の音楽家として最適だったろう。新しい創作ダンスに即興で音楽をつくり、それを舞台の音楽にしていくことができた。また、録音機器が発達していない当時、舞踊の音楽にピアニストは欠かせなかったからだ。舞台の稽古のためにピアニストが生で弾く。これは、バレエの稽古では現在も国内外で続いている。そのため舞踊家と音

★『ジャズ娘誕生』ポスター

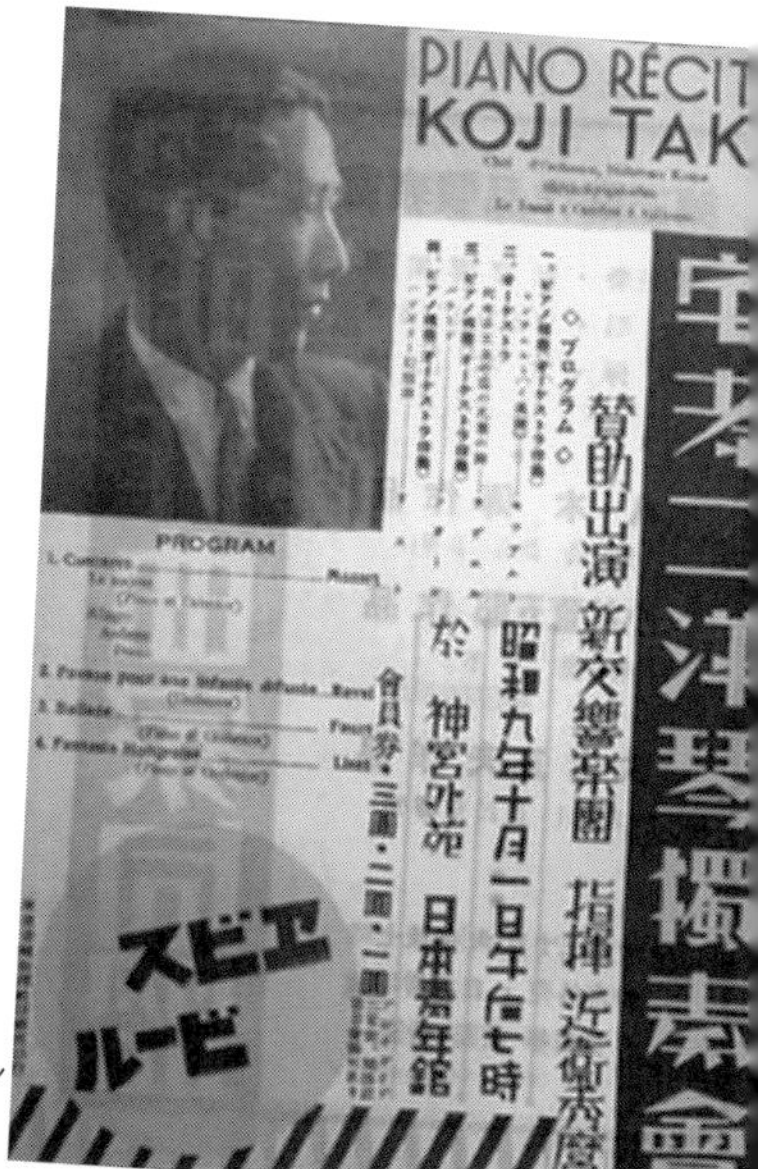

★宅孝二コンサートのチラシ

楽家の関係は密接であり、特に創作舞踊の場合、舞踊家のために音楽家が作曲するということから、パートナーとなることも多いのだ。

宅孝二はまた、永井荷風との関係も知られている。荷風の日記『断腸亭日乗』に何度も登場しているのだ。荷風には親しい作曲家、菅原明朗がおり、そのつながりで宅も荷風と交流があった。荷風もフランスに留学しており、フランス音楽に関心があったためだろう。そして東京の空襲で焼け出されたときに、荷風は最初は菅原夫妻、次に宅の家に寄宿していた。そこも焼け出されたときに、荷風は宅が先に避難していた岡山に避難した。そのとき、宅は原爆投下後の広島でコンサートを行っている。荷風は、菅原を作曲者にして、荷風台本による歌劇『葛飾情話』を上演した。

伊福部昭

舞踏以前のモダンダンスでは、舞踊家は音楽を音楽家に委嘱することも多かった。特に有名なのは、大野一雄の師でもある江口隆哉と伊福部昭（一九一四〜二〇〇六年）による作品だろう。一九五〇年の『プロメテの火』には、大野一雄も出演している。

映画『ゴジラ』（一九五四年）の音楽で有名な伊福部昭は、近年、評価が高まっている。北海道出身で、正規の音楽教育を受けていない在野の作曲家でありながら、東京芸術大学、東京音楽大学などで教鞭をとった。伊福部昭は警察署長の息子で、三兄弟みな音楽家として活動した。なかでも伊福部は、北大のオーケストラに入った一年のときにコンサートマスターを務めるほど、ヴァイオリンがうまかった。そして、ストラヴィンスキーやムソルグスキーの影響から作曲を始め、大学卒業後、森林事務所に勤めながら作曲した『日本狂詩曲』により、二二歳で、チェレプニン賞を受賞。ちなみに、宅孝二はパリでその受賞発表を見たという。以降、伊福部の作品は海外のオーケストラなどで演奏される。そして、映画音楽を含めた多くの曲を作曲しているが、ここでは舞踊関連だけに焦点を絞る。

一九四〇年は皇紀二六〇〇年を記念して、さまざまな芸術家が作品を発表する機会があったが、伊福部昭は『交響舞曲　越天楽』を作曲した。これは雅楽『越天楽』に題材をとったもので、北海道の三万五〇〇〇人収容の屋外会場で合唱や舞踊を含めて六〇〇人が出演する大規模なものだった。

この舞踊を制作したのが札幌の勇崎愛子（アイ）とその舞踊研究所で、東京の江口隆哉・宮操子の研究所で学んだ経験があった。そして、伊福部は彼女と結婚する。なお愛子の兄は奇術師の勇崎天暁である。この結婚が契機であろうか、上京した伊福部は江口の作品などを戦後、作曲することになる。

一九四七年に『エゴダイザー』、そして『プロメテの火』（一九五〇年）、『日本の太鼓〈ジャコモ・ジャンコ〉（鹿踊り）』（一九五一年）、『ファシャン・ジャルボオ』（一九五六年）、『日本二十六聖人』（一九七二年）。また、バレエの貝谷八百子『サロメ』（一九四八年）、『憑かれたる城（バスカーナ）』（一九四九年）。石井漠作品は、『さまよえる群像』（一九四八年）、そして有名な『人間釈迦』（一九五三年）。

当時、貝谷八百子『サロメ』は一八〇回、石井漠の大作『人間釈迦』は三六〇回も上演され、石井漠の通夜にもこの曲が流れたという。江口隆哉の『プロメテの火』も発表から十年近く、各地で巡演された。そして『日本の太鼓』は一九八四年、管弦楽曲として初演、『サロメ』も一九八七年に舞踊音楽として初演されている。また、江口隆哉との『プロメテの火』と『日本の太鼓』は最近、再演される機会があった。

もちろん武満徹、芥川也寸志、湯浅譲二、林光などの現代音楽の作曲家たちもモダンダンスの作品を作曲している。また林光は松山バレエ団の創作

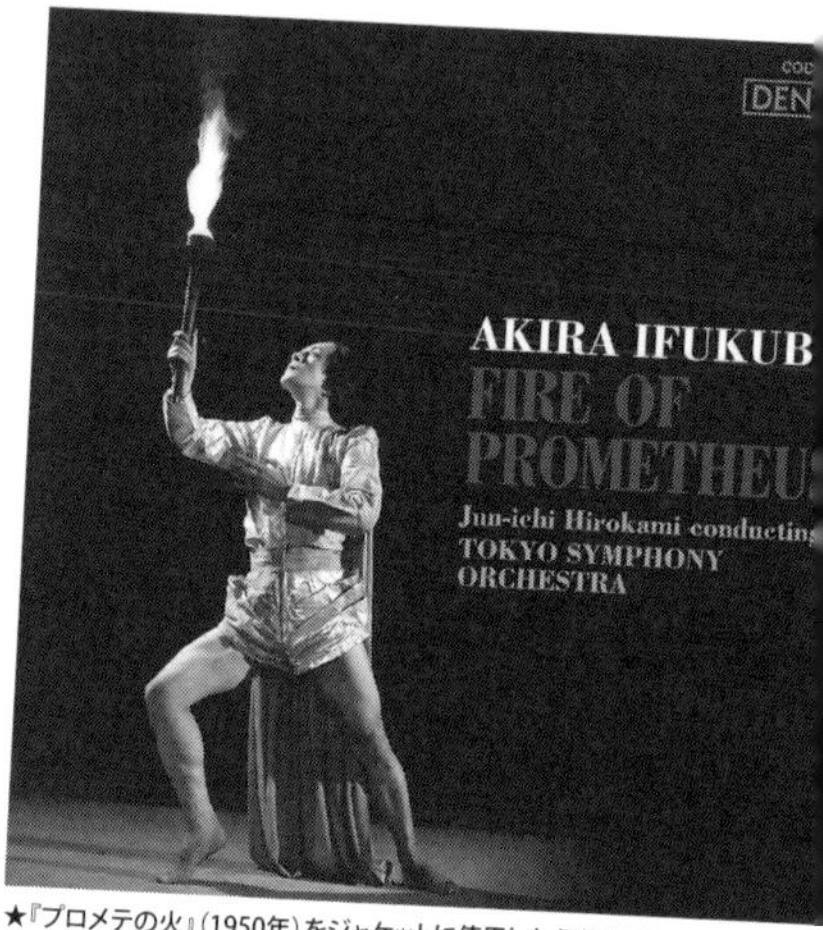

★『プロメテの火』（1950年）をジャケットに使用した伊福部昭のCD

バレエ『白毛女』(一九五五年)も手がけている。

だが、伊福部と舞踊のつながりは特別だったといえる。伊福部自身も回想しているが、彼が惹かれたストラヴィンスキーは『春の祭典』や『火の鳥』などの舞踊音楽を作曲しているので、当然の道筋だったのだろう。また、妻が元舞踊家であったことも影響している。そして、伊福部は四〇〇あまりの映画音楽を作曲しているが、舞踊音楽はそれとは違っていた。伊福部は言う。


バレエ音楽は映画音楽とは違ってモティーフの発展を音楽の自律性だけで進めていけます。(中略)バレエ音楽は効用音楽とはいいにくい。私としては、純音楽、管弦楽作品と同等のとらえ方をしています。

つまり、映画の場面展開に合わせて音楽をつけていく、「効用音楽」(効果音)的な映画音楽に対して、舞踊の音楽は自立しており、通常の作曲と同様だとする。これは、江口隆哉の発想とも同様だ。というのは、江口も舞踊が音楽に従属することを避け、それぞれ自立しうるように、作曲と振付を同時に進行することを行っていたからだ。とは言っても、どちらが先とか、強いとかは、それぞれあるようで、伊福部は次のような証言も残している。

『プロメテの火』は好評をもって迎えられた作品には違いないけれども、音楽としてはほとんど江口さんのいいなりで作ったものですね。その意味で他律しかないようなものです。

今井重幸

土方巽と音楽の関係を考えたときに、音楽家、プロデューサーの今井重幸(一九三三〜二〇一四年)の名を想起すべきだろう。周知のように、今井重幸は、米山九日生(ルビよねやまくにお)に土方巽という名前を与えたが、音楽家としても著名だ。土方との出会いは、今井がパントマイムで有名になる前のヨネヤマ・ママコに惚れ込み、彼女のために、阿佐ヶ谷に劇場アルスノーヴァをつくったことだった。土方は、大野一雄の師の江口隆哉にヨネヤマも学んでいたこともあり、ママコの住むアルスノーヴァに転がり込んだ。そして、ママコにも迫ったがママコは難なくかわしたらしい。

その今井が一九五九年の『禁色』前年の舞台を制作・演出・振付している。それは、一九五八年一二月、劇団人間座と今井が主宰する現代舞台芸術協会の合同公演として、六本木の俳優座で上演された『埴輪の舞』と『ハンチキキ』である。土方巽は『埴輪の舞』の振付助手、ママコは『ハンチキキ』の振付とクレジットされており、後者には二人と大野一雄、土方とともに津田信敏に学んだ若松美黄、モダンダンスで活躍する西田堯、庄司裕、三条万里子、NHKの「体操のお兄さん」で知られる砂川啓介などが出演している。なお西田と砂川は江口隆哉の弟子であり、ママコも江口に学んでいる。彼らの出演は、そのためもあったろう。今井は『埴輪の舞』を作曲、『ハンチキキ』の音楽は、今井ではなく原田甫《はじめ》が作曲している。原田は伊福部と同じく北海道出身で、芸大で伊福部に師事し、ドキュメンタリーなどの映画音楽を多く手がけた。アイヌの神謡の雀の酒盛りで、「ハンチキキ」と歌い出す曲を元につくられた作品だ。公演のパンフレットに原田は、「三振の連続である」と作曲が失敗であったようなコメントを残しているが、今井、原田、土方らが、金田一京助に取材したため、金田一は「鳥の啼き声——それもちょっと変わった音群で変化するものだから、アイヌの娘が歌うのを聞いてもちょっと楽しかった」という言葉を寄せた。大野はママコに「ここに才能に恵まれた少女がいる。私は目をみはるばかりだった」という言葉、土方の金田一への「アイヌのことにふれて始終博士は熱中し静かに泣キマス。泣くのだからな、スキだからです」という言葉も残っている。この舞台の美術は朝倉摂だった。

その後、土方は師の津田信敏の妻であった元藤燁子とともに阿佐ヶ谷で生活を始め、津田の研究所をアスベスト館とする。

今井はなんと一九歳の一九五二年に二瓶博子舞踊団の『Danse Tripique Bacteries(「細菌」三章)』、一九五四年には佐藤祐子舞踊団の『独楽』、横山はるひバレエ団の『Ballet "Pinocchio"（ピノキオ）』、江口隆哉・宮操子舞踊団の『蜘蛛の糸』を作曲している。そして一九五七年、大野一雄の第三回リサイタル」では、大野一雄と花柳照奈による『Unicorn（一角獣）』、ヨネヤマ・ママコの『雪の夜に猫を捨てる』の音楽を担当している。このように、大野一雄ともモダンダンス時代につながりがあったのだ
今井は一〇代から自己流で作曲を始め、一七歳のとき、一九五〇年の江口隆哉の『プロメテの火』を見て衝撃を受けて、伊福部昭に師事した。そして、ヨネヤマ・ママコが俳優、岡田真澄と結婚してからは、モダンダンスの三条万里子、フラメンコの長嶺ヤス子、小松原庸子などの音楽やプロデュースを行った。自ら劇団をつくり、また野沢那智の薔薇座なども制作した。フラメンコ、オーケストラなど多くの曲を作曲しており、テレビ創成期の音楽、映画音楽も多数手がけている。
二〇〇三年三月三〇日には、大規模な「今井重幸音楽作品・舞台作品回顧展」が東京文化会館で開かれ、オーケストラ・ニッポニカが今井の曲を演奏し、ヨネヤマ・ママコ、小松原庸子、長嶺ヤス子、吉原すみれなどが出演しており、『埴輪の舞』も再演している。二〇〇六年の伊福部昭の逝去時に今井は葬儀委員長をつとめ、二〇〇九年には、一七歳のときに衝撃を受けた伊福部の『プロメテの火』を、約六〇年後たって『オーケストラの為の交響的舞踊組曲「プロメテの火」』として編曲した。そして、二〇一四年の今井重幸逝去後の追悼公演には、大野慶人も出演している。

実験工房とグループ音楽

舞踏に先立つ舞踊と音楽の前衛的表現では、瀧口修造による実験工房の活動がある。実験工房は北代省三、福島秀子、山口勝弘ら美術家、武満徹、湯浅譲二、芥川也寸志、園田高弘ら音楽家、そして写真家大辻清司によるものだった。一九五一年のピカソ祭バレエ「生きる悦び」では武満徹らが音楽で、谷桃子が出演している。一九五五年のバレエ実験劇場では、武満徹らの音楽により『未来のイヴ』、『乞食王子』、『イルミナシオン』を上演した。これらは前述の川路明が演出振付で松尾明美が出演している。

さらに一九五七年の「花柳寿々摂・寿々紫リサイタル」では、日本舞踊の前衛である花柳寿々紫とともに、能を前衛的に表現した『松風』（演出：武智鉄二演出、装置：北代省三、衣装：福島秀子）を上演し、ジョン・ケージのプリペアドピアノ『アモレス』を使った。花柳寿々紫はその後、米国で有名なロバート・ウィルソンの舞台の振付を担当した。

土方巽の初期作品、六〇年代はじめには、ネオダダ・オルガナイザーズの赤瀬川原平、中西夏之、風倉匠、グループ音楽の小杉武久（一九三八～二〇一八年）、刀根康尚らも参加していた。一九六二年、土方振付・演出で土方の妻、元藤燁子による『レダの会発足第一回公演』では、刀根と小杉が音楽を担当し、小杉はサックスを吹いている。さらに、一九六三年の土方の『あんま――愛慾を支える劇場の話』は風倉匠、赤瀬川原平が美術、小杉武久が

★今井重幸「回顧展」のチラシ（上）とその録音CD（下）

音楽、六五年の『バラ色ダンス――A LA MAISON DE M.CIVECAWA』は中西夏之、加納光於、赤瀬川原平が美術で、小杉武久、刀根康尚が音楽である。そして六六年の土方の『暗黒舞踏派解散公演 性愛恩懲学指南図絵――トマト』では、刀根康尚が音楽、六七年、土方が振り付けた高井富子『形而情學』では、小杉武久が音楽を担当している。小杉武久、刀根康尚らは、アメリカのジョン・ケージやフルクサスとも親交があった。

赤瀬川などのネオダダ・オルガナイザーズと土方巽のつながりは、土方が一九五五年に転がり込んだ赤坂の舞台美術家、金森馨や美術家、河原温が住むアパート、「赤坂粱山泊」と呼ばれた進駐軍用連込み宿に、前述の黒木不具人、小原久雄などがいて、篠原有司男とつながったからだろう。

そしてグループ音楽とのつながりは、モダンダンスの邦千谷の研究所で開かれていた、二十世紀舞踊の会だろう。邦正美から一九五二年に独立して公演を行っていた、邦千谷の研究所に、一九六〇年には、水野修孝がバレエピアニストとして参加していた。当時は録音機も普及しておらず、バレエだけでなく、モダンダンスの稽古にはピアニストが欠かせなかった。前述の宅孝二と安藤三子も同様だったろう。

二十世紀舞踊の会には、山野博大、うらわまこと、池宮信夫ら舞踊批評家を中心にモダン、日舞、バレエなどさまざまな舞踊家が集った。そして、一九六〇年に邦千谷のスタジオで、第一回公開実験として五日間、「舞踊と抽象」という講演と舞台を行う。ここにはモダンダンスの芙二三枝子ら、日舞の花柳寿々紫、大野一雄、土方巽、細江英公らも参加している。そして第三回「舞踊と音楽」にはグループ音楽が参加している。その後、六二年の邦千谷の『ダンスアクション 作品1962』には水野修孝、今井重幸が参加し、以降、邦の舞台やイベントには、水野修孝、小杉武久、刀根康尚が七〇年代まで関わっていく。なお、一九九五年には、美術家のナム・ジュン・パイクが福岡アジア賞を受賞し、邦千谷、風倉匠、小杉武久とともに公演『帰去来』を行った。なお映像作家の久保田成子は、邦千谷の姪であり、小杉、刀根らとの関わりから渡米してパイクと結婚した。

一九六八年の『土方巽と日本人 肉体の叛乱』では、音楽の構成は土方自身が行っているが、二人のピアニスト、深町純と和田則彦がそれぞれ白と黒のピアノを舞台で弾いた。深町純(一九四〇〜二〇一〇年)は、七〇年代後半から活躍した作曲家、音楽家。多くの映画音楽、テレビの音楽などをつくり、シンセサイザー奏者としても知られ、井上

★水野修孝「ジャズ・オーケストラ'73」

★『土方巽と日本人 肉体の叛乱』
photo：長谷川六

★深町純「ゴールデン☆ベスト」

陽水のアルバムなどにも関わっている。和田則彦（一九三二〜二〇一八年）も作曲家で電子音楽創世記の音楽家。多くのクラシックの楽譜の編集にも携わっている。かなり個性的であったらしく、おならの音楽家としても有名だ。ともに芸大出身のため、小杉武久らとのつながりから出演したのだろう。

　土方巽は初期は音楽家と仕事をしたが、その後は既存のレコードなどをつかって舞台をつくった。キャバレーやショークラブへの舞踏家を派遣する場合は、『ハーレムノクターン』のような既存のジャズなどの楽譜を踊り手に持たせて、クラブのバンドがそれを演奏するのだ。

　なお、土方の舞台で流れたことで有名なのは、最後は『アメイジンググレイス』の軍楽隊版、そしてビートルズの『ボクサー』、ジョン・コルトレーンの『至上の愛』などさまざまである。

ケージとサティ

一九五〇年代からの日本の前衛は、欧米の前衛、パフォーマンス、当時のハプニングやアクションと関係が深い。来日したジョージ・マチウやアラン・カプローなどのアクション・ペインティングやハプニングの影響がある。これらはジョン・ケージ（一九一二〜九二年）が五二年、五三年にブラックマウンテン・カレッジで教えたことから始まったとされる。一九五二年は特に、ハプニングの先駆ともいわれる『シアターピース第一番』、そしてピアノを弾かない『四分三三秒』、ピアノに木片や金属を挟んでパーカッシヴな音で弾くプリペアードピアノのための『ソナタとインターリュード』という代表作の一つを発表している。この影響下で欧米でハプニングなどが流行ったが、フルクサスもその流れにある。また、ポストモダンダンスもそうだといえるだろう。そして、日本のネオダダ・オルガナイザーズとともに土方巽と関わったグループ音楽の小杉武久と刀根康尚は、早くからケージやフルクサスと交流していた。

　そのため、一九六二年、ジョン・ケージと『四分三三秒』を初演したピアニスト、デヴィッド・チュードアが土方巽のアスベスト館に来館したときは舞踏家たちと小杉らのグループ音楽による歓迎のイベントを催している。そして小杉は、七〇年代に渡米後、ケージのパートーナーでもあったダンスのマース・カニンガムの音楽を担当し、後に刀根も担当することになる。また、小杉武久は一九六九年に、タージ・マハル旅行団を結成する。これはロックと電子音楽、現代音楽を融合したグループで、日本のロックフェスなどに出演して広く知られ、その後、インドから欧米に渡り、国際的にに活躍する。そして、一九七六年ころに小杉らが脱退して活動を停止した。そして、刀根康尚は、七二年に渡米後、やはりマース・カニンガムの

★ジョン・ケージ

★タージ・マハル旅行団
「ライヴ・イン・ストックホルム1971」

音楽を担当して米国を拠点に活動し、ノイズ音楽、電子音楽の分野で活躍を続けている。

ジョン・ケージの音楽はパフォーマンス的なもの、偶然性に依ったものが多いが、ダンスとの関係も強い。また、ケージが積極的に米国に紹介したのがサティである。

エリック・サティ（一八六六〜一九二五年）の音楽もダンスと関連性が深い。パリで活動していた、ディアギレフのバレエ・リュスが、一九一七年に発表した『パラード』は、ジャン・コクトーの台本、ピカソの美術と衣装とともにサティの音楽で上演された。タイプライターの音や自然音、ノイズなどを使った問題作である。さらに、一九二四年には、バレエ・リュスに対抗して生まれたバレエ・スエドワ（スウェーデンバレエ団）のために『本日休演（ルラーシュ）』を作曲、上演している。この公演では映像上演がされたが、そのために映画監督ルネ・クレールが撮った『幕間』はマルセル・デュシャンやサティも登場し、現在、前衛映画の一本として上演される。その年には、エティエンヌ・ド・ボーモン伯爵が企画した「ソワレ・ド・パリ」公演でバレエ曲『メルキュール』を発表している。実はサティはそれ以前、キャバレー「黒猫」のピアニストとして糊口をしのいでいた頃に、J・P・コンタミーヌ・ド・ラトゥールとともに作曲しているが、その一つにバレエ『ユスピュ（三幕のキリスト教的バレエ）』（一八九二年）がある。

日本でサティが紹介されたのは、一九二〇年代で坂口安吾も言及している。三〇年代には松平頼暁、伊福部昭らが演奏し、伊福部は、「『ジムノペディ』は人類が生み得たことを神に誇ってもいいほどの傑作」と述べている。ただ、一般に広くサティが聴かれるようになったのは、ロックの影響だろう。一九六八年に発表されたブラスロック・グループ、ブラッド・スウェット・アンド・ティアーズ（BST）のアルバムの初めと終わりに『エリック・サティの主題による変奏曲』が演奏されているのだ。そして、サティの『ジムノペディ』（一八八八年）や『グノシエンヌ』（一八八九、九一、九七年）などは、日本でも多くのダンスの舞台で使われてきた。

同様に、コンテンポラリーダンスの舞台でよく使われるのが、エストニアのアルヴォ・ペルトの音楽である。サティとの共通点は、ピアノがベースでシンプルな音、そしてネオクラシックともいえる現代音楽であることだ。サティは自分の作品を「家具の音楽」と呼び、生活の邪魔にならない、一種の環境音

★エリック・サティ

楽的なものと位置づけていた。バッハもそうだが、サティやペルトのニュートラルさが、色のつき過ぎない音楽として、モダンやコンテンポラリーなどの現代のダンスに合うのだ。それは、テリー・ライリー、スティーヴ・ライヒなどの繰り返しの続くミニマル・ミュージックも同様である。

音楽と前衛

美術家中西夏之は、土方に「あなたは音楽を聴かない人だ（中略）あなたは私に似ているから音楽は聴かない……音楽は食べるものですよ」と言われた。また、中嶋夏によれば、土方は「音楽は強すぎる」と言った。土方は自然のノイズ、火山の音や燃える音などを使い、クラシックも部分を何度もリフレインさせるテープをつくって舞台に使った。テープを切り張りして、音楽を構成したという。これは、当時のミュージック・コンクレートといわれる手法だろう。いまはあまり聞かないが、七〇年くらいまでは、現代音楽のジャンルとしてよく登場した。ノイズや自然音、さまざまな録音源をコラージュしたものと考えればいい。これは黛敏郎が日本に紹介して広めたというが、土方は一九五九年、一九六〇年の二回の「六人のアヴァンギャルド」で黛と並んで出演しており、黛は伊福部、今井重幸とも交流があったので、その影響もあるかもしれない。

土方は、それに先立つ一九五七年には武智歌舞伎で知られる武智鉄二の『ミュージックコンクレート・

娘道成寺』に出演している。これは、その名のとおり音のコラージュによる音楽を使った作品だろう。狂言の茂山千之丞などが出演している。考えてみると、一九五九年の『禁色』の音楽も土方自ら「ジュテーム」やあえぎ声を録音してつくったものだ。彼はその点でも先駆的といえる。そして土方は、舞台には、歌のある音や感情的な音よりも、自然の声や音、そして抽象的な音を求めたのだ。
土方は著作のなかで、音楽や音楽家についてほとんど言及していない。ただ『病める舞姫』（一九八三年）の中には、登場人物が歌う歌がいくつかある。
白マントの女と黒マントの女の場面では、白マントは、「雪にただよう水蜉蝣《かげろう》、夏がただよう人みしり。十万年の昔から、出てゆく空は寂しげだ」と黒マントをからかい、さらに次のように歌うのだ。

一体なんのにごり鳥
ガマの御宮に御参りで
帰りは煙になったとさ
煙は空に道歩く
憂い殺しの奥義をば
世情世界にばら撒かん

ライヒのミニマル、ペルトやバッハ、ケージなどの音楽が舞踊を妨げないという考えは、おそらく踊る人たちはずっと考えてきたはずだ。というのは、邦千谷の師である邦正美は、一九三三年には打楽器だけの無音楽舞踊会というのを行っている。大野一雄の師である江口隆哉も、一九三四年に、邦同様に打楽器だけの無伴奏舞踊の「習作NO1」、「習作NO2」を上演した。これは江口が学んだドイツのマリー・ヴィグマンらのノイエ・タンツの影響とされる。実はその前の石井漠も、ノイエタンツに触れて、「在来の舞踊は、多くの場合舞踊が音楽の下におかれ、音楽の奴隷になっていたのを、反対に音楽を舞踊の下において、音楽を舞踊の奴隷視している」といっており、一九二五年には木魚などの打楽器音による『食欲をそそる』を上演している。そして、村山知義もヴィグマンの踊りについて、次のように述べている。

音楽なしでドラの音だけで踊った。そして最後には何らの音なしで踊った——恐らくは心臓の鼓動で。こんな真剣なダンスを、私はいまだかって見たことがなかった。

江口の『エゴザイダー』（一九四七年）は、ヴィグマンの弟子でラバノーテーションで知られるルドルフ・ラバンが訓練器具として開発した二〇面体の枠「イコザヘトロン」のドイツ語「イコザイダー」に由来する。そして江口は、三五年、「物体舞踊」を提唱し、人の出てこない「エチュード」「丸の休み日」を上演している。これは、バウハウスのオスカー・シュレンマーによるトリアディック・バレエの影響ともいわれる。これとともに上演された「波紋」は、江口と宮操子が全裸を思わせる薄い白布のみを身にまとい、欧州の裸体舞踊の影響ともいわれる。また、津田信敏も無伴奏の「絶対舞踊」を唱え、一九五〇年代に、人が出てこない公演を行っている。土方の前衛はその津田の影響が大きいともされる。
なお、江口がドイツで発表し、一九三三年に日本で上演した『手術室』は大野が江口に師事するきっかけとなった作品だが、二〇一七年に大野一雄アーカイヴの協力で、岡登志子が残された一枚の写真によって『手術室から』として再演した。このように、土方・大野以前のモダンダンスは、それぞれ欧米の影響を受けつつ、前衛、新しい舞踊を追求していた。土方と大野は当然、その影響は受けていた。だが、それを超

★江口隆哉・宮操子『愛とスクラム 他』の公演プログラム（1949年）

★大野一雄『ラ・アルヘンチーナ頌』photo：池上直哉

えた新しい踊りを生み出した。それが舞踏である。

大野一雄、舞踏家と音楽家

大野一雄の舞台では、『禁色』でハーモニカを演奏した安田修吾がたびたび作曲し、音楽を担当した。『ラ・アルヘンチーナ頌』（一九七七年）では、大野一雄がバッハの『平均律一番』を演奏するグランドピアノとともに運ばれてくるが、それを演奏していたのは永井宏である。永井はその後、ピアニスト、指揮者として活躍している。そして、後半に流れるタンゴの生演奏は、池田光夫（一九二七～二〇〇二年）率いるタンゴバンドによるものだった。池田は日本一といわれたバンドネオンの名手で、二日間の公演の一日は、途中で予告なく即興作品を演奏した。さらに、九一年の再演のときもバンドネオンを弾き、一九八〇年の海外公演に同行した。

その後、大野一雄は、ピアニストの三宅榛名、ヴァイオリニストの佐藤陽子、三味線の佐藤通弘、桃山春衣、パーカッションの土取利行、吉増剛造の妻でヴォイスのマリリアら、さまざまな音楽家と共演している。

大野一雄の舞台で流れた音源で有名なのは、バッハ『トッカータとフーガ』だろう。一九七七年の『ラ・アルヘンチーナ頌』の冒頭でアナウンスの後、流れ出し、観客席から女装した異形の大野が立ち上がり、音楽とともに舞台に上がる姿は目に焼き付いている。また、このなかでは、マリアカラスが三曲使われている。大野はピンクフロイドなども舞台で使っている。

土方巽の初期の弟子で、早くから米国に渡り活躍している玉野黄市は、ＮＨＫ『シルクロード』の音楽で知られる喜多郎との共演が有名だ。田中泯は現在、舞踏家とは言っていないが、一九八五年に、土方巽の構成で『昼の月』を踊ったときには、米国のドラマー、ミルフォード・グレイヴスとのコラボレーションだった。また、田中泯の舞台音楽としては、野口実が有名である。

長年ドイツで活躍する遠藤公義《ただし》は、ゲッティンゲンでＭＡＵフェスティバルを主宰していたが、これは舞踏と音楽のフェスだった。といっても共演やコラボレーションのためのフェスではなく、音楽と舞踏の舞台は分かれているのが基本だった。

大駱駝艦と山下洋輔

唐十郎の状況劇場を出て、土方巽の元から独立した麿赤兒が大駱駝艦を結成した当初共演したのが、ジャズ・ピアニストの山下洋輔だ。山下洋輔（ピアノ）、中村誠一（サックス）、森山威男（ドラムス）は一九六九年、東京一二チャンネル（テレビ東京）にいた田原総一朗が企画したドキュメンタリーシリーズ、『バリケードの中のジャズ～ゲバ学生対猛烈ピアニスト～』で当時、学生がバリケード封鎖中だった早稲田大学の教室で演奏した。それを山下、麿と交流のあった作家、立松和平が企画してレコード『DANCING古事記』を麿レーベルで一九七一年に発売し、記念公演で東京工業大学などで、山下と麿の共演舞台を行った。

立松和平は、このバリケードの中の演奏を描いた

★山下洋輔トリオ「DANCING古事記」

小説『今も時だ』(一九七一年)が世に出るきっかけになった。室伏鴻が主宰していた舞踏派背火の奈良幸治が編集した書籍、一九九五年の『DANCING古事記』には、当時を描いた山下の『風雲ジャズ帖』や座談会などが掲載されていて、当時を活写している。その『風雲ジャズ帖』によると、一九七一年の東京工業大学の麿との共演は、次のようなものだった。

はだかの全身に墨のようなものをぬり、腰布に水でこねたウドン粉を一面にぬりたくり、グチャグチャのヘソ下三寸に真赤なバラを一輪さし、手には出刃包丁を持っている。ザンバラ髪と陰毛ヒゲ、虎目に真赤な口が物凄く、時々腰布のウドン粉の乾いたのを出刃ではがして食べるその有様はとてもこの世のものとは思えない。(中略)
麿の片足がピアノにかかって、パッと見得を切った瞬間、ドラムがダパトトンといっておれ達は「グガン」を始めた。麿は踊り狂いおれ達も負けじとやり続けた。出刃包丁と布団が宙に舞い、最後に麿が出刃をかまえて客席に飛び込み、キャーッという悲鳴とマローッマローッという大歓声の中を、まるで魔物のように客席最上段に駆け登って、そのまま外に飛び出した時、おれ達も「グガン」を終わったのだ。

この山下洋輔の描写の麿の容姿は、実は今もあまり変わりがないが、立松和平の『今も時だ』で描かれているように、もっと精悍だった。そして「グガン」は周知のように、山下洋輔トリオの代表作である。これがきっかけで、山下と麿は何度も国内外で共演している。二〇一九年、山下洋輔の五〇周年記念コンサートにも麿は出演して、ロッド・スチュワートの『セイリング』で踊っている。

舞踏家とジャズの共演は、この麿と山下が最初だろう。フリージャズの即興性が舞踏とは相性がいい。米国のフリージャズグループ、サンラ・オーケストラではダンサーが踊ることもあった。

一九六五(昭和四〇)年、東京・新宿に喫茶店として開業したピットインは、六六年からジャズのライブハウスになり、半世紀を超えた。六七年、六八年は、唐十郎の状況劇場による『ジョン・シルバー』『続・ジョン・シルバー』の公演が行われた。『続』では、山下は夜の部で演奏し、そのまま深夜の唐の舞台でもピアノを弾き続け、唐や麿と共演した。最初の公演に麿は出ていなかったようだが、鎌倉の合宿で意気投合した。六六年にはケネス・レックスロス、白石かずこと山下洋輔の「詩とジャズ」が行われ、七〇年からは前年にできたピット・インのニュージャズホールで、評論家、相倉久人の企画の「ジャズと詩の会」などが白石、吉増剛造、沖至トリオなどで行われるようになる。また、六八年には、シアター・ピット・インで曜日替わりで、人間座、すまけい、天井桟敷、演劇企画集団66などが出演している。

実は一九六七年、麿と山下洋輔は、中嶋夏の舞台で共演している。土方の元にいた中嶋は、土方の演出・振付による第一回公演『女達』で、新宿の風月堂仲間だった唐十郎と麿赤兒に出演を依頼した。二人はもう一人の男性とともに、客席から出て自転車を持ち上げる役だった。女性の中には李礼仙もいた。音楽は山下洋輔トリオが生で出ていたという。その自転車は、土方が交渉してブリジストンから提供させた新型だった。

『新宿ピットインの五〇年』(二〇一五年)の年表は当初の舞台に少し触れているが、ジャズが大半なのは少々残念だ。ピットインはジャズと詩、ジャズと舞踏や演劇とのコラボレーションの舞台でもあった。後述の渋さ知らズの公演にダンサーや舞踏家が出演したことは、年表からも読み取れる。そして、日本では、ピットインのみならず、各地で多くの舞踏家がフリー・ジャズと共演していいる。例えば、堀川久子はチェロのトリスタン・ホンジンガーと共演している。

　こういった舞踏とジャズの共演は、詩とジャズの共演が背景にあるのではないだろうか。詩とジャズの共演は、米国のビート詩人たち、アレン・ギンズバーグやジャック・ケルアック、ゲーリー・スナイダーらが五〇年代後半に始めた。それを米国から帰った詩人・翻訳家の諏訪優が呼びかけて、日本でも詩の朗読とジャズの共演が始まる。そして一九六一年には奥成達が企画して「新人類学」という詩の朗読とジャズの会が三井生命ホールで行われた。多くの詩人が集まり、パントマイムのテオ・レゾワルシュも参加。音楽は、詩人白石かずこの弟のいた慶應大学ジャズ研究会で、ツイストダンスの会ともいわれパーティ的な要素もある会だったようだ。こういった詩とジャズの会が背景にあって、ピットインの詩とジャズの会が生まれた。なお、白石かずこは、その後も大野一雄とたびたび共演している。

現在へ

　土方巽の『夏の嵐』（一九七三年）の映画に二〇〇三年、音楽をつけたYAS-KAZは、土方の『四季のための二七晩』（一九七二年）、『静かな家』（一九七三年）の音楽、大駱駝艦の音楽を担当し、玉野黄市、小林嵯峨と共演している。またモダンダンスでも、本名の佐藤康和として、矢野通子の舞台などに音楽を提供している。後藤治も大駱駝艦の音楽を担当しており、近年、大駱駝艦は、渋さ知らズの音楽もよく使っていた。

　不破大輔が主宰する音楽グループ、渋さ知らズは、一九八九年、アングラ劇団の発見の会の劇伴から生まれ、ライブステージでは舞踏家やダンサーも参加する。ダンサーには松原東洋、若林淳、板垣あすかといった山海塾や大駱駝艦系の舞踏家などもいる。発見の会は、一九六四年に結成された劇団で、瓜生良介が主宰した。唐十郎の状況劇場、寺山修司の天井桟敷などと並び、佐藤信の黒テントの前身の一つともなった。テレビ演出家の今野勉も関わり、二〇一〇年代まで公演を行っている。田口トモロウも七〇年代後半、所属していた。

　大駱駝艦初期メンバーの天児牛大《あまがつうしお》が結成した山海塾の音楽は、吉川洋一郎、YAS-KAZ、さらに、NHK『映像の世紀』のテーマ曲でも知られる加古隆が多い。吉川は映像も担当している。なお舞台美術は中西夏之が主に担当している。同じく大駱駝艦初期メンバーの大須賀勇による白虎社は、ドイツの前衛音楽グループ、ノイバウテンとのコラボが有名である。また、『ダンシングヒーロー』で人気が復活した荻野目洋子のPVにも参加している。

　千野秀一はピアニスト、キーボード奏者、作曲家として活躍している。ダウンタウンブギウギバンドのメンバーだったこともあり、朝の連続テレビドラマや多くの映画音楽を手がけている。大駱駝艦にも楽曲を提供し、他の舞踏家やダンスの舞台に音楽を提供したり、演奏している。また、近年の大駱駝艦の音楽は、築山建一郎、土井啓輔、ジェフ・ミルズが手がけることが多い。特に最近は土屋とジェフのコンビで担当している。千野と同世代では、前衛大正琴演奏家でもある竹田賢一が舞踏家と多くのコラボレーションを行っている。

　最近の多くの舞踏の舞台の音楽家では、まず、曽我傑の名前をあげるべきだろう。多田正美らとの前衛的な音楽活動でも知られるが、舞踏の舞台では音楽のみならず音響、そして照明も担当することがある。さらに若い世代では、小林嵯峨の舞台を以前からたびたび担当してきた石川雷太の名前をあげておこう。他にも楽器奏者として舞踏の舞台に関わる音楽家は多い。

　音楽家、舞踊家ともに悩むのは、作品づくりにおける、それぞれの自立である。すでに石井漠や江口隆哉のところで述べたように、モダンダンス初期から、音楽と踊る、音楽に踊らされる、どちらが先といった問題は常に大きかった。新しい作品、他にない作品、自由な作品をつくろうとすると、その課題に対峙することが多い。そして、無音、ミュージックコンクレート、ノイズ、ミニマル、自然音、環境音などさまざまな音とともに舞台がつくられてきた。おそらくこの、舞踊と音楽という課題は、今後も、新たな作品をつくろうとする舞踊家、音楽家双方を悩ませ続けるのだろう。

音楽と生命と愛の欠片

◉文=本橋牛乳

Music for Airport

ささくれだった自分の心に受け入れられるもの。

あらためて周囲を見渡すと、それは自然で奇妙な風景だと思う。

二週間前までは、ぼくは綱渡りのように仕事をし、亡霊を相手に恋をしていた。

仕事の話から先にしよう。マンションのデベロッパーに就職して3年目。ようやく仕事を覚えてきたところだった。お客様と話すのは好きだった。結婚したばかりの家庭、赤ん坊のいる家庭、小学生の子どもがいる家庭。みんな多少なりとも幸せそうで、でもその幸せの形は様々だな、とも感じた。ぼくにできることといえば、形通りの説明と、あとはお客様の話を聞き、適度に相槌を打つこと。それに、子どもの相手も少し。

お客様の話からは、いろいろな話を聞く。仕事の話、趣味の話、故郷の話、子どもの自慢。別の人生を垣間見るということだ。特別面白いわけじゃない。でもそれ以上に、ぼくの話はいつも同じでつまらない。マンションの説明。キッチンの使いやすさ、浴室の広さ、子供部屋の構造、寝室の静かさ。デフォルトのインターネット回線、オートロック、二重窓。図書館や学校や病院がどれほど近いか、地域にはどんな人が住んでいるか。

お客様と話した後は、いつも少し自己嫌悪に陥る。マンションを売ろうとしすぎていなかったか、入居を勧めすぎていなかったか。あせらなくても、いいものであれば売れるから、大丈夫。そう言ってくれたのは、1つ上の先輩の女性、Nさんだ。

ぼくはNさんに恋していた。でも、何もできなかった。全てにおいてぼくより優れているNさんに対して、何ができる?

会社の雰囲気も嫌いではなかった。毎日、ばかみたいに遅くまで働き、ばかみたいに毎日飲みに行く。世界はマンションで出来ているようなものだった。

営業部員は誰もが予算、いわゆる売上目標を持っている。もちろん人によって金額は異なり、3年目のぼくはさほど多いわけではなかったが、それでも達成するのは難しいと思うくらいにはあった。なかなか入居者を獲得できないぼくに対し、説教する先輩は少なくない。それは、あまり聞きたいものではなく、嵐が過ぎるのを待つようなものだった。それでも、先輩たちは順調に成績を伸ばすので、ぼくの少ない目標が達成できなくても、事業部としての目標は達成できているので、ぼくはそれにぶら下がっていれば良かった。

といっても、それは半年前までの話。

自社で開発したマンションが欠陥品であることが指摘された。検査データを改ざんしていたということだ。耐震基準を満たしていない、など、さまざまな指摘がなされ、結局、会社は認めざるを得なかった。

そのことを知らなかったといえば嘘になる。みんな何となく知っていたことだ。耐震性能が要求されるような大地震が、そうそう来るとは思えなかったし、来たら来たでみんな崩れてしまう、そう思っていた。だから誰も、良心をとがめることはなかった。ばかみたいだと思う。でもそれは重大なことだった。

ぼくのいる営業部は、売れそうもないマンションを売ることになる。データは偽装していたので、検査し直したが、十分な性能はある、という言い訳。この物件は別のラインなので大丈夫。他社も同じことをしているし、それに比べたらまし。何とでも言える。優秀な営業担当者は、そうやって説得できる。ぼくもお客様にそのように伝えた。でも、自分が信じて居ないことを話しても、何も説得できない。

Nさんは毎日のように、仕事の合間に会社の悪口を言い、ぼくはそれをずっと聞いていた。それだけがぼくの救いだった。それなしに自分を肯定できなかった。

でも、Nさんはほどなく、退職し、ぼくはそこに残された。Nさんは、九州に帰るとだけ、教えてくれた。東京にいるのは、少し疲れたという。ぼくは、Nさんに連絡先を教えてもらうことはなかった。会社支給のスマートフォンの番号しか知らなかった。

Nさんがいなくなったあと、何度か、仕事をさぼって羽田空港に行った。故郷に帰るNさんに会える、ということを思わなかったといえば嘘になる。もちろん会えるわけはない。

たくさんの人が行き交う国内線のロビーでは、人はどんな想いでいるのだろうか。Nさんにとって空港はどんな通過点だったのだろう。

誰かにNさんの連絡先を訊けばいいのだろうか。ぼくは亡霊に恋をしていた。

会社はといえば、売上げが立たないまま、毎日のように会議で責められる。いつクビになってもおかしくなかった。

夜、なかなか眠れなかった。以前であれば、眠れないときは、よくポップミュージックを聴いていた。でも、ささくれだった心は、どんな音楽も受け付けなかった。雨の音や牧場の音、虫の声のCDをかけていた。音楽として聴くことができたのは、雅楽とアンビエントミュージックくらいだった。

Brian Enoの"Music For Airport"をずっとリピートにしていたことも多い。明確なメロディはなく、電子的な音が思いついたように鳴っている、人がおだやかな気持ちで空港で過ごせるように、ただその環境のためだけにつくられた音楽だ。

ぼくの想像の中の空港では、どんどん人が減っていった。

Covid-19の感染拡大によって、外勤の営業活動の自粛が求められた。会社は、インサイドセールスといえば聞こえがいいが、電話で営業して、資料を送りつけることをせっせとやっていた。電話でマンションを売るということだ。

結局、ぼくはクビになる前に耐えきれなくなり、退職した。もちろん誰も引き止めなかった。

失業手当の申請をしたが、すぐに転職先が見つかることもないだろう。持て余した時間を埋めるために、客がほとんどいない空港に来る。それでも、定期便は飛んでいる。どうしても乗らなきゃいけない人のために。

もうNさんはここにはいない、ということはわかっている。乗客はほとんどいないが、沈黙の亡霊たちがいるような気がする。

スマートフォンに入れた"Music For Airport"を、Bluetoothのイヤホンで聴く。目をつぶると、空港の日常が戻る。そして、人がどんどん減っていく。

亡霊たちが日常を取り戻す。それは、奇妙な風景だと思う

Async

ぼくが中学3年生のときに音楽を担当したS先生の話をしよう。

最初の授業のことは、よく覚えている。ジーンズの上下、その下に、たぶんロックコンサートの会場で買ったであろう黒いTシャツ。エスニック系のネックレス。チャーミングなワインレッドの丸いフレームの眼鏡。適当にしばったようなポニーテイル。入学式のレディススーツからあまりにもかけ離れた姿だった。去年まで担当していた、いつもかっちりとしたスリーピースのスーツを着ていた、クラシカルな先生とも、あまりにもギャップが大きかった。何が起こるんだろう、そう感じた。

最初の授業は、「音楽」という言葉についてだった。「音学」ではなく、楽しいものということだった。まして「音が苦」ではない、と。それに、受験にあまり関係ないので、そもそも音楽の楽しさを1年間でわかってもらえたらいい、ということだった。

それと、「君たちが、教員に採用されて最初の生徒になるので、よろしく」ということだった。

授業では、あまり教科書を使わなかった。「もう8年間も音楽の授業で基本的なことをやってきたと思うから、9年目はできるだけやりたいことをしよう」ということだったが。

例えば歌は、どこからかJポップの楽譜を持ってきて、いろいろと歌った。楽器も、リコーダーにこだわらず、好きな楽器を持ってきていいということだった。「カスタネットやトライアングルでもいい?」と質問する生徒に対しては、「もちろんいいよ」と答えると同時に、それなりの技術を見せてもらうということも付け加えた。

S先生によると、パーカッションは奥が深いそうだ。

ギターを持ってくる生徒もいれば、祖母のものだという三味線もあった。音楽準備室で楽器を探す生徒もいたし、ぼくたちにとっては懐かしい鍵盤ハーモニカもあった。そして、どんな楽器に対しても、S先生は上手に指導していたと思う。ぼくはといえば、そもそも楽器が苦手なのであまり選択肢がなく、最初はリコーダーで通した。

音楽の鑑賞の方も、バッハやベートーベンだけではなく、現代音楽

から邦楽、民族音楽、ジャズまでいろいろと聞かされた。John Cageの"4'33""を聴かされたときには、何が起きたんだろうと思った。

当番で音楽室を掃除しているときに、S先生にどうして教科書をあまり使わないのか、訊いてみた。

「音楽の授業って美術の授業とくらべると、ずいぶんとつまらなかったと思わない？　美術だったら自由に絵を描けるけど、音楽の授業では自由に歌ったり演奏したりできないでしょ。そんな授業では、音楽は楽しくないし、創造性もないと思ったの」

まあ、楽器ができないことで、ぼくにとってはなおさら面白くはなかったけれども。

そんな音楽の授業だったけれども、ぼくはといえば、音楽の成績は3年生になって下がった。2年生のときの先生はペーパーテストを重視したので、どうにかまともな成績だったが、S先生は実技重視なので、評価は甘くなかった。

ぼくがあまりに不器用だったせいか、見かねたS先生は、音楽準備室の奥からバスキーという楽器を取りだしてきた。低音専用のキーボードで、37鍵しかない。ソロを弾くには向いていないけれど、合奏には厚みを与えてくれる。

「片手で演奏できるし、さほど難しくはないけれど、リズムだけはきちんとキープしてね」というアドバイスをもらった。

6月ごろ、S先生が副校長とけんかしたという噂が学校に流れた。出所は、ＰＴＡ。何でも、吹奏楽部の顧問を先生が断ったというのが原因らしい。

うちの学校の吹奏楽部は、それなりに力を入れて部活動をしてきた。なんでも、区の大会、さらには都の大会で上位を目指すのであれば、手に余るということだそうだ。別の人によると、楽しく音楽を演奏するのでなければ顧問はしない、とも。結局、引き受けたのだけれど、実態は、国語の先生がめんどうを見ていたらしい。たまに、楽器の指導をしているくらいで。

もっとも、国語の先生が顧問をしていたやる気のない演劇部は、S先生が引き継ぐことになる。この演劇部、文化祭では演劇ではなくコントを延々とやって、学校全体をたっぷり笑わせてくれたことは覚えている。区の大会がどうだったかは知らないけれど。

1学期のテストは、課題曲を好きな楽器で演奏するというもの。ほんとうにみんな、いろいろな楽器で演奏したと思う。中には、パソコンに打ち込んできた生徒もいた。S先生によると、それもありだということだ。ぼくはというと、バスキーがはずかしくて、結局リコーダーにしたのだけれど、うまく演奏できなかった。

2学期はというと、好きな曲をアカペラで歌うというものだった。これはなかなか恥ずかしかったけれど、S先生いわく、30秒間、主役をやってみる、ということだった。

校歌から文部省唱歌、ビートルズから最近の洋楽、もちろんJポップにアニソンも。さすがに、ボーカロイドに歌わせるというのは、認めてくれなかったらしい。

先生が職員室にいることはほとんどなかった。いつも、音楽準備室にいた。ぼくのクラスは音楽室の掃除の担当なので、掃除のときはいつも先生がいたというのを覚えている。掃除の気分が乗るように、「カンパネルラ」を演奏してくれることもあった。そして、ピアノの演奏をするS先生が好きだった。

ある日、先生になにげなく、「どうして教科書通りの授業をしないんですか?」ときいたことがある。そのときの先生の答えはこうだ。

「美術の授業って、みんな好きな絵を描いているでしょ。だったら同じ芸術の授業なんだから、みんな好きな音楽をやってもいいと思うの。もちろん、絵を描く技術を身につけるように、演奏する技術、歌う技術は教えるわ。でもね、好きな音楽をやらなかったら楽しいと思わないし、それに、技術だけ教えるというのは、創造性のかけらもないでしょ。芸術の授業なのに、それって、ありえないと思うの」


3学期が始まったときに、S先生は最初に課題を出した。それは、16小節の音楽を作曲すること。期末テストは、それを先生と一緒に演奏するか歌うかのどちらか。

ぼくたちにとっては入試であわただしい3学期だったし、授業の方も卒業式に向けた歌の練習をしたり、持ち寄った楽器で演奏したり、そんな感じで過ぎていった。

期末テストの前に、楽譜をS先生に提出した。そして、クラス30人分の16小節の曲を、作曲した当人と一緒に演奏することになる。

適当に楽譜を書いた生徒もいて、それなりに苦労することになるし、曲を打ち込んだパソコンがうまく動かないこともある。いろいろな和音が並び、スケールが展開される。クレッシェンドだのリタルダンドだのを並べる生徒もいた。このときはぼくも観念して、バスキーで低音を演奏し、メロディをS先生にまかせることにした。とりあえず、去年の先生から、音楽の理論などは学んでいたので、和音の進行などを構成することができた。

それにしても、でたらめな切り張りの音楽が、およそ30分も続くという、不思議な時間だった。

このときの演奏は録音され、CD－Rが卒業式で配られたけれど、なかなか聴く気になれなかった。それが、先日、卒業アルバムと一緒にあったのを見つけたので、あらためて聴いてみた。とても聴けるようなものではなかったけれども、でも最後まで聴いてみた。S先生の演奏はとてもスリリングで、でもそのことをぼくはわかっていなかった。

Music for Mallet Instruments, Voices & Organ

午前中の仕事を一段落させ、昼食の用意をする。母親はずっと、洗濯物が干してあるベランダでひなたぼっこをしている。2階のベランダからでも、目の前の公園と樹々が見える。桜の花はとっくに散ってしまったけれども、それでも4月はほどよい季節だな、と思う。

昼食といっても、出来合いのハンバーグを焼き、トマトをそこに添える。それから味噌汁を温め直す。それだけだ。とはいえ、ハンバーグにはきちんと火を通さないといけない。

ハンバーグが焼きあがる頃、隣の部屋に住むYちゃんが来る。この4月に中学生になったばかりの女の子だ。母親が仕事に出ているので、一緒にお昼ごはんを食べるということだ。

母親とYちゃんのハンバーグの上には目玉焼きをのせる。けれども、母親の目玉焼きは、ぼくのところにくることになる。それにハンバーグも半分。母親は食べきれないといって、ぼくの皿に移すからだ。だからといって、最初から目玉焼きなしの小さいハンバーグにしたら、それはそれで不機嫌になる。

それは、ちょっと不思議な光景かもしれない。老いた母親と、離婚予定で実家に戻ったぼく、そして隣人の女の子。団地のダイニングの昼食風景だ。

でもそれは、ずっと続くものではないということも知っている。


去年の3月、ぼくの双子の娘たちはそろって高校を卒業し、4月から大学生になった。二人とも自宅から通っていたけれども、高校生だったとき以上に、自分の世界を持つようになった。というと聞こえはいいが、学校と自宅の往復ではなく、勉強だけでもなく、バイトや友達との行動範囲の広がり、そんなことだ。たぶん、もう、毎日の食事の準備や洗濯など、つまりそんなことはしなくても大丈夫なんだろうと思った。

子どもができてからずっと、妻とはさまざまな価値観の違いでぶつかってきた。でもまあ、一緒に子どもを育てるということでは合意していたし、そのために多少のがまんは覚悟していた。娘たちといるのは、楽しかったし。

でも、そろそろ、ぼくも自分の世界に戻ってもいいのかな、と思うようになった。1年ほど考えて、家を出ることにした。アパートを探そうと思ったけれども、母親のことでそうもいかなくなり、しばらく団地で一緒に住むことにした。

ぼくの父親は2年前に亡くなった。転倒して大腿骨骨折、寝たきりになったあとは、最後は誤嚥性肺炎。お決まりのコースを1年間で走り抜けた、といえばいいだろうか。不思議と悲しみはなかった。認知症が進行し、ゆっくりとあちらの世界に行った、という感じだ。

それまで、認知症の症状などなかった母親だったが、父親がいなくなってから、少し変わってきた。それでも、多少の認知症であっても、慣れたことはできるので、ずっとひとりで暮らしてきた。けれども、お正月に、台所の流しの下から、たくさんの焦げた鍋を見つけたときは、そろそろ限界かな、と思った。

正月明けに、妻と娘たちに、家族を卒業すると告げたけれども、妻はとっくにわかっていたというし、娘たちもしょうがないね、と思ってくれた。

一人暮らしの予定を変更して、3月から母親との同居を始めた。同時に、母親が入居する老人ホームを探すことにした。悪いけれども、母親の介護はできない。まだ、身体が動くうちに、新しい環境に慣れて欲しいとも思う。


Yちゃんの話もしよう。

3月の間は、まだぼくは会社に通勤していた。感染症の拡大が起きていたが、それでも最初はまだのんびりしたものだった。しかし、感染拡大が深刻化し、4月になると、原則として在宅勤務という判断をする会社が増えた。ぼくの会社も例外ではなく、ぼくはずっと母親のいる実家で仕事をし、たまに書類の受け渡しのために会社に行くくらいだ。

平日に自宅で昼食をとるようになって、初めてYちゃんと出会った。彼女はあたりまえのようにやってきて、一緒に昼食を食べた。でも、Yちゃんが何者なのか、母親の説明は少しも要領を得なかった。

結局、Yちゃんから話を聞くことになる。

Yちゃんは隣の部屋に住んでいて、母親とのふたり暮らしだそうだ。父親はYちゃんが小学校4年生のときに、なぜか出ていってしまったそうだ。それはあまり思い出したくないことらしい。小学校5年生のときに、どうしても学校に行くのがいやになって、それで学校に行く行かないで、毎朝母親と大声でけんかしていたという。そこにぼくの母親がやってきて、行かないなら行かないでいいから、しばらくうちにいなさい、とYちゃんをうちに引き入れたということだ。それを見て、Yちゃんの母親は、何も言わず仕事に行ってしまったという。

それからずっと、Yちゃんはお昼時になると、ぼくの実家にやってきて、ぼくの母親とお昼ごはんを食べていたということだ。

Yちゃんは小学校6年生のときは1日も登校することなく、そのまま卒業した。中学校になったら登校する、と母親には言っていたが、ぼくからは、まあ無理しなくていいよ、と言っておいた。中学校は通わなくても卒業できるし、自宅なり予備校なりで勉強して高卒認定試験を受けるということもできる。そんな話もしたけれども、まあ、今は考えなくていいのかもしれない。

結局、COVID-19感染症の拡大のおかげで、4月になっても学校は再開せず、入学式も行われないまま、教科書だけが届いたらしい。

4月になって、ぼくがここで仕事をするようになると、Yちゃんがここにいる時間も長くなった。ぼくに行かなくなった学校のことやマンガ、テレビのこと、ゲームのこと、それに父親と母親のことをずっと話し続けるか、ぼくが家を出るときに持ってきたゲーム機で遊ぶか、あるいはぼくの本を読むか、そのいずれかで時間を過ごしている。ぼくの母親もぼくに、昔のことや亡くなったぼくの父親の親戚の悪口を延々と話すので、ぼくはここではひたすら話を聞く役割だ。

仕事をしているのだから、といっても、二人ともなかなか聞いてくれない。

仕事をしている間、よくかけている音楽が、Steve Reichのミニマルミュージックだ。ポップミュージックのように熱い気持ちにならずに仕事をする、というときにちょうどいい。資料に目を通すときも、すんなりと頭に入ってくる。

ぼくの妻は、Reichの音楽は嫌いだった。「できれば、わたしがいるときにはかけないで欲しい」とまで言われた。単調な繰り返しのような音楽は、いらいらするそうだ。

ぼくの母親も、「変な音楽」と言う。あまり好きではないみたいだが、幸いにも耳が遠いので、あまり問題にはならない。Yちゃんも、「おじさんは不思議な音楽を聴いているのね」と言う。繰り返しのようでそうではない、そこが不思議だという。

「同じメロディや同じリズムを、二人の人が少しだけ長さを変えて演奏すると、どんどんずれていくよね。そうすると、元のメロディとは違うものができてくる。ずれはどんどん広がって、メロディもリズムもちがうものになってくる。でも、ずれはやがて小さくなり、元に戻る。そういう音楽なんだよ」

Reichの音楽がすべてそういうものではないにせよ。ぼくと妻の間も、こんなふうにずれていったのかな、とも思う。

「ずれが広がって元に戻ったら、またずれ始めるのかな」

「そうはならない。元に戻ったらそこで終わり。またずれることがわかっていたら、続ける必要はないよね。そうしたら、次の音楽にいくんだ」

Yちゃんのお気に入りのゲームは、ぼくがほとんどやっていなかった、「マインクラフト」だった。

ぼくがどうしても入り込めなかったゲームだ。プログラミング学習の教材として使っている小学校もあると聞いている。

立方体のブロックを積み重ねて小屋をつくり、あるいはそれを壊す。冒険に出る。立方体の豚を飼い、夜になれば何かがやってくる。Yちゃんが、その立方体で構成された静かな世界にいる限りは、ぼくは仕事のじゃまをされないですむ。

もう少ししたら、また、ぼくは通勤生活に戻るのだろうか。Yちゃんは、結局のところ、学校には行きたくないらしい。ぼくの母親は、施設への入所が決まったという通知を受け取っている。健康診断結果や要介護度などを合わせて、審査され、許可されたということだ。

残念だけど、ここから少し離れた場所にある施設になる。そこでは穏やかな毎日を過ごせるだろうか。

ぼくもここを出ていかなきゃならない。引きはらわなきゃいけない。

ぼくはまた一人で暮らし始める。

Yちゃんには、ゲーム機を置いていくと約束した。たとえ学校に行かなくても、ゲームをしている時間は無駄じゃないだろう。ネットワーク環境さえあれば、ゲーム機は世界に開かれている。

Minecraft | Volume Alpha

ぼくはこの世界にいる。

ぼくはこの世界でブロックを積み重ねる。積み重ね始める。

ぼくは重ねたブロックを壊す。

世界を旅する中で、何かを創ろうとしては壊す。その繰り返しだ。

思った通りにいくことばかりじゃない。

それでも、何かを創らないかぎり、何も始まらない。

ささやかな音楽だけが語りかけてくる世界に、どう答えたらいいのだろう。

気が付くと、ぼくはまだ何も創っていない。

あなたもまた、重ねたブロックを積み重ねる。

あなたもまた、重ねたブロックを壊す。

あなたと一緒に旅をして、一緒に創ることができたら、ぼくたちは何かを残せるのだろうか。

でも、まだぼくたちは何も創っていない。

世界はゆっくりと変化していく。変化していく中で、もう一度、ブロックを積み重ねる。

何度も失敗して、それでもブロックを重ねる。ぼくたちはそうして生きていくしかない。そうじゃないか?

カノウナ・メ
——可能な限り、この眼で探求いたします

加納星也

第40回 映画館をのぞけば、新しい映画様式のタイメシ・メニュー

世界最後の日には何を食べますか?

さて、新しい話をする前には、まず古い時代の話をしておかなくてはならない。自粛が解除されてしまえば、人間が解放に向かうのは当然の話。苦しい時代の苦労話など誰も聞きたがらない。でも、ここで敢えて話しておかなければならないのは、過去の精査なしには、現在から未来を見通すビジョンなど生まれるはずはないからだ。それが如何に苦難に満ちたものであれ、それを思い起こすには現在の痛みをさらに上塗りするものとして機能するものであれ、人間の歴史はこうして積み重なり、眼前に屹立する山のように、あるいは背後に控える怒涛の大河のように、常に我々につきまとうものである。

この映画を観たのは、大都心の劇場。すでに、コロナの感染による緊急事態宣言が予想されていた時期のこと。平日の昼間という条件もあるだろうが、この日たまたま仕事の帰りに時間が合い、この映画を選択した。

この映画を語るには不遇なタイミングがキーワードとなろう。皆さんご存じのように今年のアカデミー賞のグランプリでは、初の外国映画が受賞。しかも、粒ぞろいの名作として語り継がれるだろう欧米の候補作を押しのけて、あの韓国映画が受賞した。この衝撃の受賞作『パラサイト』に関しては2度も観る機会があり、さらに様々なメディアがこの快挙を称えているので、敢えてここでは語らない。

その粒ぞろいの候補作の中で、おそらく将来、名作として長く語り続けられるだろう映画が、この『１９１７』である。確かに地味である、映画のシチュエーションにしろ、昔から名作として語り継がれている話の典型でもある。また、個人の視点からこの種の戦争映画を描いたものとしては、クリストファー・ノーラン監督の『ダンケルク』が記憶に新しいが、あちらは記憶をモチーフに一環として創作活動を続けてきたので、その陸・海・空軍それぞれの視点から、この差し迫った状況を立体的に描き、成功作となっている。しかも、できるだけアフターエフェクトを使わず、映画道のど真ん中をいく王道中の王道として評価されている。

それに比べて、この『１９１７』。前評判ももう一つ芳しくなかった。その特徴的なワンカメラによるカメラワークにしても。映画全編にわたりワンシーン・ワンカットという手法をとっているが、実は巧みに複数のシーンをつないでいると初めから種明かし報道がされていた。視点をかえれば全くもって正直なのである。この前報道において、特にアート映画のうるさ方には、「なんだ、アフターエフェクトで、それらしく見せているだけなんだ」と、烙印を押されかねない。事実、このことを知ってしまった著者も、常に頭の隅でこの継ぎ目を探してしまっていたのである。

ところが映画を観ると、このバイアスは全くもって取るに足らない技術上の問題に過ぎないことがわかるのだ。長回しによる継ぎ目は、例えば状況が大きく変わるシーンや撮影時間や場所が大きく移動するシーンと推定するのは容易だが、まず継ぎ目を特定できないような巧みな編集になっている。

それよりも、この映画の主人公が自軍にとって不利な情報、撤退という、不名誉な伝令をかかえ、自分の兄弟がいる前線に単身向かうという設定が切ない。味方にとって喜ばれないどころか、却って戦意をそぐ命をもって、親友さえ無駄死にする危険な道を急ぐ。しかも、艱難辛苦を超え伝えた伝令は、自軍に役に立ったのか? その結果を見ると、さらに切ない。思えば、この戦争という行為自体が人間にとって、とても切ないものだ。

さて、この映画を観た著者の状況と

時制に戻ろう。この都心にある大きな劇場で万が一のことを考え、自席の前に誰もいない、しかも換気のよい扉付近のシートを取って開場とともにホールに入ったが、観客は自分一人しかいない。ふと、「最後の映画は何を観ますか?」という、天使とも悪魔ともわからない声が背後から聞こえそうだ。

一人で隅の隅に座るのは、あまりに勿体ない映画館の状況。一人で座り、運命の上映を待っている時間は実質どのくらいであっただろう。まるで、前線の塹壕に潜む伝令兵のようだ。しかし、やがて見知らぬ中年の男性の同志が予告編前に一人、そして予告編上映時に若い女性兵士が席に一人着いた。これで、前線突破は決まった。自分には、これが最後の映画になろうとも、THの読者の皆さんに、この映画の実感を伝令しなければならないのだ。それが、態勢にとって役に立たないかもしれないメッセージであっても。

★『1917 命をかけた伝令』
『アメリカン・ビューティー』でアカデミー賞を受賞した、『007スカイフォール』『007スペクター』のサム・メンデス監督最新作。あるミッションを与えられた若きイギリス人兵士2人の1日を壮大なスケールと深いドラマで描く。上映状況は検索を。

人生の寝起きには、刺激の強いスパイスを

さて、コロナによる自粛が緩和され、真っ先に観た新作映画がこれ。新しい生活様式に対応し、マスコミ試写でも事前予約をしてここに辿りついた。シートにも一つおきで余裕があり、感染対策の衛生環境も整っている。早すぎる熱波の到来で、熱中症のリスクが高い家を出て、ゆったりと映画と向き合えるのは至福の時である。さて、この間自粛していた甲斐があったか、今日は幸福な気持ちでしばしマスクの中でつぶやく。

ふと、そういえば今日の映画について全く予備知識を持たなかったことに気づいた。余りにも急なタイミングで映画館へと駆け付けたので、全く予習をしていないで、いきなり口頭試問に臨む劣等生のようなありえなさである。

改めて、プレスシートに掲載されているタイトルを眺める。『この世の果て、数多の終焉』? 何々、「虐殺をただひとり生き延びた若きフランス人兵士。復讐心に駆られ、傷ついた魂が行き着く果ては?」。やってしまった、新しい時代が来たと思ったが、また映画前線に駆り出されてしまった、しくじり先生ならぬ、しくじり学徒の再出陣である。

まさに映画は、泥沼の戦争。舞台はベトナムのジャングル。対米ベトナム戦争の前段として起きたが、今は忘却されつつあるインドシナ戦争。ベトナムは長いフランス統治下の後、第二次世界大戦で日本軍の二重支配を受けた。このことは、多くの日本人にとって、あまり思い出すことのない歴史的事実だ。

自分がベトナムを訪れた時は、ちょうどベトナム戦争終結から20年後の1995年。当時、米国で政権を握っていたクリントンは越米関係の修復に注力し、国交正常化に向けて大きな前進をした年だ。サイゴン市内は活気に満ち溢れ、この20周年を祝うイベントが多数行われ、バレエ、コンサートを始め祝祭ムードで一色に染まっていた。戦後20年といえば、日本で言えば昭和40年(1965年)、高度成長真っただ中の時代だ。その時代はまだ子供だが、自分の地元に「ベ平連」の事務所があり、それゆえ百花繚乱の70年代に多感な十代を過ごしたので、ベトナム解放に対する関心はないはずがなかった。しかし、ベトナム戦争の爪痕が残る歴史的史跡を訪れた際、現地の若者から聞いた話には衝撃を受けた。そうだ、アメリカだけでなく、日本はかつてベトナムを侵略していたのだった。その事実を簡単に忘却し、バブルの観光気分でいた自分を恥じた。

さて映画は、戦地のキャンプのベンチで一人座ってこちらを見つめる主人公のショットで始まり、同様なショットで終わる。状況は全く変わっていないが、背後を行きかう仲間の兵士たちや、そこから隔絶した場所にいるはずの主人公さえ、おぼろな印象を受ける。人生は一握の夢だ。そんな言葉が浮かんだ。ただ、この感覚には既視感がある。

おそらく想起されるのは、あの有名な『地獄の黙示録』だろう。確かあの映画も主人公がベッドで目覚めるシーンからはじまり、この悪夢のような風景が当時の大スクリーンに展開していく記憶がある。

しかし、派手なハリウッド大作との大きな違いは、この映画の主人公がフランス人であることだろう。当時のフランスがこのインドシナ戦争の泥沼にずぶずぶと浸かり、どうしようもなくなった現状。その一方で、現地女性との2重支配の構図など、大げさな政治理念や国政とは全く関係ない次元での個人の愛と性。これは、非常に普遍的な人間としての存在理由を問う旅路だ。

映画は、日本人兵士の奇襲攻撃による死体の山からかろうじて主人公が這い出す地獄のようなシーンから、やがて現地の幼女によって救われるひと時の天国を思わすシーンへと続く。そこからはまさに煉獄、そして兄夫婦を虐殺したであろうベトナム解放軍・ベトミン（ベトコンはアメリカ側からの蔑称）の補佐官への復讐のため、密林の深みにますますはまっていく姿を描く。現地女性とも別れ、軍隊組織から逸脱し、戦友を失い、残るはサルと侮蔑する解放軍捕虜と立ち往生する姿。

『地獄の黙示録』の原作でもあるコンラッドの『闇の奥』の、文明の暗がりに対する恐怖は、この映画ではより濃厚になっている。それが個人的なもので、感情的・肉体的なものであればあるほど、濃度は深まる。主人公が物語の随所で出会う作家は、恰幅が良すぎるほど成長した、あのジュラール・ドパルデューが演じているが、彼の愛読書が『告白』。このアウグスティヌスの自伝の示唆に、主人公の救いはあるのか？

★『この世の果て、数多の終焉』
第2次世界大戦末期、仏領インドシナが舞台。傷ついた若きフランス人兵士の姿を通して、戦場の生々しい現実を描いた戦争ドラマ。

2020年8月15日からイメージフォーラム他で上映。


そして、この映画の示す果てとは？ 幾多の困難の後に、人類に精神の平安は訪れるのか？

物語を超えるための秀逸食材アラカルト

今回は、紹介できなかったが、2つのニュー・メニューを簡単に紹介。

『バルーン 奇跡の脱出飛行』は、手づくりの気球で自由を目指し、ベルリンの壁越えを実現した2家族の実話がベース。かつて、ディズニー映画でも80年代に映画化された原作だが、今回は実際の気球制作からこだわり、圧倒的な展開で一気にみせる。

何気ない日常の生活から飛び立つ、ドイツのリアリズム演出で魅せる新感覚エンタメ。

ポルトガルの鬼才ペドロ・コスタ監督の『ヴィタリナ』は、ありきたりのリアリズムや物語展開を超えた新境地。亡くなった夫の葬儀のため、アフリカのカーボ・ヴェルデからリスボンにやってきた、女性ヴィタリナが紡ぎだす「語り」の真実性は、虚実のハザマというより、新しい物語の起源。マジックリアリズムの新たな進化。過酷な人生でありながら、そこに確かな光が見え、それは奇跡的ともいえる。

さて、これからも映画の一伝令兵として、また隊メシ食って、体を張って、新しい映像の最前線に戻ります！ 時差ナシ！

★『バルーン　奇跡の脱出飛行』
東西冷戦下の東ドイツ。手づくりの熱気球で西ドイツへの亡命を目指す2家族の脱出劇を、実話をもとに描いたサスペンス。

2020年7月10日からTOHOシネマズ シャンテほかで全国ロードショー。

★『ヴィタリナ』
2019年、「第20回東京フィルメックス」の特別招待作品として上映。

2020年9月上旬からユーロスペースでロードショー、全国順次公開。

バリは映画の宝島〈番外編〉

友成純一

キム・ギヨン——生きることは食うこと、食うことは殺すこと

キム・ギヨンは一九一九年十月、日本の統治下にあったソウルに生。四〇年、高校卒業後に京都に渡り、独学で演劇と映画を学ぶ。日本の敗戦による解放後、ソウルの医学校に進んで演劇活動に熱中したが、五〇年に朝鮮戦争が勃発すると釜山に避難、駐韓米国広報院で戦争ドキュメンタリーを撮り始めた。五五年、この駐韓米国広報院の製作による「屍の箱」で長編監督デビュー。同年の第二作「陽山道」でキム・ギヨンの作家としての模索が始まり、戦禍で荒廃した人々の姿をリアルに描いた「初雪」(58)「十代の反抗」(59)を経、韓国映画の代表作と言われる「下女」(60)で〈キム・ギヨン〉スタイルを確立。以降三十年に渡り、〝韓国映画界の怪物〟として獣じみた怪作を撮り続けた。

九〇年の「死んでもいい経験」を最後に映画界から遠ざかり、己が人生を「韓国映画界での四十年の幽閉」などと総括していた。九〇年代後半に再評価の機運が急激に高まったが、その最中の九八年、不慮の火災事故で逝去。今世紀に入って再評価の機運はますます高まり、今では韓国映画界不世出の巨匠と見做されている。

本誌№81で、「下女」「火女」「虫女」により、男＝オス＝種馬、女＝メス＝支配者という構図で、人間の獣性を抉り出した作品群を紹介した。今回は、人間の獣性のもう一つの側面、〝宗教〟から描いた作品群を紹介したい。

「高麗葬」——宗教は生活そのものである

密室のように閉鎖的な村は、シャーマンによる招魂儀式に支配されていた。

宗教は単なる〝信仰〟の問題ではない。信仰とは心の有り様を示すものであり、人間関係はこれで決まるし、生活そのものが左右される。宗教はそのまんま日々の生活であり、社会は宗教に規定される。キリスト教かイスラム教か仏教か儒教かは、どんな宗教を信じるかという個人の心だけの問題でなく、その社会の有り様を決めてしまう。日常生活では裏に隠されている人間の欲望とか情念は、儀式＝祝祭という非日常の場で、シャーマンを媒介に表出し、燃え上がる。

キム・ギヨンは「下女」(60)の三年後、「高麗葬」(63)で、山間の閉鎖的で因習に支配された村を舞台に、〝宗教〟に生きる村人の姿を、生々しく描き出した。山中の架空の村が舞台なのだが、荒涼とした岩だらけの風景、凸凹と切り立った山中の風景など、ドイツ表現主義を思わせるセットで組まれている。木下恵介「楢山節考」(58)に似て、本作は紛れもない美しくもグロテスクなファンタジーである。

村には、七十歳になると山に捨てられる風習があった。老人が身を犠牲に食い扶持を減らすという消極的な意味ばかりでなく、村の繁栄を祈るという積極的な目的もあった。日照りの飢饉が続いた時など、雨乞いのために老人が自ら山に祈願に行った。巫女ムーダン(巫堂)が、したがって村で最高の権力を握っていた。

そのムーダンが、ある予言をする——

村にはすでに五回の結婚歴があり、十人の息子がいる男寡《やもめ》がいた。彼のところに、一人息子のある美しい女が、嫁いで来る。この後妻の息子グリョンに、先妻の十人の子は皆んな殺されてしまうだろうと。

グリョンは十人の息子に、手酷く虐める。ついには毒蛇をけしかけられ、噛まれて足が不自由になってしまう。母は、夫のこの十人の息子たちとは一緒にはいられないと決意した。男に頼んで小さな畑を貰い受け、村外れに別居することになった。

それから二十年後——

グリョンに可愛い彼女カンナニが出来るが、足が不自由な上に貧乏なので逃げられてしまう。結局グリョンの結婚した相手は、口の利けない娘だった。二人は互いに、足が不自由だ喋れないだと罵り合いつつ、けっこう仲良く暮らしていたのだが……十人のバカ息子とそのスケベ親父は、後妻とグリョンにくれてやった土地が惜しくてならない。それを取り戻すために、口の利けない嫁を誘拐監禁し、土地と交換しようとする。嫁は監禁されている間に、十人に輪姦される。

嫁は隙を見てバカ息子の一人を刺し殺し、グリョンの下に逃げ帰る。一人を殺されたので、もう無理に理由を探す必要もない。九人はグリョンの下に押し掛ける。

その責めを逃れるため、グリョンは嫁に自害しろと迫った。他にどうしようもない。嫁は自刃しようとするが、どうしても自分では出来ない。仕方がないので、グリョンが突き殺してやるのだった。九人も納得するしかなく、諦めていったんは引き上げる。

それからさらに十五年後——

村は三年に渡る旱魃に襲われていた。村中が、食い物と水の不足に苦しんでいた。長者であるスケベ親父の家も例外でなく、口減らしのために、九人の息子はこのスケベ親父を山に追いやった。グリョンが自分の土地に井戸を掘り、水を自力で調達できるようになると、「そんな事をされたら、俺たちの水が売れなくなる」と、九人のバカ息子はグリョンの井戸に死体を放り込み、水をダメにしたりする。

かつてグリョンを捨てた美女カンナニだが、バカそうな亭主との間に今や九人の子を作っていた。バカ亭主は今や病に伏せっており、食い物を減らすばかりで何の役にも立たない。食い物にも水にも困り、カンナニはグリョンの下を頻繁に訪れるようになる。グリョンと母は土地を持っており、畑があるから。芋を求めてである。役立たずのバカ亭主はカンナニに、自分が死ぬ前にグリョンを誑し込んでモノにしろ、そうすれば食い物が手に入ると焚き付けていた。

カンナニは、まだ子供だが気の利く娘ヨニを、グリョンの嫁にやることにした。十歳に充たない幼い娘ながら、母と父の日頃を真似てグリョンに対してお嫁さんをして、一所懸命に世話を焼く。が、グリョンとしては、こんな子供を相手にする気になれない。結局はバカ亭主の勧め通り、カンナニが女房としてグリョンの家に来ることに。

これを機に、自分の役目は終わったと、巫女ムーダンの導きもあって、グリョンの母が〈雨乞い〉のためにも自ら山に登る。けれど、雨は降らない。グリョンは母が勝手に山に登ったことに腹を立て、「母親を捨てて他人の女房と子供を引き取るなんて、そんな道理があるか」と猛り狂い、カンナニたちを放り出してしまう。そして母を山から連れ帰って来るのだった。

カンナニの一番下の赤児が死ぬ。ムーダンに言われヨニを人身御供に出すが、やはり雨は降らない。そんなこんなのうちにカンナニのバカ亭主が病死するのだが、これがグリョンとカンナニの不倫のせいにされた。二人が、邪魔な亭主を殺したのだと。二人はムーダンの仕切りで、村の広場で縛り首になり掛ける。そこにグリョンの母が飛び出して来る。「わたしが山に登って、命を投げ出して雨を降らせるから、子供たちを助けてくれ」。願いは聞き入れられた。

グリョンが背負子《しょいこ》に母を背負い、荒涼殺伐とした山に入って行く。山の頂上に大量の頭蓋骨の敷き詰められた一角があり、ここが年寄を捨てる場所だった。七十歳ながらまだまだ元気な母の、生への未練、子への未練が自ずと口から出る。捨てて帰るに帰れず、嘆き悲しんで逡巡するグリョン——涙の別れが一頻り。ついに二人は互いを振り切り、グリョンは母に背中を向ける。

カンナニの長男がグリョンを手伝い、一緒にここまで来ていた。そして言う。

「背負子を忘れちゃダメだよ。次にぼくが小父さんを連れて来るとき、必要だから」

それもそうだと、グリョンは背負子を拾い上げる。二人が立ち去った後、放置され、渾身の祈りを捧げる母に、大鷲が襲い掛かって来る。母は生きながら、大鷲に突き殺され、食われてしまうのだった。

雲が湧き、雷が鳴り響き、雨が降る。激しい大雨が、村を救う。

グリョンが村に戻ると、カンナニの死体が、御神木に吊り下がっていた。グリョンたちを憎み抜いているバカ息子九人が、帰りを待たずにカンナニを縊り殺したのだ。

グリョン、ブチ切れる。怒って怒って怒って怒りまくって大暴れ。九人を嬲り、千切り殺しにする。かつてのムーダンの予言が、実現したわけだ。グリョンはこの御神木にも怒りをぶつけ、切り倒してしまう。慌ててそれを止めようとしたムーダンも、大木の下敷きになって死ぬ。

グリョンはカンナニの生き残った子供たちを連れて、新しい世界を目指し、村を出て行くのだった。

韓国では六〇年に四月革命が起きた。朝鮮戦争後の韓国を支配下に置いた李承晩政権が、民衆暴動により打倒された。革命の機運に沸いた。そんな風潮を、本作は背景としている。因習に囚われた山中の閉鎖的な村は古い韓国であり、その枷を断ち切って子供たちを連れて村を出るグリョンは、未来を切り拓く民衆の姿でもあった。

が、製作時から半世紀以上を経た今、本作を見て思うのは、オイデュプス王の予言のように人間を縛り付ける〝宿命〟であり、〝仕来り〟と〝思い込み〟に雁字搦めに縛られることによってしか生きて行けない人間＝獣の姿である。

ギヨンは大日本帝国の支配下で生まれ成人し、日本の敗戦で独立して間もなく、今度は朝鮮半島の支配権を巡る、ソ連と米国にバックアップされた南と北の戦いに巻き込まれた。人間の残虐な行いを生まれた時から、嫌というほど目にして来た。特に朝鮮戦争では、半島は北から南まで、殺戮と裏切りの原野と化した。

ヒューマニズムなど、平和の夢をむさぼる駄民の戯言である。人間の本性はケダモノであり、上に立てば下を嬲って食い物にし、下に置かれたら今度は下の者同士で食い合いを始める。動物と違って人間は一年中盛りが付いているから、男は女を犯す事しか考えず、女はオスの本性を利用して男を食い物にする――ギヨンの世界は凶暴でヒューマニティの欠片もないが、しかしそれだけ生命力に満ち満ちている。「高麗葬」はそれを示して余りある作品だった。

「異魚島《イオド》」
――不滅の精子の獣欲ファンタジー

キム・ギヨン作品は個人の肉の本能を暴き出す「下女」系列の作品と、個人を超えた社会の根底に潜む動物性、原始社会から連綿と受け継がれる人間の本性を抉り出す「高麗葬」系列の作品とに、大きく二分できると思う。この二つは表裏で、分けることは出来ないのだけれど――「異魚島《イオド》」（77）はまさに、両側面が一つに結晶した作品だった。

異魚島は韓国の南端済州島の外れにある、地図にも載っていない小さな島とされる。海女だけの島で、男が居ない。男にとっては〝天国〟だ。海で死んだ漁師の魂はここに行くとされ、ここに行くことこそ済州島の漁師たちの夢だった。

映画の冒頭で語られる。男が死んでも、その男の精子は生き続ける。死んだ男から精子を取って、人工授精することも可能なのだと。動物個体の肉体という限界を超えて、精液＝命の源は、もっともっと長く生き続けるのだと。

ソウルの観光業者が済州島の風光明媚な場所に、〈異魚島〉という名の大型ホテルを建設。この〈異魚島ホテル〉のキャンペーンを兼ねて、ホテルのボスがマスコミ人士を招待し「異魚島を探せ！」を謳い文句に豪華クルーズを企画した。済州島の聖域を観光化し見世物にしているというので、済州島の漁師たちはこのホテルとキャンペーンを、快く思わない。

クルーズ船の招待客に、ナムソクという若者が混じっていた。新聞記者なのだが、実は異魚島ホテルの存在に大反対で、クルーズ中に声高にホテルの撤退を訴えた。宴席で騒ぎを引き起こした後、海に転落、行方不明になってしまう。激しい口論となったホテルのボスに、疑いが掛かった――異魚島は実在するのか、ナムソクは何者でなぜホテル建設に反対したのか、ナムソクは本当に死んでいるのか――推理物の展開となる。

ナムソクは地元済州島の漁師の出身で、一族は五代に渡って海で死んでいた。父の父もまた先祖の跡を継ぎ、「俺が死んだら、異魚島という天国に行くんだ」とナムソクに言い聞かせて来た。母は父のそんな態度を嫌悪して、異魚島など何処にもないし、「お前は漁師になんかなるな」とナムソクに言い聞かせていた。

父の乗った船が海で遭難するのだが、父一人だけが生きて帰って来る。「他の仲間は皆んな異魚島に行けたのに、俺だけ取り残された」と悔やみ続けた挙句、ついに家に居ながらにして異魚島から来た霊に連れ去られてしまう。ショックを受けたナムソクは、付いて来ようとする恋人ミョンジャを岩に縛り付け、振り捨てて島を出る。

ソウルで知り合ったチョンギルと靴磨きでその日暮しをするのだが、金のトラブルでチョンギルを裏切ってしまう。チョンギルは、ナムルの口癖「済州島では男は海女に囲まれて大名暮らし。男一人に、十人の海女がかしずく」という言葉に魅かれ、済州島にやって来た。そしてその言葉通り、十人の海女に囲まれての大名暮しとなった。

そこにナムソクが帰って来る。裏切り裏切られた仲だが、それを水に流して、チョンギルはナムソクを島の飲み屋に連れて行く。そこに、いずれはモノにしようとしている色っぽい女パクがいたのだが、ナムソクがその女をモノにしたばかりか、金まで借りてしまった。またも裏切られたと、チョンギルは怒り狂ってナムソクをボコボコにする。

ナムソクがパクから借金をしたのは、島を守るための活動資金が欲しかったから。その金が足りないというので、パクに借金を重ねさせていた。借金は大きな金額に膨れ上がっていた。島の収入源、つまり海女たちの稼ぎは、アワビをどれだけ漁れるかに掛かっている。養殖によるアワビの大増産こそ、ナムソクの借金の目的だった。大量増殖には、人間の精子を利用する。一億匹の精子を利用して、数百万のアワビを作り出せるとナムソクは計算していた。

大金を注ぎ込み、研究に研究、実験に実験を重ねた挙句、ついに成功の目処が立った。毎日のように海の養殖場を訪れ、経過を確かめていたナムソクだが、ある日、アワビの幼生が全滅していることに気付いた。汚染である。高度成長で工業が大躍進し、建設ラッシュが僻地の済州島まで襲い、海を汚染した。その結果、汚染に敏感なアワビが全滅してしまったのだ。

ナムソクは絶望し、それまで助けてくれたパクを捨て、酒浸りになる。その居酒屋の女がナムソクに、島を汚す環境汚染と戦うことを勧める。ナムソクは島を捨て、ソウルに出て新聞記者となった。済州島民の聖地〝異魚島〟を名乗るホテルこそ、島を汚染し、冒涜する元凶である。済州島の汚染と闘うべく、ナムソクはクルージングに参加したのだった。

ナムソクは生きているのか……生きているとしたら、何処に……新聞社のボスも、部下の死の真相を追求すべく、済州島の外れの漁師村にやって来る。事件の責任を問われるホテルのボスと共に、ナムソクの足跡を辿るうちに、二人とも事態に巻き込まれて行く——お話は後半、まさにファンタジーの域に入って行く。

済州島の巫女ムーダンが、異魚島に行ってしまったナムソクの霊を呼び戻すべく、渾身の祈祷を繰り広げる。それは子供が見ることを禁じられるほど、性的な意味合いを帯びた激しく猥褻な身振りを交えていた。

ホテルのボスと新聞社のボスは、ナムソクが新聞記者に目覚めるきっかけとなった居酒屋の女を訪ねる。女は言う「島の人間を一人殺したら、代わりの一人を作るまで。あんた、島を出られないよ」。ホテルのボスはナムソクがそうだったように、島の女の〝性欲〟、子種の欲求に飲み込まれて行く。

海洋汚染で研究がダメになり、パクから逃れたナムソクを、居酒屋の女がモノにする件が圧巻である。彼女は、ナムソクが島に帰って来る直前に母と共に島にやって来て、新聞ばかり読んでいる変わり者の酒場女と思われていた。

その女が、自棄になって飲んだくれているナムソクに、自分からチョゴリの裾をまくり上げ、尻を突き上げて後ろ向きにナムソクににじり寄り、「お酒ばかりじゃ、辛さは消えないでしょう。わたしを使って、気晴らしをしてください」、己の下半身を差し出す。

この女こそ、実はかつてナムソクが捨てた島の女ミンジャだった。ロープで岩に縛り付けられ、放り捨てられて以来、生理がなくなり、妊娠できない身体になっていた。縛られると欲情する、緊縛大好きのマゾ女となっていた。ナムソクを探していったん島を離れたのだが、ナムソクが戻る直前に、まるで運命に導かれるように島に戻って来ていたのだった。ナムソクはそうと知らず、彼女との緊縛プレイに嵌まり込んでゆく。

そのナムソクが行方不明になったところで、入れ替わりにホテルのボスがやって来たわけで、島の女たちは彼をナムソクの入れ替わりと看做し、子種を得ようと追い回す。

〝異魚島〟とは〝子宮〟なのである。男どもは皆んな、いったん異魚島に飲まれると、もう離れられない。離れても離れても、また戻って来てしまう。女は子宮、男は精子、磁石のように惹かれ合う。

巫女の祈祷の結果、ついにナムソクの死体が見付かった。あの世である異魚島から、肉体が帰って来たのだ。

ミンジャとパクが、ナムソクの死体を奪い合うことになった。異魚島から戻った男の死体は金になるので、巫女ムーダンもこれを我が物にしようとする。ナムソクの死体の陰茎は、隆々とそそり立っていた。ミンジャがその上に跨って、性交する。

子作りという営み、まさに交尾だ、これは。映画の冒頭で語られた通り、動物のオスは肉体が死んでも、精子は生き続けている。死んだオスの精子を、ミンジャはついに我が子宮に迎え入れる。この営みの最中に、パクがムーダンを殺す。

映画の後半、話の筋を追うのは難しい。巫女の怪しくも猥褻な儀式がどんどん激しくなり、ナムソクを巡る女たちの変態性欲が露わになって行く。異魚島という子宮内の世界で、卵子と精子のドラマが、人間に化体してシュールに展開する。人間＝動物の強烈なセックスの匂いに、見ていて気持ちが悪くなる。それくらい、動物臭に満ちて生々しい。

よりぬき「中国語圏」映画日記

小林美恵子

「大阪アジアン映画祭」、中国語圏映画にみる社会の姿
――『少年の君』『私のプリンス・エドワード』『淪落の人』

相変わらず続く新型コロナウイルス感染問題、不要不急の外出自粛・ステイホーム要請の中、映画館も四月はじめから二か月近くに及ぶ閉館ですっかり足が遠のいてしまった。さまざまなオンライン視聴での公開もあって、それはこんな状況下ではありがたいことだが、新作や意欲的なセレクションの旧作をあの暗闇で観客が共有する楽しみにはかえがたいと思うことしきり。そう考えると、三月すでに「コロナ禍」は始まっていたのに決行され、感染者も出さなかった大阪アジアン映画祭の「奇跡」を今さらながらに感じ、そこに参加できた喜びも改めて感じる。その大阪アジアン映画祭、見た中国語圏映画は一三本。今の中国語圏社会の問題が透けて見える映画がさすがに多かったように思う。

★少年の君（二〇一九／監督＝曾國祥《デレク・ツァン》）

香港の監督が中国の役者を主演に中国社会の若者を描いた話題作。二七歳の周冬雨が高校生を演じたその若さも話題になった。ここで描かれるのは高校の厳しい受験競争、その中での苛烈ないじめ、そして学校に行くのにもすれすれの生活苦、学校からドロップアウトしてしまう少年の置かれた格差の底辺などと、息詰まるような環境だ。それを、犯罪まがいに稼ぐ母の不在やいじめの中、孤独に暮らす受験生少女と、親からも学校からも捨てられ一人で生きるチンピラ少年との、いわば純愛にからめてミステリー仕立てにしている。少女マンガ的、あるいは日活純愛青春映画とも見紛いそうなテーマは、決して新しいとはいえないが、大胆にして緻密な物語の展開や映画的手法のうまさでぐんぐんひきつけられる。大阪では観客賞を取り、その後、香港金像奨では、作品賞・監督賞・主演女優賞・新人俳優賞と主な受賞を総なめしたという。一七年大阪の『七月と安生』ABC賞に続く快挙。

なお、この映画、一九年ベルリン映画祭でのワールド・プレミアが予定されていたが突然に中国側から上映キャンセル、六月の国内公開も半年近く延期されたとか。過激ないじめの描写が中国政府の検閲に引っかかったという話も聞いた。「いじめは許さないが、犯罪の身代わりなどはもってのほか」という「倫理」的な終わり方で、いじめ撲滅のテロップが入ったりして、そのあたりは作者が中国の干渉に負けたのかなと、思わせられないでもない。しかし、テロップがかぶるヒロインの一〇年後にもいじめが撲滅されているとは言えない描き方で、国の干渉を否定するような秘かな主張が込められているのかもしれない。

★私のプリンス・エドワード（二〇一九／監督＝黄綺琳《ノリス・ウォン》）

「プリンス・エドワード」といえば香港、太子駅の英名。その太子にある金都商場は、ビル全体にウェディング関係の店がつまっている。その中のレンタル・ウェディングドレス店で働くフォンとウェディング・カメラマンのエドワード。二人は同棲中で結婚の話も進んでいるが、実はフォンは一〇年前、香港ビザ（ＩＤ）がほしい大陸・福州の男性と偽装結婚をしていた。仲介業者が間に入って、いわばアルバイト感覚でしたことだったが、業者が倒産して行方不明になったこともあり、その後の「離婚」がまだできてないことを、結婚を前にしてフォンは知る。相手が行方不明だとして単独で申し出ると離婚成立に二年かかるといわれ、頭を抱えるフォン。そこに彼女を探していたという偽装結婚の相手が現れ、一〇年たったので結婚が正式だと認められれば香港のＩＤが取れ

る。そのために福州の公安に一緒に出向いて証明してほしい、そうすれば二週間で手続きが済み、離婚ができるといわれ、彼女はやむなくエドワードには内緒で福州まで行くことにする。

ひと昔前、香港が大陸人にとってあこがれの?金儲けの地であったころにはよく聞いた話だが、今時それほどにして香港IDが欲しい大陸人がいるのだろうか、と思ってみていると、案の定、この話は香港―大陸をめぐる社会問題を描くというよりは、彼女の内緒の思い切った行動を理解できず、フォンが大好き、だからこそいちいち指図や心配をするエドワード(だけでなくその母も)、その干渉は煩わしいけれど好意と知って抵抗もできず、文句を言いつつも頼ってきたフォンの脱皮・脱出の物語となっていく。

彼女は福州に行くが、「夫」には恋人がいて妊娠中、それにより彼は香港移住をやめて結婚することにし、フォンとの離婚も無事成立、いったんは香港に帰るのだが、そこでめでたしめでたしとはならない。スマホのGPSを解除して、エドワードからの度重なるメールには「帰るところ」と一言だけの返信をして、元夫からもらった慰謝料?手切れ金を返しに再び福州に行くフォン。彼女はどこに行こうとしているのだろう。エドワードのもとに帰るのか帰らないのか…。

中国題は「金都」。金都商場はわりと庶民的で安価な金ぴかきらびやかなウェディンググッズの集積で、そこを根城とするエドワードやその母の結婚観もそう言っちゃなんだが古い。さらに古い?はずの福州の男の結婚に巻き込まれたフォンがまさに脱皮して、彼女のプリンス、エドワードからも脱皮していくのかどうか、スリルを感じさせる幕切れである。太子とエドワードをかけたこの映画の英題、まさに洒落なのだが、うまいね!

★淪落の人(二〇一八/監督=陳小娟《オリヴァー・チャン》)
五月末、全人代は「国家安全法制」を導入、一国二制度の揺らぎはいよいよ深刻化、民主化運動は危機に立たされているが、ジャッキー・チェンをはじめとして映画人には中国側を支持するものが多いらしく、また、そうでなければ、今や中国を市場とする香港の映画人としての活動はおおいに制約を受けるのだとも聞く。その中で、香港の民主主義への意思を貫き、雨傘運動や逃亡犯条例改正へのデモを支持したアンソニー・ウォン(黄秋生)は五年にもわたって映画での活動の場を封じられてきた。その彼がノーギャラで出演したことで話題になった『淪落の人』、実は昨年の第一四回大阪アジアン映画祭観客賞受賞作品(当時のタイトルは『みじめな人』)である。今年二月初めに日本での劇場公開、コロナ禍での閉館を挟んでのことではあるが、劇場再開後の六月まで公開が続き、何ともうれしいことだったので一言触れておきたい。

内容的な評価はいまさら言うまでもない。半身不随の主人公と、写真家を目指すフィリピン人メイドの関係もさることながら、私の印象に残ったのは、自宅にいる主人公をたびたび訪ねてスープを届けたり、何かと用を足したり、将棋の相手もする、大陸から移住してきた心優しい友人(サム・リー。演じる彼は香港生まれだが)。彼のやさしさが、主人公自身の本来のやさしさの照射であるように思え、主人公の人間像をより深みのあるものとし、映画に厚みを与えているように思った。そういう人物設定そのものが、大陸人を懐に抱いてきた香港や香港映画のやさしさだが、今それが不当なしっぺ返しを受けている。

全世界の映画界にも打撃を与えた新型コロナだが、香港の場合さらにそれに加えて自由な市民生活への大打撃に見舞われている。二重苦の香港映画界、どうなっていくのか心配だ。

ダンス評「2020年4月〜6月」

ダンスでコロナと闘う
草刈民代　舞台交響曲　DaBY　北村成美

志賀信夫

コロナウイルスの問題と緊急事態宣言などにより、多くの舞台が中止・延期を余儀なくされた。舞踊界を考えても、公演が行えないだけでなく、対面や接触が基本のため、教えたり公的施設での稽古が行えず、その状態は続いている。それに対して、多くのダンサーなどが、無観客で踊る舞台をライブ配信したり、何人もの短いダンスをつないだ動画や、過去の動画を配信、サイトにアップしたりして、新たな表現に挑戦した。今回はそのいくつかを見ていく。

バレエダンサーで女優の草刈民代が企画した「Chain of 8」と題した「Dancers creation during corona times in Japan」は、八人のダンサーの映像だ。出演しているのは、草刈と中村恩恵、上野水香、菅原小春、熊谷和徳、辻本知彦、平原慎太郎、麿赤兒というバレエ、コンテンポラリー、タップ、舞踏のトップクラスの踊り手たち。フィリップ・グラスの音楽の切ないギターのメロディとともに、それぞれのダンスが繰り広げられ、短くても個々のエッセンスが感じられて見応えがある。そして特に、タップの足とトゥの足という足の二つの映像を並べたりと、映像ならではの視点が面白い。草刈はその後、出演者たちとリモートでインタビューを行ってアップしており、ダンサーの本音が聞けて興味深い。

『舞台交響曲』は、「芸術は自粛できない!」というマニュフェストで集まったアーティストたちによるもの。柿崎麻莉子、川村美紀子、酒井はな、島地保武、奥山ばらば、北尾亘ら二一人による映像だ。『ラジオ体操第一』からバリエーションになっていく音楽で、ダンサーたちの映像をつないでいる。この企画は、サイトで見た人たちの感想、コメントを集めて公開しており、ダンス、芸術表現を求める人の意見を表明しようとする。

また、愛知県芸術劇場のシニアプロデューサーである唐津絵理が立ち上げた「ダンスベースヨコハマ(DaBY)」に触れよう。

これは新たなダンスの拠点を横浜につくり、創造・公演、育成、交流などを支援していくというもの。馬車道駅のそばの北仲ビルにスペースを開いた。そのオープンに際して、多くのダンサーが祝うダンスを踊る映像を集めたものがアップされている。スペースは四月にオープン予定だったが、今回のコロナにより五月に延期され、コンセプトを含めて、映像で配信されたのだ。

映像はパート一から四まであって、国内外のバレエダンサーや舞踏家を含めた多くのダンサーが集結している。安藤洋子、岩渕貞太、小尻健太、山崎広太、康本雅子、福岡雄大、笠井叡、東野祥子、伊藤キム、木原浩太、山田うん、針山愛美など百組あまりが登場する。ベテランに若手も混ざり、現在、国外や地方で活動するダンサーもあり、コンテンポラリーダンスを中心としたダンスの広がりがよくわかる。現在、コンテンポラリーダンスが以前のように盛り上がりを欠いているという印象があるが、ダンサーたちは各地で踊り続けて、表現を求め続けている。

神楽坂のダンススタジオ・劇場のセッションハウスは、「オンライン劇場」として、劇場で無観客で撮影したダンスを配信した。まずリアルタイムで配信し、録画映像は期間を限定してオンラインで公開した。最初は三東瑠璃の身体の独特のフォルムと緊張感の高い『Matou』で、その後、柿崎麻莉子、奥山ばらば、黒沼千春、熊谷理沙、中屋敷南、近藤良平、平原慎太郎、中村蓉、マドモアゼル・シネマなどが登場している。いずれも長尺の映像で、見ごたえがあるため、できれば公開を続けてほしい。この企画は、オンラインストアから「投げ銭」ができるようになっている。実際、劇場もコロナにより存続の危機に直面しているのだ。

個人の活動で特に注目したのは、大阪のダンサー、北村成美《しげみ》による一〇〇日間連続動画アップである。毎日一分以内のものから二〇数分の動画をアップしている。公開がFacebookだったため、アクセスしやすく、最初の頃から最後までの間、多くを見ることができた。YouTubeに残っており、初回と最終回の再生回数は一〇〇〇回を超えている。

北村成美は「なにわのコリオグラファー、しげやん」として活躍する女性ダンサー・振付家。イギリス・ラバンセンターに学び、九〇年代からコンテンポラリーダンスを担ってきた一人だ。小柄かつ運動能力の高いダンサーで、そのダンスはエンターテイメント性もありながら、体一つで踊るという意識も高く、ユーモアセンスもある。

そして自粛の始まった二月二九日から六月七日までの一〇〇日間、「しげやんと踊ろう!!」と題して、大半は自撮りの新しい映像、時には過去の映像を交えて、アップし続けたのだ。前日に小中学校の一斉休校が始まったことから、毎日アップし続けた。その結果、「踊りに生きる、踊る場をつくり続けることはどういうことか」を学んだという。

その映像の基本は自分の部屋で自撮り、時には鼻歌や歌を歌ったり、言葉も発しているが、大半は無音で自然の音のみ。最初は木の扉が背景の部屋で、派手目の衣装を毎日変えて踊っていたが、その後は、カーテンのかかった窓のある部屋で自然光や自然音の中で、シンプルな衣装で踊ることが多い。

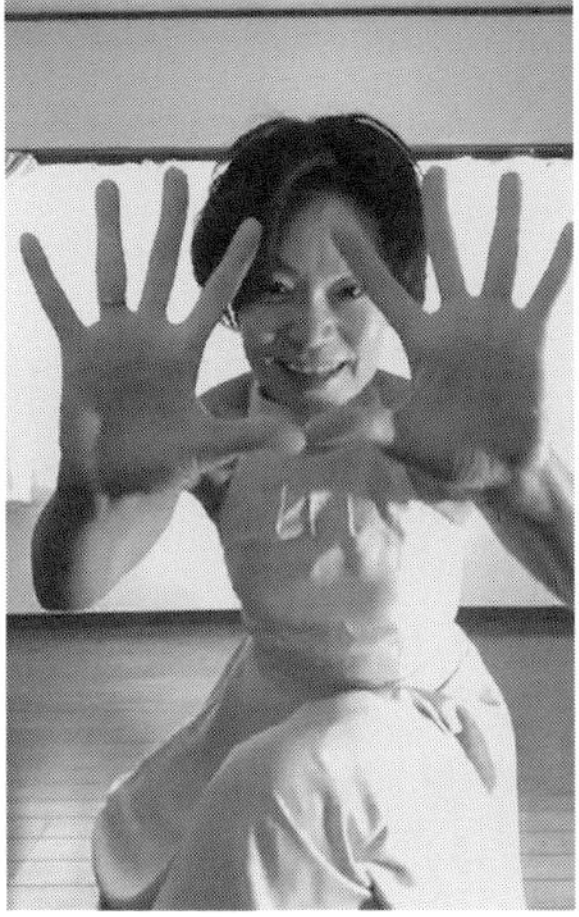

★北村成美「しげやんと踊ろう!」の100日目。「うたげうた」の一場面と、最後に挨拶する北村成美

「しげやんと踊ろう!!」という題名の通り、ワークショップ的に、生徒などと一緒に踊ることも想定しているのだろう。そして「何でも踊りとして肯定する」という北村のコンセプトから、水槽の金魚と踊るもの、金魚だけが写っているものもある。手だけの踊り、足だけの踊りもあり、カーテンの向こうからの足と下半身だけの踊りは秀逸だ。

また、カーペットをコロコロしながらのダンス、風呂場を掃除しながらのダンス、自宅の階段でのダンス、屋外で自転車に乗っている自分をずっと写すダンス、野外で雨の中で踊る、子どもと公演で踊るものもある。さらに自動掃除機ルンバと踊るのは派手な衣装で、おそらく「ルンバとサンバ」というシャレだ。過去の公演映像やワークショップ映像もまざるが、いずれも優れた身体感覚とユーモアに彩られたアイデアで、楽しく見せる。まさに「どこでも、いつでも、何でもダンスは踊れる」ということを実践として示した一〇〇日間だった。なお、今後も不定期に「しげやんと踊ろう!!」はアップするそうなので、楽しみだ。

今回のコロナでは、生の舞台を見られない状態が続いたが、ネット、リモートで、通常は遠くてめったに見られない映像に触れる機会を得た。海外では多くのカンパニー、バレエ団も映像を公開している。日本のバレエ団やカンパニーも、コロナをきっかけに、ぜひサイトの活用、映像公開に積極的になってほしい。

STAGE

「コミック・アニメ・ゲーム」×ステージ評
誰ガ為のアルケミスト～聖ガ剣、十ノ戒～ あずみ～戦国編～

高 浩美

新型コロナウイルスの蔓延により、公演が続々と中止、延期になった。舞台版『誰ガ為のアルケミスト～聖ガ剣、十ノ戒～』も全公演が中止になったが、〝舞台は全て違う〟という考え方から、不惑の双刀編を5回、不憎の呪術編を4回ライブ配信した。

観劇したのは不憎の呪術編。ピアノの調べからバイオリンの音色、だんだんとアップテンポになり、大音量、いよいよ始まりだ。黒っぽい服をきた男が本を読んでいる。彼の名はソル（太田将熙）、不敵な表情を見せる。ヴェーダ十戒衆のリーダー的な存在で、読んでいるのは哲学書。そして彼の仲間が登場する。フューリー（永田聖一朗）、アハト（大薮丘）、ズィーヴァ（三浦海里）、フィーア（橋本全一）、そして十戒衆の新キャラクター・ゼクス（柏木祐介）、全員がロストブルーの出身。原作と舞台は性別が変わっているので、ゲームファンは要チェック。ソルは戒律を重んじ、感情が欠落しているキャラクター。「お前の弱さが正義を殺した」とゼクスはクダンシュタイン（橘龍丸）に言い、「俺はお前、お前は俺」と謎めいた言葉を告げる。オライオン（渡辺和貴）は「力ある神こそが平定できるのだ」と意気揚々と叫ぶが、その前にカノン（花影香音）が「正義はここにある」と立ちはだかる。

アクション、殺陣もたっぷり。圧倒的に強く手強いオライオン、彼の野望と考え、ヴェーダ十戒衆の思惑、正義のためにと戦う聖教騎士団、ラスト近くは戦いに次ぐ戦い。また、ストーリーとは関係ない〝オライオンの部屋〟は実はアドリブで、ここは大いに湧いた。ニコニコでは「拍手が届かないのは辛い」というコメントもあり、無観客での生配信、リアルではなくとも感動を届けることが可能であることを示した。

★舞台版「誰ガ為のアルケミスト～聖ガ剣、十ノ戒～」
©舞台版 誰ガ為のアルケミスト 製作委員会

もう一つ取り上げるのは舞台『あずみ～戦国編～』、初日を3月20日に遅らせ、感染防止策をやれる限り行っての開幕であった。

換気のために舞台後方が開放されており、外の景色が丸見え状態。これから舞台上で起こる物語とは全くかけ離れた現実の光景だ。この現実の光景が開演5分前にはカーテンが降ろされ、通常の開演前の状態になる。

時間になり、始まる。音楽、ツケの音、カーテン前に飛猿（味方良介、高橋龍輝Wキャスト。観劇したのは高橋の方）。カーテンに昔の錦絵のようなタッチの映像、飛猿が物語の歴史的背景を説明する。関ヶ原の戦いが終わり、徳川家康が征夷大将軍に任ぜられ、江戸時代が始まる。そして幕が上がり、舞台上は『物語の時間軸』に変貌していた。「誰だ！」「貴様！」と怒号がとぶ。刀を交える大勢の武士たち。舞台後方に僧侶が立ち「戦に勝る悲劇はない」。赤子の泣く声、戦争で親を失った赤子、一人の男がその赤子を受け取る。再びツケの音、「悲劇の幕は切って落とされた」と。

若者たちが華麗な刀さばきを見せ、「我らは使命を果たすために生まれてきた」と晴れ晴れとした表情で言う。これが正義、真実と信じて疑わない4人の若者、その中に少女もいた。「徳川の世を安泰にするために!」と言い放つ。そして加藤清正の首を……ところがそれは影武者。そしてオープニング、タイトルロール。先ほどの少女はあずみ（今泉佑唯）、この物語のヒロインだ。この少女、剣の腕前は誰よりも達者。そして彼女と一緒に育った若者たち、うきは（瀬戸利樹）、ひゅうが（河合健太郎）、あまぎ（濱田和馬）。彼らを育て剣を教えた小畑月斎（山本亨）は、「この世を泰平に導くことが使命なのだ」と4人に言って聞かせる。

そんなおり、淀の方（有森也実）は怒りに燃えていた。そばには加藤清正（久保田創）、清正の家臣である井上勘兵衛（吉田智則）。飛猿は勘兵衛が放った忍びで、あずみたちを見張っていた。あずみたちは手強い敵ゆえ、勘兵衛はある男を呼び寄せていた。彼の名は最上美女丸（小松準弥）、不思議な色香を放つその男は人を斬ることが生き甲斐であった……。

この物語での豊臣秀頼（神永圭佑）は戦にも政治にも興味がなく、花や虫を愛で綺麗なものが好き、というキャラクター。実際はどうだったか謎に包まれているが、秀吉が溺愛した秀頼、家康はそのカリスマ性を恐れていたと言われている。虚構の人物と史実の人物が混在し、史実に基づくところもありつつのフィクション。これがこの作品の面白さであろう。そしてあずみたちは大坂城に入りこむことができたが、こともあろうに、秀頼はあずみに恋してしまう。勘兵衛もまた、あずみの瞳に吸い込まれてしまう。そして幼い時からあずみと苦楽をともにしたうきは、単なる幼馴染を超えて一人の女性としてあずみを愛するようになる。そしてあずみは……うきはの言葉「どこで命を落とすかわからない、でもあずみが覚えてくれるなら、オレは怖くない」に心が揺れ動き、秀頼の優しい眼差しにも安らぎを覚えてしまう。16歳のあずみ、これは恋なのかなんなのか、わからない不思議な気持ちに襲われる……。そんなあずみに淀の方は、さらに機嫌が悪くなり、暴言を吐く。しかし、時代は容赦なくあずみを、人々を飲み込んでいき、そして運命の時が……。

あずみは敵を斬って倒すことこそが正しい道であり、それが世の中のためになる、と信じてきた。それはあずみとともに成長したうきは達とて同じこと。しかし、成長するにしたがっていろんな景色が見えてくる。これは本当に正義なのか?自分はなんのために生きるのか、と。うきは、あずみのために哀しい末路をたどる。また、この作品で描かれている秀頼の心境の変化も見逃せない。花と昆虫に夢中になって他のことには無関心だった一人の青年の心の成長。最期は哀しいかもしれないが、あずみを知り、愛したことは彼にとっては一筋の光。感涙の場面だ。また淀の方は、表面的にはエキセントリックでヒール役に見えるが、彼女もまた時代の犠牲になる寂しい女性。そんな姿は哀愁を感じさせる。

ハードなシーンが多いが、ところどころにちょっとしたお笑いもはさみ込む。アドリブもあり、時事ネタも飛び出し、客席から笑いが起こる。映像演出も過剰にならず、、燃え盛る大坂城、疾走する風景、花、ススキの風景など、ストーリーや作品世界をビジュアル的にわかりやすく見せる。また飛猿がストーリーテラーの役割を担うが、あちこちに出没するキャラクターゆえに適任。今泉佑唯、瀬戸利樹ら若い俳優陣の奮闘、そしてベテラン勢の渋く緩急つけての演技の巧さ、主に殺陣で活躍するアンサンブルの面々、物語の人物を全力で生き切る姿は清々しい。

★舞台「あずみ〜戦国編〜」

「まんこアート」の巨匠・ろくでなし子を迎え『バースト・ジェネレーション：死とSEX』展！

ケロッピー前田

コロナ禍にある2020年、伝説の雑誌『BURST』の血統を継ぐ『バースト・ジェネレーション』（東京キララ社）が、時代を疾走してきた表現者たちに〝新たな戦場〟を提供する！

7月10日から22日まで、新宿眼科画廊で、『バースト・ジェネレーション：死とSEX』展が開催された。皆さんがこの記事を読む頃には展示そのものは終わってしまっている。ツイッター「ケロッピー前田」で情報を知った人たちは、このチャンスを逃さずに歴史の証人となってくれているだろうことを願っている。

今回の展示は、ゲストアーティストに「まんこアート」の巨匠・ろくでなし子を迎え、鬼畜悪趣味カルチャーの先駆者・根本敬、グロテスク表現を極める死体写真家・釣崎清隆、BURST創刊編集長&作家・ピスケン、褐色のエロス画家・ブライアン佐藤、淫魔の鉛筆画家・西牧徹、陰部神社を祀るPONO♡FEKO、究極のカウンターカルチャー・身体改造を追う筆者、ケロッピー前田が集った。

なんで、『バースト・ジェネレーション』がいきなり展示をするのと思う人もいるかもしれないが、2005年以来、筆者は写真家・アーティストとしてギャラリーでの作品展示という形でも活躍してきた。そればかりか、海外の国際芸術祭をコンスタントに取材するようになってからは、キュレーターとしてのキャリアも積んでいる。

その記念すべき、キュレーターとしての初展示は、2013年、銀座ヴァニラ画廊での『死と未来』展であった。ちょうどそのとき、伝説の雑誌『BURST』が『BALLS（ボールズ）』というタイトルで復刊するかどうかで揺れている時期だった。2005年に『BURST』が休刊し、2010年、『BALLS』として復刊するとして、「創刊宣言イベント」まで開催していた。

『BALLS』は出るのか出ないのか、結局、『BALLS』は企画書だけの雑誌として具体的な編集作業に入ることはなかった。

もちろん、2011年は東日本大震災と原発事故があった。いまから思い返せば、新雑誌を立ち上げるにはタイミングは最悪だった。それでも、『BALLS』のために企画されたいくつかのアイディアを実現できないものか？

「雑誌でやってきたことをギャラリーの展示空間でやってやる！」というのがその根底にあるアイディアだった。

『死』というリアリティと、『未来』というポシビリティ。最も〝危ない〟作家たちが、現代・日本に鋭利な刀でパックリと風穴を開ける!! 死体写真家・釣崎清隆がえぐり出すタナトス美、アリシア・キングによるベーグルヘッドの映像作品Shifters、エリック・ボシックの殺人刀Katana、カール・ドイルのfuture domina、宮川ひかるのturquoise death、アイカワタケシの左腕骨折ドローイング、ピスケンの肉筆詩、そして、ケロッピー前田のトレパネーションの新作が、来たるべき未来を予見する。（キュレーション：ケロッピー前田）」

2013年3月4日から16日まで行われた「死と未来」展は、まさに震災後というシチュエーションを反映した展覧会だった。それでも、自分たちが主張したのは、「大災害が起ころうと、放射能が来ようと、自分たちが作ってきたBURST的な世界はまったく変わることなく、これからも継続されていく」ということだった。

この時の経験は、2018年、ドイツ・フランクフルトでの「Nach Fukushima（アフターフクシマ）」展に活かされることになる。美術大学HfGのオッフェンバッハ校の大講堂で行われたその詳しいレポートは、本誌№79にある。

そして、今回は未曾有のパンデミックの渦中にあって、展覧会をすること

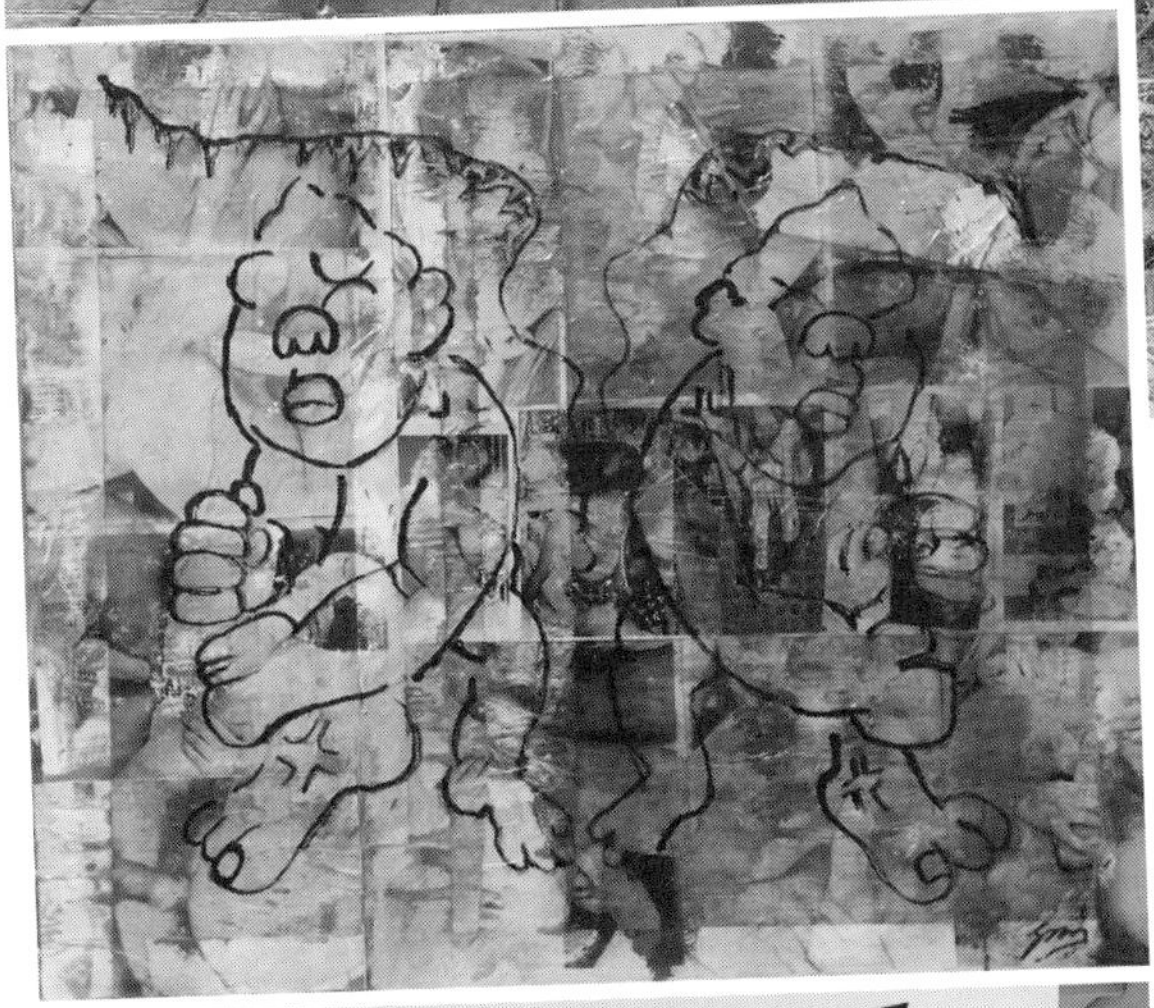

★『バースト・ジェネレーション：死とSEX』展より、
（左上から下へ）ろくでなし子、根本敬、PONO♡FEKO
（右上）釣崎清隆

になった。ところで、タイトルとした「死とSEX」は、オーストラリア・タスマニアにある「死とSEXのミュージアム」の異名をとる美術館MONAにあやかった。MONAは、古代美術と現代アートに特化したコレクションを通じ、人間の最も原初的なアートの衝動は「死とSEX」の表現にあると教えてくれる（本誌No.78参照）。

最後に付け加えるなら、もともと、この「死とSEX」展は、『バースト・ジェネレーション』3号の発売に合わせて行う予定で計画されていた。だが、4月に緊急事態宣言が発令され、公開編集会議の開催が不可能となり、3号目の発売は不透明になった。それでも、この展覧会は、『バースト・ジェネレーション』として復活したBURST的なカルチャーがこれからどこに向かっているのかを一足先にご披露する絶好のチャンスでもある。

今回の展覧会で、BURST軍団のしぶとさを見せられるといい。展覧会の成果は、ぜひ出版物として発表したいものである。

合言葉は、ただひたすらに生き残れ！

LOMBROSO

チェーザレ・ロンブローゾの思想とその系譜〈37〉

「天才は狂気なり」という学説を唱え犯罪人類学を創始した奇矯な精神病理学者

村上裕徳

主に女性のヒステリー症状がもたらす宗教的預言者

ロンブローゾは続けて言う。

一九世紀の初めにユリイ・デ・クリュデネル（後述）という女性の預言者が非常な勢力を振るった。彼女はヒステリカルだった。そして（何と）公衆の前で股を開いて見せるような「色情狂」でもあった。失恋が原因で（前記の症状になり）信仰に傾いて（その結果、自分が）人類を救済する使命を担っていると信じ始めた。（こうした）確信は彼女に燃えるような雄弁を与えた。彼女はバアル（旧約聖書からの地名だが不詳）に行ってメシアの再臨を説き、都会を鼎《かなえ》の（鍋にかけた湯が）沸くように撹乱させた。二万人の（彼女を崇拝する）巡礼者が彼女に応援を与えた。政府は驚いて彼女を放逐した。彼女はバアデン（ドイツ、オーストリア、スイス各地にある地名のため、どこか不詳）に向かった。そこには四千人の住民が彼女の手や服に接吻するために待ち構えていた。ある女は新しい寺院を建立してほしいとして二万フロリン（当時のフロリンは金貨である）を彼女に寄進した。（しかし）その大金を彼女は、すぐさま貧者たちに分配した。そして「その人々（メシアの再臨を信じる人々を指すか?）の時代が近付いた」と告げた。バアデンを追放されて彼女は再び群衆に取り囲まれながらスイスに帰った。警官に何度か迫害されながらも、（群衆の）賞賛と祝福を受けて町から町へ転々とした。彼女の行為はことごとくが天使のお告げだと彼女は語った。彼女を侮蔑したナポレオンさえ、彼女にとっては「暗黒の天使」になった。ロシアのアレキサンダー帝は「光明の天使」だった。（こうして）彼女の影響が（ロシア）皇帝に霊感を与えた。（ロシア皇帝の）神聖同盟に関する観念には、彼女に影響されたところがあったということである。

ロヨラ（後述）は、けがをしたことを契機に宗教問題に傾倒し始めた。そしてルターの（宗教）改革に戦慄して大会社（カトリックの対抗政策を指す）を起業した。彼は（その起業）計画中に聖母からの援助を受けていたと信じた。そして彼を激励する神の声を聴いた。

ロンブローゾが記すユリイ・デ・クリュデネルは、神秘主義者としてアレクサンドル一世に大きな影響力を持ったバルバラ・フォン・クリュデネル男爵夫人（一七六四〜一八二四）を指し、彼女の曽祖父はドイツ出身のロシア帝国元帥で有能な職業軍人だけでなく政治家でもあった高名なクリストフォール・アントーノヴィッチ・ミニフ伯爵であり名門の出身。皇帝は皇后のエリザベータが信奉していたクリュネデル夫人から、皇帝は神から選ばれた人間であり、ナポレオンは悪魔（堕天使）であると暗示され、ナポレオンによって破壊されたロシアとヨーロッパの再建のため列強国の同盟を画策し、これを皇后の発案で「神聖同盟」と名付けた。同盟の成立は一八一五年で、最初はロシア、オーストリア、プロイセンの三国だけだったが、後にローマ教皇国（ロシアの国教とするロシア正教と対立する）とオスマン帝国（イスラム圏である）およびイギリス（国境を接しない島国のため、大陸との同盟関係に関心が薄く、関心はアフリカやアジアの植民地であった）以外の君主が、すべて参加した。つまり、厳密にはロシア正教はプロテスタントではないが、カトリックと対立する意味では同調し、ヨーロッパのイギリスを除くすべてのプロテスタントの国がロシアと同盟したという意味である。国家間の抗争を回避するための、キリスト教の正義と愛と平和の理念が建前だが、その結果、各国が国内政策に集中でき、安寧秩序を回復し、荒廃した国力の増大には役立ったが、反面では、秩序の強化が自由主義と民主主義への抑圧を理念的に正当化する力となった。

ロヨラは、カトリック修道会であるイエズス会の創立者の一人で初代総長のイグナチオ・ロペス・デ・ロヨラ（一四九一〜一五五六）のこと。プロテスタントの宗教改革に対抗するカトリック内部の対抗改革としてロヨラの著作『霊操』は強い力を発揮した。イエズス会をピラミッド型の組織に規定し、会員に上級者と教皇への絶対服従と自己犠牲を求め、イエズス会員の「神のより大いなる栄光のために」「軍隊のごとき」服従がスローガンだった。イエズス会の創立者はロヨラを含め六人だが、その中には日本とも縁の深いフランシスコ・ザビエルがいる。

アッシジのフランシスコ

ロンブローゾは続けて言う。

アッシジのフランシスコ（アッシジはイタリア中部にある山の中腹の村の名。イタリア音ではアッシジのフランチェスコ〈一一八二〜一二二六〉のこと。中世イタリアの最も著名な聖人。サンフランシスコは聖（セント）フランチェスコの英語音）の母は敬虔な婦人だった。彼（フランシスコ）はジョルジオの僧侶から僅（わず）かの初等教育を受けただけで実業に従った。金持で自由に金を使うことが出来たので、仲間の青年（たち）から持て囃《はや》された。当時の青年は昼も夜も歌いながら町を練り歩いて歓楽にふけるのが習慣だった。（そしてフランシスコは）品格が高いので商人の息子とは思われなかった。まるで王子のようだった。アッシジの市民は彼のことを「青年の花」だと称賛した。友達は誰もが彼を統領として尊敬していた。彼は歌が上手《うま》かった。彼の伝記を書く人々は誰もが、その歌声を称賛する。彼はまた武術にも優れていた。アッシジとパロとの間に小さな戦（町と町との抗争）があったとき、（彼らは敵の）捕虜になった（これは一時的なことで、一年後に開放される）。彼は獄中で仲間を慰め励ました。自然に備わった高貴な性質が一つ一つの（彼の）動作に現れていた。とりわけ彼は、貧しい人に物を施すことを好んだ。

二四歳の時（フランシスコは）大病にかかって、しばらく病床に就いた。ほぼ全快してから杖にすがって家を出た。そしてアッシジを取り囲む美しい田園の景色を静かに眺めた。しかし、かつて彼が感じたような感情は起こらなかった。その日から彼は憂鬱に考え込むようになった。その日彼は人を避けて一人で洞窟にこもって瞑想に耽《ふけ》るようになった。

心の悶えを癒すため彼は熱心に祈祷をした。ある日のこと、祈祷のさなかに十字架に架けられたキリストの姿を見た。彼の慈悲心は深く呼び醒まされて心の「精髄」までキリストの苦悩を感じ取った。彼は悲哀に耐えられず熱涙を流した。彼は、しばしば涙ながらに野山を彷徨っているところを（他人に）見られていた。そして、どこか具合が悪いのかと訊ねられた時に「私は主のことを考えて泣いているのだ」と答えた。また、彼の友達が（心配して）妻をもらうことを考えてはと、頻繁に勧めたときに「そうだ。私はこの世で一番気高い、一番美しい、一番金持ちの人のことを思っている」と答えた。

ある日、彼は、自分の立派な衣服を脱いで乞食の襤褸《ぼろ》を着た（乞食と服を交換したことを意味する）。（金持ちの）父は非常に腹を立て彼を牢獄に閉じ込めようとした。彼は多くの人から数多の誹謗を受けた。『I Fioretti』（一四世紀に弟子たちによって作られた伝記『聖フランチェスコの小さい花』）を読めば、彼は「愚人」であると（まわりから）思われ、親戚や知人からは「狂人」扱いされて嘲笑され、あるいは石を投げられたらしい。しかし彼は、こうしたあらゆる誹謗や嘲笑を静かに耐え忍んだ。彼は、まるで「聾《つんぼ》」か「唖《おし》」のようであったと（前記書物に）書かれている。

ロンブローゾによるアッシジのフランシスコ論

ロンブローゾは続けて言う。

フランシスコは卑俗な禁欲主義者と共通する難行苦行、祈祷、（その結果としての）法悦、幻覚などを体験しているけれども、その人物はきわめて独創的なだけでなく偉大だった。彼は禁欲主義（多くの場合、社交的でなく対人的に冷たく、そっけない）とは正反対な最も優しく美しい感情を表現していた。禁欲主義者は一人超然として自分を高く置こうとするために、すべての美しい愛情と自然な生活を嫌悪し否定しようとしたのである。

これに比べてフランシスコは言葉と行いによって自然の愛、人類相互の協力と愛情を説いた。禁欲主義は世の中に存在する総ての美しいものを悪魔の仕業と見做《みな》している。フランシスコはそれを神の御手になれるものと主張して神を崇め神に感謝した。彼に霊感を与えて『太陽の歌』を作らせたのは新しき情熱ある一種の汎神論であった。その歌の中で森羅万象のすべてが、相互に抱擁し結合している。赫灼《かくしゃく》として燃える太陽も、気高く静かに光る月も、星も、風も、雲も、空も、「恭《うやうや》しく、潔《いさぎよ》く、高貴であって役に立つ」水も愉快で強い火も、我々を養う地球も、その時（死ぬ時を指す）まで天国という利己的な思想から総て彼を迷わすものを、ことごとく侮蔑するように教えられた人間も、すべてが全知全能の主の栄光を讃えるために集められ、かくも美しく変化に富み、住むに価値ある宇宙を創造した主である神を祝福している。

ロンブローゾは続けて言う。

我々は、この大胆な変化（フランシスコの金持の放蕩息子から苦行僧への変貌を指すか？ あるいは、千変万化する自然を指すか？）を思うとき、その歌を読んで笑うことが出来ないのである。我々は、この歌が素朴な言葉によって宗教的感情を現わそうとしたイタリア人の初めての試みであることを記憶しなければならない。

　彼の歌は、彼が長い間心に抱いていた熱情が、満ち溢れて噴出したものに他ならないからである。彼は森や山や空（の背後）に隠れた人間の敵（魔物）がいると考えていた（中世の）迷信を脱していた。彼の心には（自然に対しての）恐怖というものが無かったのであろう。彼は隣人が「二つの壁と溝とを隔てて互いに、いがみ合っていた」時代に彼の（中にある）自然の性情を極端にまで発揮してBrother Sun, Sister Moonは言うまでもなくBrother Wolfさえも抱擁しようとしたのである。

　歌を作ってからフランシスコはそれを愛誦し、曲の譜面を作り弟子にそれを歌わせた。そして弟子の中から神の讃美歌を歌って世界を巡礼する者を選ぼうと考えた。その歌を聴く者は、その報酬として、ただ悔い改めればよいのである。そして（讃美歌の）歌い手は、自分を「神の道化」と称したら面白いだろうとフランシスコは考えたのである。このようにして彼は素朴な言葉によって力強い宗教詩を歌い始めたのである。

　ロンブローゾのフランシスコに仮託した汎神論的信仰告白である。フランシスコは数多くの文学や音楽や美術作品、近くは多くの映画作品にもなった聖人であり、正規の修行僧の手続きと教育は受けなかったが、キリストと同じく「無一物」に徹し、キリストと同じ生活を心がけた。金銭を受け取らず粗衣粗食と粗末な家屋に感謝する徹底した禁欲生活と深い信仰から、キリスト教においては異端思想であった汎神論的信仰であるにもかかわらず、後にフランシスコ会として許容的な認可が下され、死後には、すぐに聖者に列せられた人物である。弟子たちには元は裕福な者も多く、それらの人々は全財産を貧者に与え、フランシスコと同じ生活に付き従った。女性の弟子を許したことも、当時としては画期的なことだろう。フランシスコが癩病者への接吻から恍惚とする神の啓示を受けたことに始まる、癩病者との共同生活も行われ、居住を許された家屋が瓦のある贅沢なものだと、瓦を外そうとして持ち主に、頼むからそれだけはやめるよう止められたというような、徹底した禁欲的信仰生活だったようである。初期の弟子たちは従順にフランシスコに従ったが、フランシスコ会が徐々に巨大になるにつれ、禁欲生活に不満のある者もあらわれ、フランシスコは会を弟子たちに任せて布教のための放浪の旅に出ている。フランシスコの生前にも数々の教会が建てられ、フランシスコ会はますます巨大になっていく。

★チェーザレ・ロンブローゾ

　ロンブローゾが述べているように、中世の人々は自然に対して恐怖を感じていた。これは汎神論を精神基盤とする東洋人には、なかなか理解できないことかもしれない。この恐怖感は中世に限らず、それ以降もキリスト教圏の精神基盤として根強く残っている。わかりやすい例で示すと、シェイクスピアの戯曲やハリー・ポッターシリーズを観てわかるようにファンタジーでは、森の奥に住むのは魔物であり、そこには魔女や怪物が住んでいる。野原は文字どおり荒野であり、深い森には、むやみに立ち入ったりしなかったのだ。東洋においては、深山幽谷には天狗のような魔物も住んでいるが、「山の神」という言葉があるように、山に住むのは、多くは神聖な霊性を帯びたものであり、人間である場合それは仙人であり仙女であった。これは日本に限らず、アジア全域においてそのようであった。また山そのものを信仰対象の霊山とするような山岳信仰まであるのが東洋であった。ヨーロッパの修行僧は巡礼の旅の途中、自然の風景に心を奪われないために、視線を落とし足元の前だけを見た歩行が定められていた。自然の美しさに心を奪われることは魔物の誘惑とされていたからである。神が自然の中に遍在する汎神論を認めることは、多神教を誘発し、教会での信仰だけを唯一の信仰の拠り所とするキリスト教にとって、絶対に許してはならないことだったからである。つまり、あくどい言い方をすると、神は教会での専売だけが許されていたのである。こうした精神傾向が西洋人に根強く残り、自然は開拓し人工的に開発することが文明であり、そこをキリスト教化することが善とされてきたのであった。また西洋の自然主義が人間の欲望などの内に向かうのに対し、東洋の自然主義が汎神論の影響から人間の肉体の外の、風光明媚な、または、その逆の凄惨な風土に向かう傾向が強いのは、こうしたわけなのである。日本人は江戸時代の後期になって、生活感情の写し鏡としての「風景」を広重の風景画のような形で「発見」するが、これは西洋的意味での近代意識による、自覚をともなった風景の発見であり、それ以前の古くから日本人は、意識することなく人間が自然の一部であり、山や川の景色、あるいは自然の万物が人間の感情を仮託するものであることを知っていたのである。花鳥風月を楽しむ和歌や俳句や数々の文学作品、造園技術や盆栽、室内で楽しむ盆景や山容をかたどる水石、華道その他の技術や朝顔などの栽培、鈴虫や金魚や鯉の飼育などなどの庶民にまで拡がる趣味嗜好は、すべて汎神論的な日本人の産物である。

　こうした日本人にとって、ロンブローゾの語るフランシスコへの礼賛は、当たり前のことが褒め称えられているために奇異に映るかもしれない。しかしながらフランシスコの生きた時代にとっては、こうした汎神論を公言することは、宗教裁判にかけられ死刑になりかねない禁止事項である（実際、結果はあいまいになったが、異端審議に掛けられている）。そしてロンブローゾの生きた一九世紀においても、一七世紀のスピノザの汎神論を古く一二世紀の、しかも聖人の中に見出し、それを力説することは、そうとうに勇気のいることであった。ロンブローゾが「一種の汎神論」と婉曲《えんきょく》に表現して断定を避けるのも、こうしたことを理屈の上で、あからさまにすることがキリスト教の社会において、何も、そこまでしなくて良いというような、識者だけが知っていて口にしない禁止事項だったのだと思われる。つまり聖人の中にさえ汎神論があることを暴露し、大衆を啓蒙する必要はないという意味である。

　その禁止事項をロンブローゾが、あえて破って、ここで力説するのには、それなりの理由がなければなるまい。

　何度も言うようにロンブローゾはユダヤ人であった。つまりユダヤ教徒であり、表面上はキリスト教に改宗したユダヤ人であったかもしれないが、そうした場合でも、信仰の基盤はユダヤ教の信仰を根強く残しているはずである。そしてユダヤ教は唯一神がキリスト教と同じながら、聖書は旧約聖書だけで、キリストが教祖ではなく、万物は神の中にあり、神で出来ている——という汎神論だった。こうしたロンブローゾが、イタリアというカトリック勢力の強大な社会の中で協調して生きてゆくためには、カトリックの中にすらある汎神論の傾向を探り、それを発見することで、自分の精神の拠り所としていたのだと考えてよいだろう。

岡和田晃

山野浩一とその時代(12)

手塚治虫原作『鉄腕アトム』および『ビッグX』への参画

世代の指標とされた山野浩一

一九七七年の七月一〇日付けで発行された「別冊新評」の「ＳＦ―新鋭７人特集号」に、手塚治虫と萩尾望都の対談が掲載されている。「新鋭７人」というのは、山田正紀・かんべむさし・横田順彌・津山紘一・山尾悠子・堀晃・鏡明の七人。〝ハチャハチャＳＦ〟や古典ＳＦ研究で知られる横田順彌は二〇一九年に没し、ユーモア・ファンタジーの書き手として知られた津山紘一は一九九〇年代に筆を折ってしまったが、その他は日本ＳＦ第二世代に分類される作家が集められている。山尾悠子がこの号に寄稿した「遠近法」は、「誰かが私に言ったのだ／世界は言葉でできていると」のフレーズがとりわけ著名な逸品で、山尾の初期短編の代表作として名前が挙げられることが多い。

そこに目玉記事として掲載された手塚と萩尾の対談は、あたかもＳＦ第一世代（主に一九六〇年代にデビューした作家たち）と第二世代（一九七〇年代後半までにデビューした作家たち）の〝静かな戦争〟がごとき様相を呈していたものとして読むことができる。なにしろ、後に単行本に収められた際のタイトルは「女性ＳＦ作家はなぜ少ない」だったのだから。

ここで手塚は「いまのＳＦ界はほとんどの人が男性作家で、たいへん有名なＳＦ界の女性というと、ジュディス・メリルとか、そういう編者はいますけど、作家でだれがいるかというと、あまりいませんよね」との口火を切る。もちろん、萩尾は「ル・グィンとか、ヘンダースンとか……」と答えるものの、手塚によれば「アシモフ、クラーク、ブラッドベリと続く一連の作家のなかに挙げられない」。かように、あまり噛み合っているとは言い難い対談で、手塚は、今日からするとジェンダー的にステレオタイプな意見に終始しているとも読める。例えば萩尾望都による漫画版ブラッドベリ作品の読者のような「女性のＳＦファンは多いわりに、書き手の人が少ない」との疑問を、萩尾に直接ぶつける。にもかかわらず、萩尾はその問いを「いやあ、そんなに深刻に考えたことはなかったわ」と華麗にかわす。

ＳＦにおける描写についても、手塚は「男の書くＳＦは、ぼくらから見ると無機質な感じがするんです。光瀬さんがそうなんだけど、つまり生臭さがない。豊田有恒さんの卑弥呼をめぐる一連のものにしても、男女の出入りがあるんだけどたいへん無色透明な色模様でしょ」と問いかけるが、萩尾は逆に「そう、それは理想だな」と返す。一見すると、それこそジュディス・メリルが理論的に補強したニューウェーヴＳＦ運動にも目配りを欠かさない手塚が、そのような問題意識をもたない萩尾を善導しようとしているようにも見受けられるが、スタニスワフ・レムの『砂漠の惑星』（1967）をはじめ、手塚が名前を出すＳＦ小説を、萩尾は概ね既読であるということが徐々にわかってくる。それから、いよいよＳＦにおける世代性についての話に繋がるのだ。

手塚　（……）ＳＦ界っていうのは、年代が山野浩一氏あたりが真ん中で、あそこらへんから、バラードなんかがすごく読まれだした年代、内的宇宙の、つまりニューウェーブSFの発祥あたりで二分できるんじゃないかな。
萩尾　砂浜に座って、自転車の前輪と後輪の関係について、考えをめぐらすっていうんでしょう、ニューウェーブって……。
手塚　ホオ、そりゃおもしろいですね。だれに聞きました？
萩尾　佐藤さんって友だちから……ホントですか、それは？
手塚　山野浩一氏を彷彿しそうだな。でも、それはスペキュレイティブ・フィクションのほうじゃないの。
萩尾　メチャクチャのほうですか。
手塚　いや、メチャクチャというよりも、サイエンス・フィクションじゃないほう、つまりサイエンス・フィクションといわれてたころは、福島正実氏が活躍したころで、スペース・オペラ、オッケー。怪獣、オッケー。それでアシモフ、クラークはおじいさんじゃないといわれてたころでしょう。ところが山野浩一氏あたりが現われて、オールディスとかバラードあたりからガラッとSFが変わってきたんじゃないですか。
（「女性SF作家はなぜ少ない」、引用は『手塚治虫対談集4』、Kindle版、二〇一五より）

萩尾にニューウェーヴSFを教えた「佐藤さん」とは、漫画家の佐藤史生のことではないかと推察できるものの、確証はない。ともあれ、ここで手塚はSFの世代を区分けする規準として、山野浩一の名前を挙げているのは確かだ。しかしながら、山野はJ・G・バラード紹介の文脈でニューウェーヴの旗手とみなされる前に、実は手塚治虫の作品に仕事で関わっている。TVアニメ『鉄腕アトム』の第一一四話「メトロ・モンスターの巻」（一九六五年四月一〇日）の脚本を手がけているのだ。『鉄腕アトム』の公式サイトには、「地下鉄構内に巨大ナメクジが出現。その怪物ナメクジは電車を食べはじめた。退治に赴いたアトムだが、ナメクジは神出鬼没で思った以上に手ごわい相手だった」と、あらすじが掲載されており、演出は富野喜幸（＝由悠季、後にアニメ版『海のトリトン』の監督もつとめた）であった。

SF小説と連関していたアニメの脚本

実際に「メトロ・モンスターの巻」を鑑賞してみると、驚くべき事実が明らかになる。都市伝説的な巨大ナメクジは神出鬼没のテレポート能力を有しており、山野浩一の小説家としてのデビュー作「X電車で行こう」（一九六四）における「X電車」の役割をそのまま転用したものだということが一目瞭然なのだ。「X電車で行こう」そのものは、一九八七年にりんたろう監督によるOVA版が存在するが（脚本は浦沢義雄）、そこから二十余年も先んじて、実質的に「X電車で行こう」は山野自身の脚本で映像化されていたとも言えるのである。このことは、当時、手塚治虫の制作会社である虫プロにて『鉄腕アトム』の脚本を書いていたSF作家の豊田有恒が、『日本SFアニメ創世記――虫プロ、そしてTBS漫画ルーム』（TBSブリタニカ、二〇〇〇）で以下のように証言していることからも裏付けられる。

虫プロにしろ、TBSにしろ、人材の確保が大問題だった。演出家、アニメーターばかりでなく、シナリオライターも人材が不足していた。

（……）

たとえば、虫プロでは、SF作家の山野浩一さんに、一作だけ「鉄腕アトム」のシナリオを書いてもらった。

当時の山野氏は、みずみずしい感性の持ち主だった。めったに他人を褒めない星新一さんが激賞していたのだから、いかに素晴らしい才能だったか、判るというものだ。

だが、ぼくの見たところ、山野さん

は、あの比類ない才能に相応しくない俗物だった。とても儲かりそうもないSF作家であるより、ずっと儲かりそうな競馬評論家を志向してしまった。

SF界にとっては損失だが、本人の意向だから、ま、仕方がないだろう。山野氏の傑作に「X電車で行こう」がある。このテーマを、「鉄腕アトム」の物語として、使ってしまおうというわけである。

（『日本SFアニメ創世記――虫プロ、そしてTBS漫画ルーム』）

豊田によれば、当時の虫プロは、東映動画のほかでは、アニメを自社で一貫制作できる数少ないスタジオであった。まず、文芸部でライターがアイデア、シノプシスを提出し、それをもとにシナリオを執筆する。いずれの段階においても、手塚治虫の校閲が入る。それから、シナリオをもとに演出部の演出家が絵コンテを制作する。その絵コンテを動画部のアニメーターがカットごとに動画化する……といった製作手順なのであるが、「メトロ・モンスターの巻」もまた、シナリオ段階で手塚治虫の校閲は経ていることだろう。にもかかわらず、山野浩一は「鉄腕アトム」の仕事を一作のみで退いてしまった。豊田の証言を鵜呑みにするならば、より〝儲ける〟ために一作だけ手遊びで自分のネタを使いまわして離れたかのようにすら読めなくもないが、はたして本当にそうなのか。

豊田有恒は第二回ハヤカワ・SFコンテスト（一九六二）の佳作となった「火星で最後の……」が「SFマガジン」一九六三年四月号に掲載され、大学在学中にプロ・デビューを飾った。豊田はすでに「時間砲」で、第一回ハヤカワ・SFコンテスト（一九六一）の佳作第三席となっていたものの、同作は誌面に掲載されなかった。そのためもあってか、豊田は「時間砲」を漫画にしてほしいと、手塚治虫に直談判した過去がある。一九六三年末には、友人・平井和正が原作をつとめた漫画『エイトマン』のTVアニメ化にあたり、平井から頼まれてシナリオを担当することになり、TBSへ「日参」をはじめた。そして大学卒業に際して、『エイトマン』の脚本を評価した手塚治虫の口利きで虫プロに就職することになった、という流れだった。

こうした叩き上げのキャリアのためか、豊田は山野に一種のライバル意識を抱いていたのではないだろうか。山野の「X電車で行こう」はコンテストこそ経由していないものの、「宇宙塵」の七六・七七号（一九六四年二月号・三月）に分載され、三島由紀夫らの激賞を受け、「SFマガジン」一九六四年七月号に転載、とんとん拍子にプロのSFと「文学」を跨ぐ作家デビューを飾る。何より、豊田は「文学」への苦手意識を隠そうとしない。豊田は同時期にTBSでのアニメ『宇宙少年ゾラン』のシナリオも書き始めていたが、そこに参加していた高橋泰邦（後にセシル・スコット・フォレスターの〈海の男ホーンブロワー〉シリーズの翻訳で特によく知られるようになる）らの仕事についても、「海洋ミステリの第一人者としての地位を、すでに確立しておられた」にもかかわらず、「絵にならないシナリオがたくさんあった」と辛辣な評価を下している。

それでは、山野自身はこの時期をどう認識していたか。公式サイトの自筆年譜では、「日本で最初にSFが普及したのは手塚治虫さんの「鉄腕アトム」のブームに始まるTVアニメーションの分野で、「鉄腕アトム」は常時40％台の視聴率を稼ぎ出し、当時まだ二流TV局だったフジテレビをTBS、日本テレビに次ぐ存在にのし上げていた。各テレビ局は競ってSFアニメの制作に乗り出し、ようやく本格的な創作活動を始めたばかりの第1世代SF作家のほとんどはそうしたTVアニメの原作や脚本を手がけている。硬質な作風からは最も不向きと思われる山野浩一だが、持ち前の器用さから、この分野でもかなりの売れっ子となり、手塚治虫さん原作の「ビッグX」（TBS）と、自身の原作による「戦え！　オスパー」（日本テレビ）の脚本の半分近くを担当した他、「鉄腕アトム」、「快獣ブースカ」（実写）、「こがね丸」（人形劇）など、さまざまなTV作品の脚本を書きまくっている」と回想している（引用の際、明らかな誤字は修正した）。そう、「かなりの売れっ子」という自負があったのだ。別段、豊田の言うように金儲けのために競馬評論家へ〝転向〟する必要などなかったのは間違いないだろう。

「X電車で行こう」の後にも、山野浩一は「雪の夜に失ったもの」を「宇宙塵」

の七九号（一九六四年五月）、「渦巻」を八一号（同年七月）、「消えた街」を八三号（同年九月）に寄稿した後、一九六四年八月三日から放映が始まった『ビッグX』の脚本に参加するわけで、傍目にも勢いに乗って見えたろう。山野浩一が初めて書いたアニメの脚本は、『ビッグX』の第七話「死の湖の対決」（一九六四年九月一四日）なのだが、映像は現存していない模様である。『ビッグX』は全五九話よりなるが、二〇一六年に発売されたDVD-BOXではうち、二二話ぶんしか収録されていない。未収録のもののなかにも、第二二話「カイザー0号との対決」のように海外に現存するものがあるようだが、残念ながら、全体の六割強のエピソードが未発見の状態に留め置かれてしまっているわけだ。よって、現物を鑑賞することのできる山野浩一脚本の『ビッグX』は、第四〇話「虹の国から」（一九六五年五月一七日）が最初である。

「虹の国から」のあらすじはこうだ――ハイマン国の軍事兵器として造られたロボット「ピート」は、ビッグX（注：主人公・昭が有する秘密兵器で、これを注射すると巨大化できる）を手に入れろという命令を受け、日本へと向かう。しかし、日本の空で虹を目撃したことで、ピートは良心を取り戻す。命令を忘れ、軍事兵器としての自己を否定し、何処へともなく逃亡するのだ。その逃亡先で偶然、ピートと昭たちは出逢ってしまう……。といった内容で、フィリップ・K・ディックの『アンドロイドは電気羊の夢を見るか?』（1968）に先駆けたアンドロイド・テーマのSF佳品となっている。

実はこの作品に出てくる「ピート」という名前は、山野浩一が「宇宙塵」の八七号（一九六五年一月）に発表した「闇に星々」に出てくる「ピート・ランペット」を彷彿させる。『殺人者の空　山野浩一傑作集II』（創元SF文庫、二〇一二）の「著者あとがき」では、「当時数多く書いていたSFアニメ脚本の延長のような作品」と評しているものの、一九六五年一二月に出された単行本版『X電車で行こう』（新書館）の「あとがき」には、「一番好きな作品である」とシンプルな言明が付されていて、実際、巻頭に配置されている。後にピート・ランペットは、「NW-SF」の2号に掲載された「レヴォリューションNo.2」（一九七〇）にも登場し、山野の〈フリーランド〉シリーズのメイン・キャラクターとなっている。

『ビッグX』の放送は一九六五年の九月まで続いた。『鉄腕アトム』の「メトロ・モンスター」と同時期にも山野浩一は『ビッグX』の脚本を書き続けており、第三五話「ロボット城」（一九六五年四月一二日）に三六話「火の馬」（同年四月一九日）と、放映が連続する週すらあった。ちなみに、本連載の前回で論じた佐野美津男は、第三二話「悲しき昆虫博士」（同年三月二二日）および第三七回「海底秘密研究所」（一九六五年四月二六日）の脚本を手がけており、山野と佐野はこの時点で面識を得、共闘していた可能性が高い。いずれにせよ、山野のSF小説とSFアニメの脚本は密接に関連したものであり、単に「X電車で行こう」のアイデアを提供して終わった、で片付けられるものではない。では、どうして山野は『鉄腕アトム』に深入りできなかったのか。実は、『ビッグX』は人形劇『伊賀の影丸』をプロデュースしていた藤岡豊がTBSから出資を受けて設立した「東京ムービー」（現トムス・エンタテインメント）の第一回作品だった。それまでアニメ製作の経験がないスタッフが多数を占めた状態で作られていたので、作画にぎこちなさが残り、不自然な場面の使いまわしも少なくない。いま見直すと、それもまた味わいになっているが、TBSや虫プロからすると、一段低く見られた部分は確実にあったろうし、山野自身も有形無形の苦労を強いられたものと推察される。アニメ業界でもまた、山野は孤軍奮闘を強いられていたのだ。

CREATION

弦巻稲荷日記

いわためぐみ

映画や、古典の題材をリクリエイションするという行為

中国テレビドラマの楽しみというタイトルで本誌№77「夢魔」のときも書いたんだけど、いまコンテンツはたくさんあるのにやたらと同じ題材をあつかったり、メディアミックス的な小説、漫画原作のドラマや映画が多くないかい? とちょっと思ってみた。

日本よりも中国のほうが、発表されるコンテンツが多く、中国で多い傾向にあるというよりも日本にそういう傾向の作品が紹介されやすいということなのかもしれないが、日本にいるとそうしたものばかりが目につく。

宮廷陰謀ドラマが流行れば、柳の下のどじょう的に、歴史もので宮廷が舞台だけど、後宮で妃嬪たちの地位争いがテーマじゃないドラマに「宮廷の××」的なタイトルや売り方で売ろうとしたりしているのは見苦しいので、まだ、売れたドラマのリメイクが上陸、ということのほうが好感がもてるものだ。

特に中国ドラマがあまり時期をおかれず、韓国で「リメイク」されたり、あるいは日本の漫画が中国でドラマ化されたりという例に気がつくと、後続の作品のほうに「またか」という先入観がつく。

たとえば「宮廷女官若曦」と「麗―花萌ゆる8人の皇子たち―」は、同じ小説を原作に中国、韓国でドラマ化された作品で、当初「若曦」にかなり入れ込んだ私は、「麗」に拒絶反応をおこしかけたが、いやいや食わず嫌いはよくないと「麗」をみてみたところ、そのバリエーションの豊かさにハッとなったのだ。

リメイクは、本当は先入観にとらわれなければ、二番煎じではない。

もちろん、リメイクがオリジナルを超えられないほど、オリジナルのちからが強かった例もあれば、リメイクがオリジナルではできなかったことを実現するケースもある。

映画を映画でリメイクするのは全世界的にも決して珍しいことではない。周防正行監督の『Shall we ダンス?』(1996)が、ハリウッドでリチャード・ギア主演の『Shall We Dance?』(2004) となったりしていることも私的には忘れられない例だ。

これは、東京とシカゴを舞台に設定もかなり変更がなされて、物語の再構築がされているはずなのに、映画としてのシーンや描かれ方があまりにもオリジナルそのままで、周防監督が変更を許さなかったのではないかという推測がとびかったという。

ところでそんな感想に対して、本人はそんなつもりはなく、「自由に作ってくれ」と伝えたが、試写でびっくりするほど自分が作った映画そのままで、その変更のなさっぷりに、同行した妻の草刈民代が、むしろ怒り悲しんだと、草刈民代のエッセイにかかれていた。「すごいよ。周防くんの才能は。こんなにそのままシーンを再現させてしまうような作品を作るなんて」という趣旨の慰めを発言したという。

極東日本の片隅のエンタメ作品ではあるが、海外で上映される機会のすくないであろう日本映画のオリジナル。リチャード・ギア主演のハリウッド映画が世界中でひろまったときに、この映画の感動は、後者のオリジナルと誤解されるのではないか。それはオリジナルを知る日本人として、とても悔しくはないか? まあ、クリエータとして「これが私のものだ」という部分をどう意識するかですよね。

これが契約によって「原案」とクレジットされなかったら、盗作というところだけれど。契約がなされて、作成されたとしてもそれが、後者を作るプロジェクトの「リスペクト」として成立するのか。とてもむずかしい問題だ。

さて、「若曦」と「麗」を比較すると、それぞれ清朝と、高麗時代と、ことなる舞台に設定されているため、比較すると、細かい設定などにも大きな変更がなされており、それが、「麗」を別の物語として楽しませる形となっている。

どちらも私はとても楽しんだ。そして、これは、別の物語として成立していると感じたのだ。

「若曦」が主人公が「歴女」ということで、やたら細かい歴史について知識があっ

て、そのために歴史に介入してしまうのだが、麗の主人公は歴史は一般的な義務教育の範囲でしかわからないものの、化粧品会社の美容部員で、メイクに詳しく、高麗時代にタイムスリップしたあとに、そのメイク技術が物語の中で歴史上の人物たちの人生を変革させてしまうというものだった。

原作の「歩歩驚心」は、「九王奪嫡」という清朝を舞台にした王位継承をめぐる史実にある兄弟争いを、タイムスリップした女性主人公をめぐっての兄弟争いというストーリーにしたて、なぜそこまでに王位をめぐり争ったのか。ということを、庶民で現代人の私達でも共感できる物語へと仕立てていた。

後宮の皇帝の持ち物である主人公を手にいれるには、本人の気持ちとかではなくて「皇帝になる」しかない。しかし、皇帝になってしまったら、現代人の感覚での恋愛を望む主人公との愛を育むことはできなかった。その悲劇が、現代にもどり輪廻転生的に「続編」へとつながることが、まあテレビドラマとしては失敗しているんだけど、あまりにも、あのドラマの登場人物たちの行く末が気になり、二次創作的な物語が多数のファンアートや小説などもネット上で発表されたりするなかで、公式の続編の現代版は意欲的でもあったなあと、私は思った。

さて「麗」は主人公の女性を手に入れるために、皇帝になりたいという兄弟争いは変わらないのだが、より、兄弟の背後にある、母たちの後宮争いや、同母でありながら、愛されない第四皇子と、溺愛される第十四皇子の主人公との関係は、強く物語に投影され、また子供の頃に負った顔の傷のため王位を望めなかった第四皇子が、主人公のメイク技術で人心を掌握し、王位継承争いの行方を大きく変えたことはこのタイムスリップでやってきた現代人たち（麗には、主人公以外のタイムスリップ経験者も重要な役割を果たしていた）の生き様が本来の歴史につながっていることに説得力を増していて、この原案をシナリオ化したプロジェクトに大きく感心した。

ふと、それを口にしたところ、韓国のゲームシナリオなどにも顕著にそういう物語の変更の秀逸な原作ものがあるということで、そういったゲームなどのコンテンツメイキングのノウハウが生かされているではないかと、ゲームジャーナリストとして海外のゲーム紹介を手掛ける徳岡正肇の言葉を添えておく（具体例は今回の趣旨でないので省く）。

弊社で発行しているもう一つの季刊誌「ナイトランド・クオータリー」の次号の企画のために古い映画をリサーチしていて、やはり古い映画のリメイクや、古典の題材をリクリエイションするという行為に今、私の関心がむいているということもあるのかもしれないが。

レスリー・チャン主演の「夜半歌聲」については本誌で公開当時に紹介しているのだけど、今回のリサーチで実は三回映画化され（リメイクであることは公開当時に知っていた）、最近にテレビドラマにリメイクになっていることを知った。

リメイクの度に世相にあわせた設定変更がなされ、一番最初の映画の中にあった思想的なメッセージは薄れていってるように思えるが、時代を超えて通用する物語ということなのだと思う。

こういったリメイクも「夜半歌聲」のように古い作品でも最近はネットで見比べることができる。残念ながら日本語に翻訳はされていない。そんなとき、「夢魔」の号で取り上げた「三生三世十里桃花」小説原作で、同様にテレビドラマと映画が同時期に公開されて、別の役者の別バージョンをほぼ同時期に日本語版を観ることができるというのは、その作品の人気度とも言えるだろうけど、見比べられる時期に、ちゃんと見比べることができる環境があるということが、今のコンテンツ配信のありがたいことなのだ。

決まった時間にしかみることのできない地上波配信や映画館での上映だけでなく、ネット配信や、ソフト販売によってコンテンツが手元に残せる利点なのだと思う。

ところで、「シンデレラはオンライン中」

というドラマがある。

これも「若曦」同様に小説原作で、テレビドラマ化された作品だ。映画は「LOVE020」。主演はそれぞれ別の役者だが、脇役として重要な役割を演じる役者が、同じキャラを演じていたりと興味深い。

「微微一笑很傾城―シンデレラはオンライン中」は顾漫の人気小説でドラマ化された「シンデレラシリーズ」の第三弾「杉杉来了―お昼12時のシンデレラ」「可以笙蕭黙―マイ　サンシャイン」と、すべて現代を舞台としている。

歴史ドラマばかり観ている私が現代ドラマをみたきっかけは、「シンデレラは〜」がドラマの中で武侠世界を舞台としたオンラインゲームがキーになっている作品で、その武侠世界ゲームのビジュアルが気になったからなのだ。

ドラマは、ゲーム世界の中での人間関係と、現実世界の人間関係が交差していくもので、ゲームの中で恋をして育んだ気持ちと、現実世界の恋愛が、複雑に人間関係として提示されるが、ストーリーはシンプルで、美人だけど、ちょっと周囲に意地悪されてる女の子が意地悪に負けずに最後は王子さまと幸せになる。本当の意味のシンデレラストーリー。

いつか王子さまが、自分を選んでくれる。そんなシンデレラストーリーを下敷きにするというのは、小説原作がどうかという以前に、とても見る側に先入観を作ってしまうのだが。反対にいえば、その先入観を利用して、その枠の中で、語られる人間模様の物語は、現代の片隅で、本当にありそうなリアリティをもっていた。

日本でいうと東大にあたいするような位置づけの大学の情報学部で学ぶ主人公は、ネットゲームの中でネカマ扱いされてしまうほどの上位プレイヤーで、美人だけど顔写真を公開していない。ゲームの人間関係は、ゲームの中だけにしたいと思っていたのに、ゲームのクエスト上、カップルでないと参加できないクエストに参加するために「結婚」をするのだが、結婚相手に「離婚」を求められ、人間関係として「恋」をしていたわけではないから、あっさりと別れてしまう。

そのあたり、本当にゲームをやっている人間関係らしいのだが、相手は実はそんなに、ゲームライクに考えてなかったりするのだ。

ゲーム世界でも男たちに魅力的にうつる主人公は、現実世界でも魅力的で、先入観から、片思いをされた相手に、一方的なトラブルをひきおこされる。

でも、どちらの人間関係も、王子さまがあらわれて、最後はすべて解決。

そんな現代のシンデレラストーリー。

こまかな描写が、よく作り込まれていて、ゲームを開発しようとしている学生ベンチャーが大企業とやりとりをしていくプロセスや、大学の憧れの先輩が、実はネットでも大活躍のトッププレイヤーだったりと、出来すぎなぐらいご都合主義なのに、その中で、トラブルを解決して前に進んでいくヒロインと王子様のエピソードは小気味が良かった。

王子様が人気ゲームの続編開発をかけてプレゼンをするシーンの、僕のゲームに対する思いのセリフが、私には勇気を与えられるものだった。

要約すると「ゲームをただの消費されるコンテンツ、たかがゲームと捉えるのではなくて、中国の伝統文化を世界に発信する手法として、使いたいだから、文化をきちんと理解して、文化をゲームの中で表現していくという発言なのだがその彼の哲学はドラマの中で、ちゃんと消化されていた。

最後にヒロインと王子さまは結婚式をむかえる。式はえがかれないが、その前夜、部屋に用意された伝統的な結婚衣装を身につけようとするのだが、ヒロインは着付けの順番がわからない。

王子さまが「僕が着付けてあげるよ」と着せていき（当然、そのあと脱がせるのだろうけど）その伝統文化を理解するということの、徹底ぶりが表現されていた。

伝統を理解して、伝統文化を継承する。その現場を、ゲームや、小説や、映画やそういうコンテンツを使って、表現していくこと。

そのスタンスのこと。

それをとてもかんがえさせてくれる原作を、これまた、ドラマと映画の作り込みで、またまたいろいろとかんがえさせられてみたりしている。

本当に、「たかがゲーム」「たかが恋愛ドラマ」と侮るなかれ。

くりかえし、みかけが同じように発表されながらも、そこにバリエーションのように描かれる文化を私はまだまだ追いかけていきたいと思う。

「イラストレビュー」◎絵と文＝三五千波

新型コロナウイルスの影響による
興行自粛のため
今回は特別編をお送りします

学統と治統
L正統とO正統
または
Heresy
Heterodoxy
日本のサブカルチャーにおける
異端とは悪魔的な「絶対の探求者」
「栄光と悲惨、権力と破滅ー
それが痙攣的に二重に透けて
見えるような存在」という
澁澤龍彦「異端の肖像」での
定義が流布していると思われる
キリスト教史や
丸山眞男の論とは
ほぼ関係がない
その他配信で記憶に残ってるのは
ジュネーヴとパリ・オペラ座の
「優雅なインドの国々」
ウィーン国立歌劇場「影のない女」
シュトゥットガルト歌劇場
「タウリスのイフェゲニア」
二期会・宮本亞門演出「蝶々夫人」など
Peter Pan!!
「チェネレントラ」
「ナヴァラの娘・
道化師」藤原歌劇団は
最近美術と演出が
すごくお洒落に
心の中の悪魔を描く
プロコフィエフ
「炎の天使」や
ペンデレツキ
「ルーダンの悪魔」
コスキー演出
「炎の天使」より
カルメル会修道女の会話
ピィ演出
モネ劇場
別演出でも映像見てるけど
プティボンのブランシュは
天下一品の当たり役!
現代演出の出始めには背徳的な
解釈がセンセーショナルに
迎えられたかもしれないが
新たなる表現を追求することが
芸術の本分であるというなら
むしろ挑発的な演出が王道という
ことになるだろう
自粛中の音楽家などによる
対談・レクチャー配信も
盛んになりつつある
ツイキャスの
キャスくん
イギリス在住の音楽学者による
「セイチェントオンライン
音楽家のための英語講座
シリーズ1〜
英語でさらう楽典と
簡単な音楽分析」を受講
音符や音程などの英語名を知り
英国の音楽教育事情にも触れる
悪魔のいるオペラは
ファウストものや
ルシファーの出て来る
シュトックハウゼン
「リヒト」の「土曜日」
ツイキャス「音の未来形」
今季全4回は古楽奏者を中心に
即興演奏・歴史・そしてアニメ
にまで言及してて熱かった
一度見たオペラでも
あらすじはうろ覚え
なもので…
妖精の女王
ギリシャ国立オペラ
これなんか字幕が
ギリシャ語でまったく謎
独語や仏語はもちろん
英語ですら理解度低いのに

「ふんわり王女」
2018年オペラ・コミック座
ジョージ・マクドナルド原作
Violeta Cruz 作曲
Oria Puppo 美術・衣装
原作は英国児童文学の古典で
十代の頃からこの話が大好き
オペラ化されたという
ニュースは知ってたけど
まさか日本で視聴できるなんて！
姫の笑い声
ひとつ取っても
楽器とコロラチュラを
絶妙に混ぜてたり
工夫がいっぱい
ダンス・衣装・演技・音楽
各分野の大人が本気出してる
こういうプロダクションこそ
「初めてのアート」として
日本で子どものために
上演できないかなあ
5月12日は
Q／市原佐都子による
オンライン版
「妖精の問題」
こうびしたい
おもてんねん！
2018年京都国際舞台芸術祭で
再演を見た「妖精の問題」
新キャストによる有料Zoom配信
世界との調和です
基本一人芝居による初演再演と違い
各登場人物は別の俳優に振り分けて
シーンごとに演技後の感想も入る
こしょこしょ
自宅部屋からの
女子高生の雑談
リアル台所からの
主婦のボヤキが
生々しい
オンライン
Zoom飲み会
「紀尾井町家話」
なぜかトーク配信で
尾上松緑丈が大活躍
鬼サワー
第二夜を課金して
視聴したのだが
これはリアルタイムで
ないとコメントが
読めないんだな
参加することで
飲み会気分という…
演劇だけでなく
ライブハウスの
応援企画もいろいろ
2018年末の
スターパインズカフェ
現場にも行った
HARCOライブ動画
うれしい
もちろん
少しだけでも…
OFUSE
投げ銭
4月に
中止となった
せとうち古楽祭の
クラファンにも
一口だけだけど…
民家が拠点の劇団
「ゲッコーパレード」
では
「小さな作品」を
配布
申込完了後に
ハガキが
送られて来て…
じわ
1通目
（ハガキの内容は
各自内密のこと
と劇団よりの
お願いあり）
じわ
じわ
2通目
じわ
じわ
じわ
じわ
3通目

5月3日の深夜には「夜2時15分のまちあわせ」
真夜中にfacebookを開いて各自飲み物を手に配信を待つ
どちらも「小阪亜矢子のひとり配信ライブ」
配信は無料ですが歌い手による訳詩付きのプログラムをnoteで販売
この詩を読み返して動画を再度再生することで濃密な時間を追体験することができる
曲目はフランス・スペイン古謡からドビュッシーラヴェルモンポウと近代もの
更にはヴァイルブリテン「たま」の「あつまれ」河崎純「夜半楽／春風馬堤曲」(与謝蕪村による18曲の詩劇)
6月13日には「昼2時15分のまちあわせ」
6月末を過ぎても週2日の在宅勤務はそのまま続行
私の日常は少しずつ取り戻されつつあるのだが…
6月3日休館してた文京区図書館の予約貸出開始
6月13日日暮里の銭湯でバラ湯
6月20日4ヶ月ぶりに展覧会のハシゴまず「ショパン200年の肖像」
「24の前奏曲」などのイメージイラスト…もといロマンティック時代の連作版画が感慨深い19世紀の二次創作！
練馬区立美術館から南青山TOBICHIへおおくぼひさこ写真展「あの日の橋本くん」
そろそろオーケストラの公演も再開されてる
外国人の来日は当分むずかしそうなので中止や代役になった公演もまだまだ…
市松配置で席数は半分になるしチケット急ごう
新国立劇場のZ席はどうなる?

TH特選品レビュー

（市）市川純
（岡）岡和田晃
（高）高浩美
（沙）沙月樹京
（関）関根一華
（田）田島淳
（馬）馬場紀衣
（日）日原雄一
（並）並木誠
（放）放克犬
（三）三浦沙良
（M）本橋牛乳
（八）八本正幸
（吉）吉田悠樹彦

亀井三千代展
カルマフリー
羽黒洞、20年6月20日〜28日

★この作家とは、十数年ほど前に一度、お逢いしている。その時に観せてもらったのが、鮮やかな色彩で描かれた人体解剖図だった。それは、グロテスクなところなど微塵もなく、透明感すら漂う美しさだった。その時の印象があまりに強烈だったので、ずっと気がかりだったのだが、この度、念願叶って遂にその作品に接することが出来た。コロナ禍によって延期されていた個展であり、その延期期間中にfacebookで作者と再会したということも、何やら宿命めいたものを感じさせる。
　亀井三千代という作家について語る時、大学で人体解剖図を描いていたという経歴は、その個性を特徴づけるものとして常について回るものだろうけれど、そこにこだわり過ぎると、足をすくわれるだろう。そのことについては、作者自身が自覚的であるように思われる。死と密接にある解剖図と、まさに生々しい生の営みを捉えた春画という、対極的なものを合体させつつ、肉体という業（カルマ）に縛られた生命を、ある種の神話的な空間に解き放とうとしているように思えるからだ。

　今回の個展で最も大きな作品である「飛翔憬」という作品は、交尾する男女が描かれていて、上になった女性の背中からは翼が生えている。ネットの画像としてこれを観た時は、飛び立とうする女性を、男性がペニスで地上につなぎ止めているように見えたのだけれど、実際に屏風絵のように広がった作品に対峙すると、ああ、これは発射台なのだなと、まるで逆の印象に転化した。女性には首がないので、どことなくサモトラケのニケのようにも見える。神話的と感じたのは、そういうところにも由来しているのだろう。

　初日早々に売約済みとなったていた「ユニコーン」という作品は、筋肉がむき出しになった猫の額から、光のような角が生えているもので、ギャラリーの入口に掲げられて、文字通り招き猫の役割を果たしているチャーミングな作品だ。無駄のない筋肉質のボディが、まるでサイボーグのように見える。

　そして会場のいちばん奥には、作者自身がボディ・ペインティングで作成した人拓が、掛け軸に表具されて、恭しく鎮座しているのである。

　肉体は確かに、人を縛り付けるカルマに違いないだろうけれど、作者は自らを作品化することによって、カルマそのものとしての肉体を楽しんでいるように見える。これは、ユーモアだろう。

　エロスとタナトスがユーモアとともに飛翔する！

　ああ、だから心惹かれるんだよな。

　というわけで、予想していたよりお手頃な価格だったので、案内状のメイン・ヴィジュアルとなっている「霊感」という作品を購入させてもらった。

　たぶん、この作者の作品は将来的に評価が上がり、手の届かない価格になるに違いない。そうなる前に、どうしても自分のものにしてしまいたかったからだ。
（八）

イエス玉川
石松代参
木馬亭、20年3月7日

★昨年十月から、イエス玉川師匠が日本浪曲協会に復帰して。毎月木馬亭に出るようになって、毎回演目を変えているという。「清水の頑鉄」、「たぬきと和尚さん」、「天保水滸伝 平手の駆けつけ」……。「むかしの名人は、毎日おんなじ。お客が

声をかけて、ほかの演目はやらせなかった」という。東家浦太郎は野狐三次、篠田実は紺屋高尾。「むかしの名人は、客が気をつかった。わたしの場合は、芸人のほうから気をつかう」。そうして唸りはじめたのは、なんと「石松代参」。広沢虎造の名演は、何十遍きいたかわからない。清水次郎長伝の中でも代表的な演目で、私自身、いちばん好きなところかもしれない。イエス玉川の師匠・三代目玉川勝太郎が演ずる映像も残っているが、実際に聴くのは初めてだったから、気づいた瞬間にさっと血の気がひいた。

そして、イエス師匠の「石松代参」は、やっぱりすばらしかった。石松と親分の次郎長がやりあう場面、もう大好きなんだけれど、イエス師匠の凄みと色気のある声がたまらなかった。むかしイエス師匠は、「江川代参」なんて演目も演じていらしたようだけれど、まさかホンモノが聴けるとはおもわなかった。

もちろん客席としては、毎月ちがうネタが聴けるのはうれしい、のだけれど。「天保水滸伝」も「たぬきの和尚さん」も、イエス師匠が演じれば、何度でも楽しめる。同じ演目に当たっても、楽しんで聴けるので、むりはしないでほしいのだけれど。

と、こんなにイエス師匠も客席に気をつかってくれていたのに、例のコロナ騒ぎで、残念ながら四月以降、木馬亭は休席になってしまった。木馬亭は昨年、大女将の根岸京子さんが亡くなって、明けて五十周年のこの年に……。私も、学会発表の機会を二回いただいていたのが、ふたつとも中止になった。ガックリ肩をおとしていても、精神科医としての日常業務はつづく。仕事の内容よりも、通勤片道二時間がツライ。特にコロナなさわぎのなかでも、電車は朝から混んでいる。混んだ車内の吊り革に支えられながら、イエス師匠のCDを聴きながら通勤している。「イエス玉川のゴルフ漫談vol.1」、「新作浪曲　たぬきと和尚さん」、「イエス玉川のとりとめもない話」。いずれも時価で、木馬亭でしか買えなかった。木馬亭がまた開場したら、みんな買ってほしい。（日）

名取事務所
帽子と預言者
鳥が鳴き止む時
下北沢『劇』小劇場、20年2月20日～3月1日

★カナファーニーは、日本でも短編集が出ていて、特に「太陽の男たち」はしばしばポストコロニアル文学の傑作として言及されている、というパレスチナの作家。1972年に36歳で暗殺されている。その作家が戯曲も書いている、ということは知らなかった。ということで、観に行きました。

テーブルを間にはさんで、取り調べ、あるいは裁判の場面からスタート。身に覚えのない殺人で取り調べられる主人公。といっても、そもそも誰が殺されたのかも、何が殺されたのかもわからない。殺されたものは、机の上に、何もないけれど、そこにある。

時間は少し戻る。主人公は、貧しく、恋人と結婚することはできない。恋人は妊娠しているが、だからといってお金のない主人公のことは見限っている。そこに落ちてきたのが、謎の物体。恋人はその物体を売ればお金になるというが、主人公は売ろうとしない。物体はどうやら生物らしく、ポリフォニックな声で語る。この物体は、恋人の母親の帽子という姿をとる。

そして、殺されたのがこの物体。結局、何も殺されていないために、主人公は無罪。けれども、そのことによって自分自身の居所を失った主人公は罪を求める。

って、不条理な劇のストーリーを書いても、なんだかよくわからないですね。けれども、パレスチナとかユダヤ人とか、すべて忘れても、不条理というのは、どこにでも共通するもの、そんな仕様が見えてくる。どこからともなくやってくるポリフォニックな声に翻弄され、自分自身を失っていく。自分で運命を決められない、そんな世界が、一般的なものとして、舞台に置いてある。

小さな劇場だが、舞台はちょっとこっていて、何よりも目をひくのが、2つの大きなディスプレイ。舞台上で役者によってカメラが操作されていて、その画面がディスプレイに大きく映しだされる。舞台とは別の、ディスプレイ上で進む、切り取られた物語として、舞台上に置いてある。現実感を一度、取り除く、その距離感

が、ぼくたちとパレスチナの距離感なのかもしれない、とも思う。

「鳥が鳴き止む時」は、作者自身を主人公とした一人芝居。舞台は、2002年のヨルダン川西岸地区、パレスチナ自治政府のあるラマッラー。パレスチナ自治区の領土とはいえ、実際にはイスラエルが入植を繰り返しており、軍隊に侵攻されている土地。しばしば外出禁止令が出される。この芝居においても、外出禁止令が出されている数日間のようすを、舞台にしたもの。外出した妻がなかなか帰ることができない。しばしば、攻撃の音がする。イスラエル軍は「人道的に」攻撃目標を事前に通知し、被害者が最小限になるようにしている。言うまでもなく、人道的なのではなく、生かさず殺さずということのためだけど。

パレスチナの暮らしがどういうものなのか、ただひたすら語る芝居ではあるが、そこにはとりたてて意外な展開などはなく、淡々と語られる。むしろ、そうした状態が何十年も続いているということの異常さに対し、何も入る余地がない、ということなのだろう。

そんな状況を、前向きに演じられている。2つの芝居の間には、30年以上の時間があるはずなのに、それを感じさせないところに、世界の異常さがある。(M)

ACALINO TOKYO

演劇の街をつくった男

下北沢 小劇場B1、20年6月19日~21日

★下北沢に8つの劇場を運営する、世界一の個人劇場主・本多一夫。下北沢を〝演劇の街〟たらしめた人物だ。この本多劇場グループが本格的に始動。それに先駆けて6月1日~7日には「DISTANCE」で「無観客生配信」を行い、話題を集めた。
そして、約3か月ぶりに客席に観客をいれての公演第1弾が「演劇の街をつくった男」。原作は『「演劇の街」をつくった男 本多一夫と下北沢』であり、シンプルに演劇への想い、芝居をする人たちを応援したいという気持ちだけで、自分の生き方を変え、街を変えた本多一夫の物語。それを下北沢の小劇場B1で、〝今〟上演することの意味と意義。さらに本多一夫、本人も登場する。上演時間は60分以内、キャスト・スタッフの検温・手洗い・アルコール消毒、スタッフのマスク常時着用はもちろんのこと、小劇場協議会のガイドラインに基づき、座席は左右1席以上空けての販売とし、客同士の距離を前後左右2メートル確保、つまり〝満席〟になっても〝満杯〟にはならない。

さて実際に劇場に入ると、満席なのだが、見た目はスカスカ。それでも、ようやく劇場が開いてリアルに見れるという〝久しぶり〟さ、ここにいる観客はほぼ、皆そう感じているに相違ない。そして今までなら、座席にチラシの束があるはずなのに、ない。この芝居についてのことが書かれてあるパンフに当たる紙があるだけ。そして時間になる。

中華料理店のアルバイトが登場し、語り部の役割を担う。ここは行ったことがある人もいるはず、実在の店、珉亭。4人の劇団員が話している。「芝居と距離を取ろうと思うの」「えー!」「マジか!」「楽しいだけでいいかわからなくなった」……etc.

その4人のうちの「芝居と距離を取ろうと思うの」と発言していた女性劇団員・萩原は、店に芝居のポスターを貼ろうとして……「あーー!」階段から落ちてしまう。落ちたその先は……下北沢には違いないのだが様子が違う。新聞を見ると「浅間山荘事件」、年号は……「昭和」。なんと、50年近く前の下北沢にタイムスリップ! そこで彼女は若き日の本多一夫に出会うのである。

萩原がタイムスリップした時代は本多が下北沢と周辺地域の店舗を次々に買収して事業を拡大、80軒以上もの居酒屋を所有していた時期であった。当然、不動産屋から〝いい物件ありますよ〟な話が舞い込む。駅前の好立地、早速おさえることにしたはいいが……。

事実にタイムスリップという設定を組み合わせて展開、駅前に劇場を立てようと思った経緯がテンポよく綴られる。本多は、始めは映画俳優として新東宝に入社、1955年(昭和30年)の『新東宝ニューフェイス 第4期生』に。しかし、役に恵まれず、ほとんどが端役、しかも新東宝も61年(昭和36年)には倒産。それから下北沢駅近くでバーを開店、それが成

功し、実業家になった。そのまま、〝勝ち組実業家〟という選択肢もあったはずだ。しかし、若い本多は言う。「役者としてうまくいかなかったのが残っているんだな」と。劇場を作ることを決めたはいいが、そのためには、かなりのスペースが必要だ。

決心してから実に10年、劇場が完成するまでを時にはコミカルに、熱く描く。萩原はタイムスリップしてから10年も経ってしまったことに焦りもあったが、本多の生き様や心意気に触れて彼女の心境も変わっていく。そして82年、こけら落しを飾った作品は唐十郎作の『秘密の花園』。チラシ一つでワクワクする若者たち。そして萩原は……。

60分以内の上演時間であったが、濃密な時間を味わえた。客席に姿はなくともライブ配信で観ている人々もいて、その人たちの瞳もなんとなく感じる不思議な時間。上演場所が下北沢、8つの劇場のうち一番新しい小劇場B1で上演され、最後に本多一夫が自分役で出演する、そのリアル。人間が持つエネルギー、夢を、想いを現実に。そして劇場は人数の多い少ないはあってもそこに人が集い、しかもリアルには集まれなくても、配信という手段で心は劇場にワープできる。どんな時代が来ようとも、これだけはなくならない。そして、人は人と同じ時間を過ごし、喜怒哀楽を共有することに喜びを感じる。そう思える時間であった。（高）

澤孝子

一本刀土俵入り

木馬亭、20年3月1日

★浪曲をうなる前の、澤孝子師匠のあたたかなお話がすきだ。きょうは、「よう…こそ、お出でくださいました。いろいろと大変なときですけれども、よく今日は来てくれました」と。新型コロナウイルスで、あちこちキビシイ雰囲気に、なりかけていたなかでのお言葉だ。
あちこちの演芸会は中止になった。そんななか、澤孝子師匠の言葉には、あたたかく元気をもらえる。「さあ、がんばってまいりましょう」と、入った演目は、「一本刀土俵入り」。ちからづよく唸る澤孝子師匠の声には、こちらも感銘を受けながら、不安な気持ちを勇気づけられる。お正月、「猫餅の由来」を演っていたときには、師匠は声を張り上げたあと、「今年も大丈夫そうね」とにっこりされた。澤孝子師匠の笑顔はほんとうにすばらしい。

その通り、今年も澤孝子師匠の高座を、まだまだ聴きに行きたい。コロナのことも、職場の状況もかわり、毎月木馬亭に行けていた頃のようにはならなくなってきたけれど、師匠のCDやDVDなどを聴き返している。木馬亭で販売されているDVD「浅草木馬亭の浪曲師たち」では、澤孝子師匠は十八番の「徂徠豆腐」が聴ける。浪曲×TファンってTSUTAYAのサイトで動画配信もやられていたりするが、ソフト化もぜひしてほしいところだ。

新型コロナのいやなニュースばかりの毎日だけれど、澤孝子師匠はもちろん、浪花節の名人師匠がたはご健康であってほしいとおもう。私？ 私はふだんから体調悪いから、新型コロナであらためて驚くことはないのです。（日）

★DVD「浅草木馬亭の浪曲師たち」

ディーリア・オーエンズ

ザリガニの鳴くところ

友廣純訳、早川書房、20年3月、1900円

★夜明けか、夕暮れか。空を写して朱く染まる河とそこを滑るように進むボートが描かれた表紙を開くと、短い謝辞と簡単な人物紹介のあとに、「湿地は、沼地とは違う。」という簡潔な一文。そこから物語は始まる。
主人公のカイアは幼少期に家族が失踪してからも、出生地であるアメリカ、ノースカロライナ州の湿地でひとりで暮らしていた。自力で生き抜いてきた彼女は、鳥や水棲生物と戯れることをこよなく愛する。本書の主軸の一つは、そんなカイアの成長譚である。

もう一つの主軸は、カイアの住む湿地近くで起きた殺人事件だ。被害者となった青年チェイスは、カイアとかつて恋人関係にあった町で有名なプレイボーイだ。浮気や肉体関係の強要など、トラブル続きだった過去の経緯からカイアが殺害容疑をかけられてしまう。疑われた理由は他にもあるかもしれない。町からはなれた場所に暮らしている貧乏白人（ト

ラッシュ）だということ、黒人と仲良くしているということ、学校に行っておらず人語を解さないと思われていること。

物語では事件の起きた一九六九年と、カイアの孤独な日々が始まる一九五二年からの日々が交互の章で語られる。カイアの成長に合わせて日付は進んでいき、やがて六九年の事件当日にぶつかるという構図をとる。

貧困と差別がたえずつきまとうカイアの生涯を追体験するような小説だが、それ以上の思いやりと愛もあふれている。カイアが年頃に成長すると、彼女に惹かれて、町の青年テイトが文字を教えにやってくるようになる。物語は一気に鮮やかになり、読んでいるときは、時がここで止まってしまえばいいとさえ思えた。そしてテイトに勉強を教わったおかげで、ただの湿地を愛する少女だったカイアは、才能あふれる生物学者としての道を踏みだしていく。しかし彼女の輝かしい前途に立ちはだかるように、事件は起きてしまう。

作中で具体的なアメリカ史が語られることはないが、殺人事件の舞台が一九六九年のアメリカ南部だということに注目したい。反戦運動が日毎に激しさを増し、ベトナム戦争からの撤退を公約に掲げたニクソンが大統領になった年。そして、セクシャルマイノリティたちが横暴な権力に立ち向かった暴動事件、ストーンウォールの反乱が起きた年でもある。より平等に、より寛容に、より多様に、世界がそのような理想を求めて動き出した時代だったが、現在のアメリカを見てわかるように当時の理想は未だ達成されていない。

カイアは野生動物を観察して知る。産卵の力とするために交尾ののちにオスを食べるメスの蛍のことを。ウシガエルの弱いオスは強いオスの近くでメスを待ちかまえることを。ずるい手も、強硬手段も自然界では生きのび、子孫を残すための正当な手立てとなる。蔑みと暴力の中で、カイアは自分の人生を手に入れるためにどのように闘うのだろうか。（関）

桂笹丸落語会 feat. 狐火

江戸資料館ホール、20年2月12日
★桂笹丸さんは大好きな落語家さんだった。同い年だということもあり、なんとなく親近感をいだいていた。その笹丸さんの落語会に、こんなにもすごい、ホールいっぱいの人数があつまる。すごいなあ、とちょっとため息をつく。笹丸さんの「ちりとてちん」は、嫌みな客のきざったらしいかんじを笹丸さんがやると、場内大爆笑だった。
ゲストはラッパーの狐火さんという。最初は誰それ状態でしたけど、狐火さんの「27歳のリアル」は笹丸さんの入門を、あとおししてくれた曲でもあるそうだ。

その曲、パフォーマンスは、ほんとうにすばらしかった。人生を感じて、心にしみいるものがあった。それを受けての、トリの笹丸さん「紺屋高尾」も、この会をしめくくるにふさわしく、面白さと感動がかねそなわった出来でした。

会のあと。笹丸さんのYouTubeチャンネル「ささまるどうが」に、狐火さんとのトーク動画もUPされていた。おたがいまたやりたい、とのお話だったので、ぜひ期待したいところなのです。この「ささまるどうが」には、笹丸さんが「うちの師匠竹丸 笑いの種まく ウケるためやる タイ料理食べまくる」とか師匠のことをうたったRAP「TAKEMARU」もあってとてもたのしい。（日）

演劇集団・Prayers Studio 他
アンドラ

演劇フリースペース板橋サブテレニアン、20年1月15日〜19日
★フリッシュはスイス出身のドイツ語圏の劇作家。「アンドラ」は1961年に発表された戯曲。
舞台はアンドラという国。実際に、フランスとスペインの間に、アンドラという小さな国はあるが、あくまでフィクション。時代は第二次世界大戦中。主人公のアンドリは、教師のカンに引き取られ、カンの娘のバルフリン、カンの妻と家族として村で暮らしていた。アンドリは、ユダヤ人であり、ドイツ占領下のフランスからカンが救い出した、ということになっている。といっても、アンドラにおいてもユダヤ人は差別されており、アンドリの出生を知る人は村にはいない。それゆえ、神父をはじめとする村人がユダヤ人を蔑視することを耳にすることになる。

アンドリとバルフリンは愛し合っており、二人は自分たちが本当の兄妹ではないことも知っている。一方、「最後の一兵まで戦う」と口にする兵士は、バルフリンをつけねらう。

アンドリとバルフリンは両親の前で、結婚したいということを告げる。しかしカンは強く反対する。だが、カンはその理由を言わない。カンはユダヤ人と結婚させるわけにはいかない、という理由ではなさそうだ。それでも、アンドリとバルフリンは一緒にいることを願うが、そうした中、バルフリンは兵士に強姦されてしまう。

やがて戦局が悪化し、ドイツ軍がアンドラにも侵攻してくる。そこで、ユダヤ人狩りも行われるようになる。

戯曲そのものは、人種差別の根強さと戦争を通じて示される人間の差別を助長する本音、それゆえの悲劇が描かれる。

けれども、本公演は、日本語と韓国語のバイリンガルで上演された。日本人の役者は日本語で、韓国人の役者はハングル語でセリフをしゃべる。したがって、ぼくのようにバイリンガルではない観客は、セリフの半分しか理解できないということになる。

そこには、日本と韓国のわかりあえなさが、映しだされているといっていい。実際に、現在の日本において、朝鮮・韓国人蔑視は存在するし、それゆえヘイトスピーチも行われてきた。

その意味においては、この公演は意味があったし、昨年秋には韓国でも公演している。

そうは思うのだが、演劇としての完成度ということになると、正直、疑問でもある。二か国語による上演というのが、そもそも役者にとってやりにくかったのではないか。相手の言葉が直接つたわってこない分だけ、どうしても言葉を返しにくくなってしまう。

李の演出は、あまり工夫がなく、60年代に初演したままなのではないか、ということも感じた。古書店にある古い戯曲の本そのままで、上演当時の写真が口絵としてあるような、そんな舞台になっていたと思う。また、それぞれの役者も、役との適切な距離をとることができなかったとも感じている。特に主演のアンドリを演じた日本人の役者は、感情移入しすぎではなかったか。60年後の舞台としては、もっとやりようがあったと思う。(M)

アンナ・カヴァン
草地は緑に輝いて

安野玲訳、文遊社、20年2月、2500円

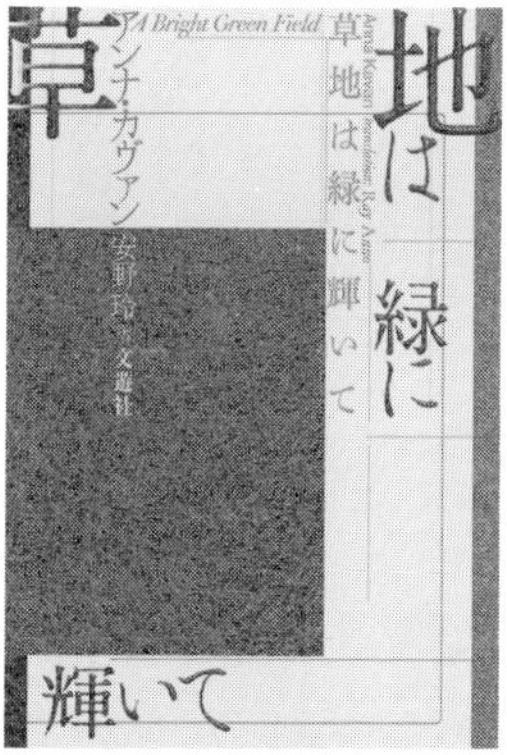

★カヴァンの中期の作品集ということになるのかな。『アサイラム・ピース』と比べると、作品の幅がひろがったように感じるけれど、その後の十数年間の暮らし、経験がその背後にあるのかな。本質的なこと、見ている未来の姿こそ変わらないのだけれども。
表題作、草地の緑が印象に残るけれども、それは、『あなたは誰?』の熱帯や『氷』の寒冷化した世界とともに、終末の姿につながっている。「子ネズミ、靴」のような、孤独な娘の姿もそこにあるし、中編「未来は輝く」は、まるでカフカの『アメリカ』(あるいは『失踪者』)みたいな作品だ。カヴァンとカフカのつながりが示される。「氷の嵐」は言うまでもなく『氷』につながるだろうし。

というふうに読んでいくと、あらためて、この短編集が、他のカヴァンの作品とのさまざまなつながりの、結節点なのではないか、と思えてくる。というか、カヴァンの作品について、ストーリーよりも、与えられるイメージで読んでいるというところがある。だとすれば、ここには、他の作品で展開されていく、あるいは展開されてきたイメージが、短編という形で収納されたものということにもなる。そしてそれ以上かもしれない。それは、カヴァンとしての最初の作品『アサイラム・ピース』の閉ざされた孤独から、『氷』における世界の終わりに向かって、作家としても実生活においても旅をつづけたカヴァンの、その旅の途中の、皮肉なまでの豊かさがここにある。輝く草地は、けれども輝く未来という偽りの、本当は終末に向かう過程の途中にある、そのきらめきであるように。(M)

陳楸帆

荒潮

中原尚哉訳、早川書房、20年1月、1800円

★陳楸帆（チェン・チウファン、英名スタンリー・チェン）は1981年広東省生まれ。サイバーパンク的な作風で知られ、近年翻訳の進んできた中国SFを代表する作家の一人である。
本書は2013年のデビュー長編。舞台は近未来の中国南東部の硅（シリコン）島、一見豊かな市街地を離れると、資源ゴミを集めリサイクルで生計を立てるゴミ人と呼ばれる人々が劣悪な環境で暮らしている。そこにアメリカのリサイクル会社テラグリーンから派遣されたのが、経営コンサルタントのスコットと助手である地元出身の陳開宗。硅島政府に対する環境再生計画の提案という名目だが、狙いは資源だ。

しかし事は簡単ではない。硅島は、古くからの血族、羅・林・陳の三家の危うい均衡下にある。アメリカ資本に痛い目に遭わされた過去が、猜疑心を増幅させる。一方、羅家長老の錦城は、脳炎で深い昏睡状態の息子子鑫のため、占い師が魂を呼び戻す儀式に必要だというゴミ人の少女米米を捕えようと画策。そんななか開宗が米米を助け、次第に二人は思いを寄せ合うようになるが、米米の体に異変が起こる。

東洋的な祈祷や因習が色濃く残る社会で、義体や拡張現実が当たり前になっているという中華化されたサイバーパンク世界が新鮮だ。三家・政府・企業さらに環境保護団体と様々な思惑がからみ、惜しげもなくつぎ込まれたアイディアは、怒涛のクライマックスへとなだれこむ。デビュー長編にして見事な完成度だ。背景に格差社会、環境問題への作者の強い関心が感じられるのも魅力だが、その思いが託されているのが開宗と米米の二人。若い二人の恋物語はストーリー全体の駆動力となり、またその真摯な姿はこの陰鬱な未来社会で一筋の光明となっている。（放）

DEBACLE PATH vol.2

Gray Window Press、20年4月、1400円

★このジンにはなんと、本誌№70の拙稿「ロック・ミュージックとRPG文化（その6）伝説のクラストパンク・バンド、スケイヴン」についての直接的な応答が収められている。スケイヴンのギタリストであったジェフ・エヴァンズ自身の口から、当時のカリフォルニア州オークランドのパンク・シーンが解説され、ファンタジーやSF、ディストピア的な小説やコミックに歌詞の世界観が影響を受けていたことが解説される。さらには、実際にメンバーが〈ウォーハンマー40000〉をプレイし、混沌のカタログ本を意味する〈カオスの王国（Realms of Chaos）〉という表現で、当時の状況が総括されるのだ。
かような例が示すように、ハードコア・パンクと政治、あるいは文化は、混沌としつつも自然に混じり合わさるものとなっていた。すべての記事が刺激的だが、なかでも「ハードコア・パンクと学術」という挑発的な特集において、自身もパンク・レーベルを運営していた社会学者スチュアート・シュレイダーの研究書『Badges Without Borders』が紹介されていることに注目したい。同書では、あたかもパンクスの「ネットワーク・オブ・フレンズ」運動を逆手に取るかのように、アメリカの警察が犯罪や革命を取り締まるためのネットワークを構築する模様が論じられている。

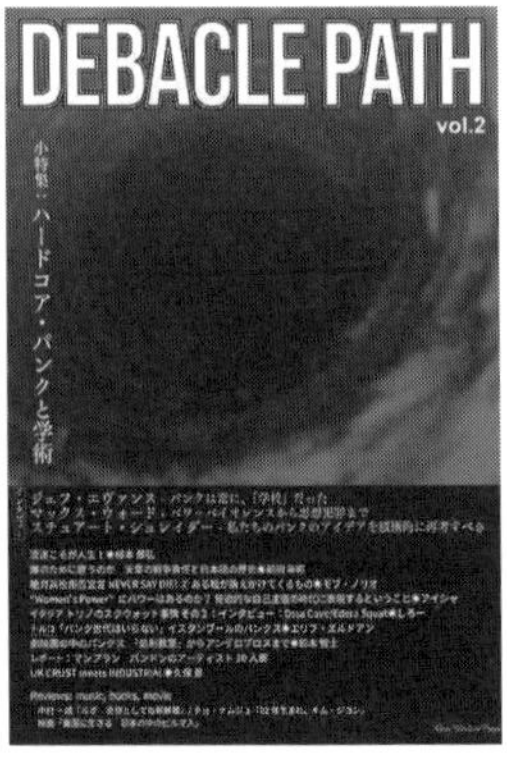

あらゆるもの権力に包摂されてしまうなか、包摂されないカウンター・カルチャーを創造していかねばならず、このジンはそのヒントに満ち満ちている。（岡）

毛利三彌翻訳・演出

亡霊たち

こまばアゴラ劇場、20年2月20日〜3月1日

★イプセンの「幽霊」という戯曲だけど、

今回は邦題を「亡霊たち」とした。実を言うと、イプセンの戯曲を読んだことはなかったし、観たこともないので、それを前提として。クラシックな作品なので、ストーリーを書いてしまいます。

　舞台は、ノルウェーの西海岸近く。アルヴィング夫人の館、召使のレギーネがフランス語を学びながら掃除をしているシーンからスタートする。明日はアルヴィング夫人の夫の10回目の命日にあたって、夫の名前をつけた孤児院を建設し、落成式が行われる予定。パリで画家をしている息子のオスヴァルも2年ぶりに帰ってくる、孤児院の設立にあたって、尽力してくれたのが、牧師マンデルス。

　ストーリーが進むにしたがって、明らかになってくることは、死んだ夫は放蕩な暮らしをしており、梅毒に感染していたこと、放蕩さがいやで、アルヴィング夫人は一度、家を出ているが、牧師マンデルスに連れ戻されていること。この2人の間にはプラトニックな愛があること。夫は召使にも手を出しており、その召使と夫との間の子がレギーネであったこと。孤児院は落成した日に火災で焼け落ちる。レギーネはオスヴァルとともにパリに行くつもりだったが、兄妹であることを知らされ、またオスヴァルが梅毒を病んでいることを知り、館を出ていく。残されたオスヴァルはアルヴィング夫人の腕の中で息を引き取る。

　最近、演劇を観ているときに、空間がどのようにつくられているのかが、すごく気になっている。役者の動きはそのひとつでしかないし、ライトの当たらない部分にまで、どれだけ気を遣っているのか、とか。舞台の隅から隅まできちんと演出している舞台というのは、観ていていいなって思う。その上で、このときの舞台は、役者がずっと舞台上にいて、出番がないときは、隅の椅子に座っている、という演出。役者は気を抜くことができないだろうけど、その分だけ、全体が締まった舞台になっていた。例えば、アルヴィング夫人は、細部にまで神経を張り巡らせていたような演技だったと感じた。その意味では、レギーネを演じた役者は、レギーネが誰なのか、少しだけつかみきれていなかったような気がしたのだけど。それでも、全体的に緊張感があって楽しめた。
　さて、「亡霊たち」であるが、ぼくはよくわからないのだけれども、土地に縛られて亡霊のように生きる人々の姿というのは、この時代（19世紀後半）の定番なのだろうか、何となく既視感があって。というか、幽霊というのは、舞台によく出てくる。シェイクスピアからベケットまで。100年以上も前の戯曲を演じるときに、幽霊・亡霊はどのような意味があるのだろう。そもそも、舞台は幽霊・亡霊のものなのか。あらためて考えてしまうのであった。（M）

遠野遥
「改良」

河出書房新社、19年11月、1300円

★スゴイ表現を読んでいるなと、読みながら何度も思った。「突風のような性欲」とは、すばらしい一節だ。かつて私にも、そんな夢のような情動をいだいた時期があったなと、しみじみ思い出させてくれた。「どうすればいいのかわからなくなり、考えるのをやめて近所のコンビニに行った。ここのところ毎日のように買っているサラダチキンとサラダボウルとスムージーを今日も買い、家に帰ってゆっくりと味わいながら食べた。これだけ食べているのに飽きが来ないのが、自分でも少し不思議だった。腹が満たされると、突風のような性欲を覚えてすぐさまデリバリーヘルス店に電話をかけた」。すごいなあ、とぼんやりおもう。今の私の情欲は、みずたまりに淀んだ泥水のようなものだ。泥水のなかで、このスサマジイ文章のリズム、勢いに圧倒され、圧倒されながら一気に読んだ。

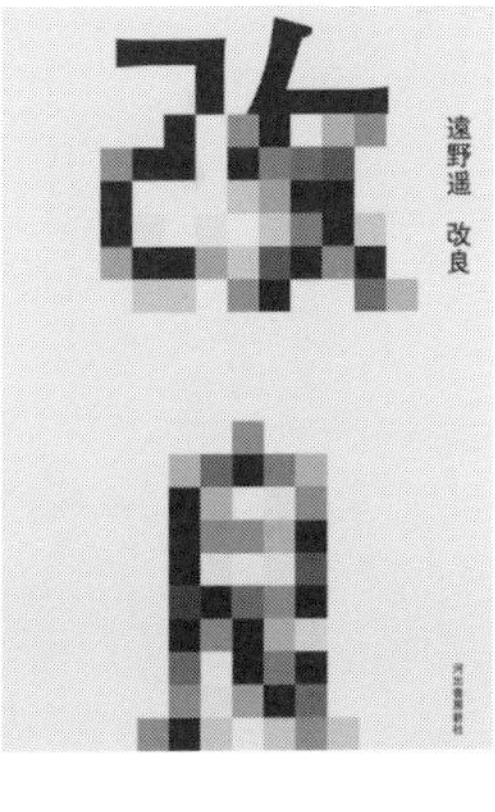

　主人公はこの突風の性欲のままに、なじみのカオリを指名して、お化粧して女性の格好で相手の来訪を待つ。そこから激動が始まる。果たしてカオリが来て最初のうちは、「ランプの薄明かりの中で見る私は一層きれいで、私は私から目が

離せなくなった」、「私は不意に、ずっと探していたもの、あるいはそれに近いものがこの鏡の中にあるように感じた」というのに。すぐそのあとで、泥水にまみれることになる。でもそれも、エネルギーにあふれたすっころびかたで、また立ち上がって歩き出す。改良に改良を重ねてようとする、びりびりした生命のエネルギーをかんじる。

この作品を書いたのは、二十八歳の俊英だという。ふたつ年下の世代に、このような暴力的なまでの才能をもった人物がいることをうれしくおもう。ほんとうにうれしくおもう。私もパワー回復をもとめて、コンビニに行ってみる。が、まっさきに手が伸びたのは、ご存じストロングゼロでした。(日)

タテヨコ企画
亡者の時代

下北沢小劇場B1、20年3月4日～8日

★豊田商事事件を憶えているだろうか。1980年代前半の、組織的詐欺事件だ。金の地金取引を高齢者に持ちかけ、お金をだまし取るという手口。金は豊田商事が預かり、証書だけが顧客の手元に残る。会社設立からわずか5年に破たんし、会長はマスコミの目の前で右翼男性に殺されるという事件にまで及んでいる。

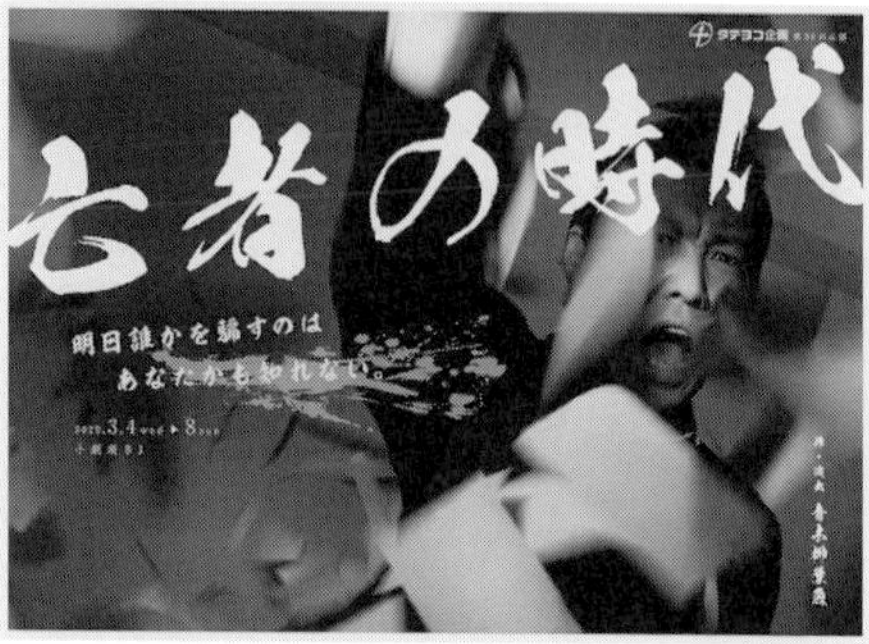

以降も、大規模な詐欺事件はしばしば起きており、最近ではケフィアグループの事件がある。

豊田商事事件のインパクトが強いのは、2000億円規模というスケールの大きさと、わずか32歳の主犯格である永野会長がテレビカメラのあるところで殺されたというセンセーショナルさによるだろう。小説の題材になり、あるいは、内田裕也主演「コミック雑誌なんかいらない」では、殺人犯をビートたけしが演じていた。

さて、「亡者の時代」は、この豊田商事事件をモデルにした作品。舞台では、社名を豊田商会、主人公の名前を島崎一男と変えているけれども、競輪場でのスリの容疑での逮捕など、わりとエピソードとしての事実を取り入れている。少年～青年にいたる島崎と、スリで逮捕後に、金の取引詐欺を思いつき、豊田商会を成長させ、破たんさせていく場面が、交互に描かれ、二人の役者によって島崎が演じられる。

内容そのものは、変化球はほとんどないが、多くのエピソードがめまぐるしく演じられ、そのスピード感だけはちょっとしたものだ。少年～青年のパートの役者が退場する前に豊田商会パートが始まっており、なんか走馬燈みたいな舞台になっている。

主演を含めた役者陣の熱演が舞台の緊張感を出していて、スピード感も含めて良かったし、35年前の事件が、ある部分では笑いすら誘ってしまう、そんなものにもなっている。

とは思うのだけれど、作者を含めたメンバーにとって、豊田商事事件はどれだけリアルなんだろう、とも考えた。年齢を考えると、だいたいみんな小学生くらいなんじゃないかな。実は、だからこそ、事件そのものをアレンジすることなく、ストレートに演じてみる、そのことで何か発見するものがあるのかもしれない、ということなのかもしれないな。

あいかわらず、こうした詐欺事件は、安愚楽牧場の和牛投資や、ケフィアグループの干し柿投資みたいに続いているし、あるいはオレオレ詐欺は巧妙になる一方だ。

実は、ケフィアグループの人とは、15年くらい前に話す機会があった。長野県で、放し飼いの鶏を育てる、ということをはじめていた。まだクリーン自動車に含まれていたプリウスに乗って、養鶏場まで連れていってもらった。彼は、ケフィアグループの会長の息子であった。最初は、新しい農業をやろうとしていたのに、ギャッシュフローを一度コントロールできなくなると、簡単に破たんしていくものだとも思う。

一般的な話として、演劇界の人はお金にあまり縁がないと思われるし、そこから狂気を描いていく、というのは、ものすごく冷静な作業になったのだろうと思う。そのことが、お金は破綻しても、舞台は破綻しない、そこに落ち着いていったのだと思う。(M)

芳賀一洋 作品集「錠前屋のルネはレジスタンスの仲間」
978-4-88375-331-4／A5判・224頁・並製・税別2222円
●パリの街並みや日本の昭和的風景などを精巧なミニチュアで再現した驚異の作品群。その40作以上を郷愁あふれる写真に収めた作品集。

北見隆 作品集「本の国のアリス〜存在しない書物を求めて」
978-4-88375-223-5／A5判・64頁・ハードカバー・税別2750円
●本そのものが、「アリス」の物語の、愉快な舞台〈ワンダーランド〉に! 本の形をした"ブックアート"を中心に、不思議な物語に満ちた作品集!!

菊地拓史 オブジェ集「airDrip」
978-4-88375-229-4／A5判・64頁・ハードカバー・税別2750円
●「夢と現の境を揺蕩う、幻視の錬金術師」─手塚眞。菊地拓史が贈るオブジェと言葉のブリコラージュ。その世界を本で表現した一冊。

◎杉本一文の本

「杉本一文『装』画集〜横溝正史ほか、装画作品のすべて」
978-4-88375-287-4／A4判・128頁・カバー装・税別3200円
●横溝正史といえば、杉本一文。数多く手がけてきた装画作品の中から、横溝作品を中心に約160点を精選して収録した待望の画集!!

「杉本一文銅版画集」
978-4-88375-286-7／A5判・128頁・カバー装・税別2500円
●幻想とエロスの桃源郷――杉本一文のもうひとつの顔、銅版画の代表作を装画作品から蔵書票まで約200点収録!

◎幻想系・少女系

スズキエイミ 作品集「Eimi's anARTomy 102」
978-4-88375-358-1／B5判・64頁・ハードカバー・税別2750円
●"美の本質は肉体、肉体の本質は死"。名画などを巧みに組み合わせて作り上げられた、解剖学的でシニカルな美の世界!

たま 画集「Calling〜少女主義的水彩画集VI」
978-4-88375-357-4／B5判・52頁・ハードカバー・税別2750円
●ダーク＆キュートなたまの少女画集第6弾! 切り取って楽しめる「折り込み塗り絵」や中野クニヒコによる立体作品も収録!

たま 画集「Fallen Princess〜少女主義的水彩画集V」
978-4-88375-221-8／B5判・48頁・ハードカバー・税別2750円
●お姫様系、エロちっく系、食べ物系など、たまならではのダーク＆キュートな秘密の乙女の楽園がたっぷり! 待望の画集第5弾!

森環 画集「愛よりも奇妙〜 Stranger than love」
978-4-88375-264-5／B5判・64頁・ハードカバー・税別2750円
●なんて奇妙な、ワンダーランド!「ボローニャ国際絵本原画展」入選など、不思議な世界観で人気の画家の幻想的な鉛筆画集!

椎木かなえ 画集「同じ夢〜 Same Dream 〜」
978-4-88375-252-2／A5判・64頁・ハードカバー・税別2750円
●闇に住まう人の、いびつな愛と、不穏な夢。奇妙で秘儀的な心象風景が、観る者を夢幻の世界へ導く、椎木かなえの初画集!!

安蘭 画集「BAROQUE PEARL〜バロック・パール」
978-4-88375-213-3／A5判・72頁・ハードカバー・税別2750円
●哀しみや痛みなどを包み込み、いびつだからこそ心を灯す、安蘭の"美"。耽美画家・安蘭の約10年の軌跡を集約した待望の画集!

こやまけんいち「少女たちの憂鬱」
978-4-88375-096-2／A5判・64頁・ハードカバー・税別2800円
●痛みと遊ぶ少女たちを繊細に描く。女の子たちは完全すぎて、傷つけないではいられない。鋏で、サクリと。―西岡智（西岡兄妹）

◎小説・コミック・評論・エッセイ

◎ナイトランド・クォータリー（ホラー＆ダーク・ファンタジー）

ナイトランド・クォータリー vol.21 空の幻想、蒼の都
978-4-88375-407-6／A5判・176頁・並製・税別1700円
ナイトランド・クォータリー vol.20 バベルの図書館
978-4-88375-399-4／A5判・176頁・並製・税別1700円
妖（あやかし）ファンタスティカ2 〜書下し伝奇ルネサンス・アンソロジー
978-4-88375-380-2／A5判・160頁・並製・税別1364円

◎ナイトランド叢書（TH Literature Series）いずれも四六判

クラーク・アシュトン・スミス「魔術師の帝国《3 アヴェロワーニュ篇》」
安田均他訳／978-4-88375-409-0／320頁・税別2400円
クラーク・アシュトン・スミス「魔術師の帝国《2 ハイパーボリア篇》」
安田均他訳／978-4-88375-256-0／272頁・税別2300円
クラーク・アシュトン・スミス「魔術師の帝国《1 ゾシーク篇》」
安田均他訳／978-4-88375-250-8／256頁・税別2200円
E&H・ヘロン「フラックスマン・ロウの心霊探究」
三浦玲子訳／978-4-88375-361-1／272頁・税別2300円
E・H・ヴィシャック「メドゥーサ」
安原和見訳／978-4-88375-339-0／272頁・税別2300円
M・P・シール「紫の雲」
南條竹則訳／978-4-88375-336-9／320頁・税別2400円
キム・ニューマン「《ドラキュラ紀元一九一八》鮮血の撃墜王」
鍛治靖子訳／978-4-88375-327-7／672頁・税別3700円
キム・ニューマン「ドラキュラ紀元一八八八」
鍛治靖子訳／978-4-88375-311-6／576頁・税別3600円
エドワード・ルーカス・ホワイト「ルクンドオ」
遠藤裕子訳／978-4-88375-324-6／336頁・税別2500円
アルジャーノン・ブラックウッド「いにしえの魔術」
夏来健次訳／978-4-88375-318-5／320頁・税別2400円
E・F・ベンスン「見えるもの見えざるもの」
山田蘭訳／978-4-88375-300-0／304頁・税別2400円
サックス・ローマー「魔女王の血脈」
田村美佐子訳／978-4-88375-281-2／304頁・税別2400円
A・メリット「魔女を焼き殺せ!」
森沢くみ子訳／978-4-88375-274-4／272頁・税別2300円

◎TH Literature Series

石神茉莉「蒼い琥珀と無限の迷宮」
978-4-88375-365-9／四六判・320頁・カバー装・税別2400円
図子慧「愛は、こぼれるqの音色」
978-4-88375-345-1／四六判・256頁・カバー装・税別2200円
朝松健「邪神帝国・完全版」
978-4-88375-379-6／四六判・384頁・カバー装・税別2500円
朝松健「朽木の花〜新編・東山殿御庭」
978-4-88375-333-8／四六判・320頁・カバー装・税別2400円
朝松健「アシッド・ヴォイド Acid Void in New Fungi City」
978-4-88375-270-6／四六判・256頁・カバー装・税別2200円
朝松健「Faceless City」
978-4-88375-247-8／四六判・352頁・カバー装・税別2500円
友成純一「蔵の中の鬼女」
978-4-88375-278-2／四六判・304頁・カバー装・税別2400円
橋本純「百鬼夢幻〜河鍋暁斎 妖怪日誌」
978-4-88375-205-8／四六判・256頁・カバー装・税別2000円
ケイト・ウィルヘルム「翼のジェニー〜ウィルヘルム初期傑作選」
安田均他訳／978-4-88375-241-6／256頁・税別2400円

◎TH Art series

◎新刊

北見隆 装幀画集「書物の幻影」

978-4-88375-398-7／B5判・96頁・ハードカバー・税別3200円
●赤川次郎、恩田陸、中島らも、津原泰水…あのワクワクは、この絵とともにあった! 40年の装幀画業から、約400点を収録した決定版画集!

高田美苗 作品集「箱庭のアリス」

978-4-88375-393-2／B5判・64頁・ハードカバー・税別2700円
●混合技法によるタブローから銅版画まで、少女をモチーフとした夢幻世界を描き続ける高田美苗の軌跡を集約した、待望の作品集!

たま(絵) 最合のぼる(文・写真・構成)「夜間夢飛行～暗黒メルヘン絵本シリーズ2」

978-4-88375-392-5／B5判・64頁・カバー装・税別2255円
●《暗黒メルヘン絵本シリーズ》第2弾は少女主義的水彩画家・たまが登場!「残酷で愛らしい、手加減なしの毒入り絵本です」—林美登利

黒木こずゑ(絵) 最合のぼる(文・写真・構成)「一本足の道化師～暗黒メルヘン絵本シリーズ1」

978-4-88375-370-3／B5判・64頁・カバー装・税別2255円
●妖しい世界へいざなう、絵と写真によるヴィジュアル物語! アンデルセンなどの童話を元に生まれた《暗黒メルヘン絵本シリーズ》第1弾!

森環 画集「ネコの日常・非日常」

978-4-88375-388-8／四六判・64頁・ハードカバー・税別2200円
●ファッション大好き、読書も好きで…ほんとにネコって、不思議! そんなネコのくらしをのぞいてみた、かわいくてちょっぴり奇妙な画集!

◎写真集

美島菊名 写真作品集「HOPE」

978-4-88375-308-6／B5判・64頁・ハードカバー・税別2750円
●少女よ あなたは 世界を変える——少女の無垢と欲望を、インパクトあるヴィジュアルで表現してきた美島菊名、初の写真作品集!

珠かな子 写真集「いまは、まだ見えない彗星」

978-4-88375-371-0／B5判・64頁・ハードカバー・税別2700円
●私にとってセルフポートレートは、〝可愛さと強さの脅迫〟だ。女の子は強くなれる、そう願っている——珠かな子、待望の写真集!

村田兼一 写真集「月の魔法」

978-4-88375-354-3／B5判・96頁・ハードカバー・税別3200円
●禁忌を解く魔法——月乃ルナをモデルに生み出された、マジカルで濃密なエロスに満ちたおとぎの世界。

村田兼一 写真集「天使集」

978-4-88375-328-4／B5判・96頁・ハードカバー・税別3200円
●天使というタナトスの闇に浮かぶ、エロスの残像。天使や人鳥を受難の女性を見守る死の影として配置した村田ならではの禁断の世界。

村田兼一 写真集「少女観音」

978-4-88375-259-1／B5判・96頁・ハードカバー・税別3200円
●幼少の頃から仏像に魅了されていた村田が長年温めていたテーマが、ついに写真集に! モデルの慈愛のオーラが魅惑的な一冊!

村田兼一 写真集「パンドラの鍵」

978-4-88375-166-2／B5判・48頁・ハードカバー・税別2800円
●禁忌のエロスを探求し続ける写真家・村田兼一が特殊モデル七菜乃の無垢な心と身体を秘密の鍵で解放する—撮り下ろし写真集!

谷敦志 写真集「D. P Collage Series」

978-4-88375-283-6／A4判・64頁・ハードカバー・税別3800円
●妖しく溶け合う、肉体とオブジェ。異型の写真家・谷敦志が、女体のコラージュによって生み出した極北の美の世界。A4サイズの豪華版!

谷敦志 写真集「Flowers and Nudes」

978-4-88375-284-3／A4判・64頁・ハードカバー・税別3800円
●透き通るような静けさをまとう、ヌードと花。進化し続ける孤高のアーティストの「今」が詰まった、最新写真集! A4サイズの豪華版!

谷敦志 写真集「アンビバレンス」

978-4-88375-148-8／A5判・64頁・ハードカバー・税別2800円
●ダークでカオティック、フェティッシュでアヴァンギャルド、そして最高にスタイリッシュ! 異型の写真家の処女写真集!!

堀江ケニー 写真集「恍惚の果てへ」

978-4-88375-139-6／A5判変型・96頁・カバー装・税別2200円
●澄んだ空気感の中で恍惚の果てへ導かれる—湖や廃墟で撮った、堀江ケニーならではの幻影的作品を集めた待望の写真集!

◎人形・オブジェ作品集

神宮字光 人形作品集「Cocon」

978-4-88375-378-9／A5判・64頁・ハードカバー・税別2700円
●ビスクなどで作られた愛おしい人形達がさまざまなシチュエーションの中で遊ぶ、かわいくも、ときにシュールでミラクルな世界!

田中流 写真集「Dolls ～瞳の奥の静かな微笑み」

978-4-88375-373-4／A5判・96頁・カバー装・税別2300円
●数多くの人形に接してきた写真家・田中流が、28人の人形作家の作品を撮影し、現代の創作人形の潮流をも浮き彫りにした写真集!

清水真理 人形作品集「Wonderland」

978-4-88375-364-2／B5判・64頁・ハードカバー・税別2750円
●肉体と霊魂、光と闇、聖と俗…それらの狭間で息づく、人形たちのワンダーランド。多彩な活躍を続ける清水の近年の作品の魅力を凝縮!

ホシノリコ 作品集「蒼燈のばら」

978-4-88375-326-0／B5判・64頁・ハードカバー・税別2750円
●艶かしく息づく球体関節人形、幻想的な物語奏でるオブジェ。ホシノの10年の歩みをまとめた待望の作品集! 写真＝吉田良、田中流

森馨 人形作品集「Ghost marriage～冥婚～」

978-4-88375-236-2／B5判・64頁・ハードカバー・税別2750円
●妖しい美しさと、哀しいエロスを湛えた、森馨の球体関節人形。その蠱惑的な肢体を写真家・吉成行夫が撮影した、闇の色香ただよう写真集!

森馨 人形作品集「眠れぬ森の処女(おとめ)たち」

978-4-88375-108-2／A5判・64頁・ハードカバー・税別2800円
●聖なる狂気、深淵なる孤独、硝子の瞳が孕むエロス。独特のエロスに満ちた、秘密の玉手箱のような球体関節人形写真集!

清水真理 人形作品集「Wachtraum(ヴァハトラウム)～白昼夢」

978-4-88375-217-1／A5判・64頁・ハードカバー・税別2750円
●映画「アリス・イン・ドリームランド」に提供した人形(田中流撮り下ろし)や、吉成行夫撮影の吸血鬼シリーズなど満載の人形作品集。

林美登利 人形作品集「Night Comers ～夜の子供たち」

978-4-88375-288-1／A5判・96頁・ハードカバー・税別2750円
●異形の子供たちは、夜をさまよう——「Dream Child」に続く、人形・林美登利、写真・田中流、小説・石神茉莉のコラボ、第2弾!

与偶 人形作品集「フルケロイド FULLKELOID DOLLS」

978-4-88375-265-2／A5判・68頁・ハードカバー・税別2750円
●園子温推薦! 多くの人の心に突き刺さっている、凄みのある作品たち。20年の作家生活をここに総括。横4倍になる綴じ込み2枚付!

木村龍 作品集「光速ノスタルジア」

978-4-88375-245-4／B5判・96頁・ハードカバー・税別3500円
●ボックスアートから彫像的作品、球体関節人形、絵画などまで、妖美で奇嬌、かつ純真な世界を濃密に凝縮した、待望の初作品集!!

No.75 秘めごとから覗く世界

A5判・256頁・並装・1389円(税別)・ISBN978-4-88375-316-1
●秘めごとが生む物語。ステュ・ミード、中井結、宮本香那、『檸檬』『四畳半襖の裏張り』などに見る秘めごとの諸相、文学における「告白」、J・T・リロイの事情、自販機本の原稿書きが「映画芸術」の編集長に教えられたこと ほか。小特集としてマッケローニと映画「スティルライフオブメモリーズ」、追悼・ケイト・ウィルヘルム。

No.74 罪深きイノセンス

A5判・224頁・並装・1389円(税別)・ISBN978-4-88375-309-3
●無垢への信奉とそれが持つ残酷さ。美島菊名、村田兼一、蟲川ギニョール、Hajime Kinoko、ドストエフスキーと無垢なるもの、わたなべまさこ『聖ロザリンド』と萩尾望都『トーマの心臓』、『悪童日記』と『フランケンシュタイン』、『小さな悪の華』と『乙女の祈り』、少女ポリアンナ、村上華岳、うろんな少年たち ほか。

No.73 変身夢譚～異分子になることの願望と恐怖

A5判・224頁・並装・1389円(税別)・ISBN978-4-88375-299-7
●miyako(異色肌ギャル)インタビュー 、トレヴァー・ブラウン×七菜乃"トレコス"、別人化マニュアル、変身譚としてのギリシア神話、バルテュスと鏡～少女の変身を映すもの、変装から変身へ～怪盗から見る映画史、女性への抑圧が生み出す〝変身〟～『キャット・ピープル』とその系譜、佐々木喜善の「蛇の嫁子」ほか。

No.72 グロテスク～奇怪なる、愛しきもの

A5判・224頁・並装・1389円(税別)・ISBN978-4-88375-289-8
●林美登利～異形の子供に、惜しみのなく注がれる愛情、立島夕子～瀬戸際から発せられた生命の賛歌、たま～可愛らしい少女の中に秘められた、不気味な何かを暴く、黒沢美香～既成の価値観に収まらない、名前のない景色の豊満さ、畔亭数久とその時代、芸術における崇高とグロテスク、謎のバンド ザ・レジデンツ ほか。

No.71 私の、内なる戦い～"生きにくさ"からの表現

A5判・224頁・並装・1389円(税別)・ISBN978-4-88375-273-7
●生きにくさから生まれてきた表現―。渡辺篤(現代美術家)～ひきこもり体験からアートへ／若林美保 (ストリッパー) インタビュー／与偶(人形作家)～人形によって人に何かを与え、それが自身の〝生〟も支えている／石塚桜子(画家)～一筆一筆に感じられる、祈りのような叫び ほか。

No.70 母性と、その魔性～呪縛が生み出す物語

A5判・224頁・並装・1389円(税別)・ISBN978-4-88375-260-7
●母性による呪縛がなにをもたらし、どんな物語を生んだのか―。「母がしんどい」などで共感を呼ぶマンガ家・田房永子や、ラブドールを妊娠させた作品が話題になった菅実花のインタビューのほか、「三島由紀夫の同性愛と母性の不在」など、神話や文学等多様な見地から俯瞰します。

No.69 死想の系譜～いま想う、死と我々の未来

A5判・240頁・並装・1389円(税別)・ISBN978-4-88375-251-5
●死を想うことで育まれる想像力。釣崎清隆×笹山直規によるメキシコ死体合宿レポ、LOVSTARのエッセイ漫画「死体愛好家」、「死の舞踏絵画からブリューゲル、ボス、そしてヴァニタス」、「ショーペンハウアーの『自殺について』」、「ボルタンスキー巡礼」、「SFにみる近未来の死生観」ほか。

No.68 聖なる幻想のエロス

A5判・208頁・並装・1389円(税別)・ISBN978-4-88375-244-7
●エロスとは、幻想だ。木村龍、村田兼一、甲秀樹、七菜乃、林良文などの作品を幻想のエロスの見地から解題・紹介したほか、「戦争とエロティシズム」、カナザワ映画祭「昼下がりの前衛的エロ映画特集」ルポ、「イケメンゴリラから日活ロマンポルノまで」など、さまざまなエロスを逍遥。

No.67 異・耽美～トラウマティック・ヴィジョンズ

A5判・240頁・並装・1389円(税別)・ISBN978-4-88375-234-8
●トラウマを植え付けるほどの強度を持つ「異・耽美」＝「異端・美」を特集。対談・沙村広明×森馨、インタビュー[林良文、劇団態変・金満里、舞踏家ケンマイ]、図版構成[森馨、衣、真条彩華、安蘭、夢島スイ、七菜乃×GENk他]、写真物語・一鬼のこ、『禁色』とその周辺ほか。

No.66 サーカスと見世物のファンタジア

A5判・208頁・並装・1389円(税別)・ISBN978-4-88375-230-0
●サーカス・見世物には光と影がつきまとう。われわれを惹きつける、夢と禁忌の国。「映画 少女椿」、道化的知性は復権するか、現代道化考、らくだ・ランカイ屋・オリンピック、見世物としての公開処刑、舞踏と見世物考、フランスのサーカス、奇異なるものへの憧憬ほか。

No.65 食と酒のパラダイス!

A5判・224頁・並装・1389円(税別)・ISBN978-4-88375-222-5
●食と酒で愉しむアート＆フィクション! 現代海外アーティストによる食をモチーフにした一風変わった作品を数多くピックアップ。また、フィクションに登場する奇妙な食や酒の光景を解題＆紹介。料理研究家・上田淳子インタビューもあり。他に国際人形展「Fusion Doll」レポ等も。

No.64 ヒトガタ／オブジェの修辞学

A5判・224頁・並装・1389円(税別)・ISBN978-4-88375-216-4
●ヒトガタとオブジェのはざまについて考える。対談・三浦悦子×吉田良、映画「さようなら」～石黒浩教授インタビュー、綾乃テン、上原浩子、清水真理、菊地拓史×森馨、伽井丹彌、七菜乃、敗者の人形史、生人形の系譜、ゴーレム伝説、人造美女、レム＆クエイ兄弟版「マスク」比較ほか。

No.63 少年美のメランコリア

A5判・224頁・並装・1389円(税別)・ISBN978-4-88375-208-9
●短い期間の輝きでしかない少年の美には、メランコリア＝憂鬱がつきまとう。図版＆紹介[七戸優・甲秀樹・neychi・カネオヤサチコ・神宮字光・清水真理]、「ベニスに死す」、タルコフスキーの少年、グレーデン男爵とタオルミナ、阿修羅像と『少年愛の美学』、維新派「透視図」ほか。

No.62 大正耽美～激動の時代に花開いたもの

A5判・240頁・並装・1389円(税別)・ISBN978-4-88375-201-0
●好景気に米騒動、関東大震災…激動の大正時代を、耽美を切り口に俯瞰する。図版構成[橘小夢、高畠華宵]、異国への憧憬/谷川渥、大正の幻想映画、大正オカルトレジスタンス、鈴木清順・大正浪漫三部作とパンタライの時代、大正年表など。

No.61 レトロ未来派～21世紀の歯車世代

A5判・232頁・並装・1389円(税別)・ISBN978-4-88375-193-8
●スチームパンクと、アナクロな未来を幻視する。小説・映画等の厳選40作品紹介「エッジの利いたスチームパンク・ガイド」、二階健ディレクション「STEAM BLOOD」展、造形作家・赤松和光、歯車・オートマタ・西部劇映画、日本のアニメにおけるスチームパンク表現の特質など満載。

No.60 制服イズム～禁断の美学

A5判・240頁・並装・1389円(税別)・ISBN978-4-88375-181-5
●「座談会・学校制服のリアルとその魅力」森伸之×西田藍×りかこ×武井裕之、小林美佐子～制服は社会に着せられた役割、村田タマ～少女に還るためにセーラー服を着る、すちうる～小学生にも化けるセルフポートレイト、現代の制服ヒーロー・ヒロインたちなど満載。ヨコトリレポも。

No.59 ストレンジ・ペット～奇妙なおともだち

A5判・224頁・並装・1389円(税別)・ISBN978-4-88375-178-5
●虫などとの共生を描く西塚em、新田美佳や架空の動物を木彫で作る石塚隆則、奇妙な生き物「ぬらりんぼ」のHiro Ring、イヂチアキコ、蝉丸などからSMの女王様まで、さまざまな「ペット」的存在を愛でてみよう。やなぎみわ×唐ゼミ☆合同公演なども。

No.58 メルヘン～愛らしさの裏側

A5判・224頁・並装・1389円(税別)・ISBN978-4-88375-173-0
●たま、深瀬優子、長谷川友美などのほか、村田兼一による写真物語「長靴をはいた猫」、ペローとマザー・グース、「黒い」マスコット動物、Sound Horizonとハーメルンの笛吹き男、ウクライナの超美女など、いろいろな側面からメルヘンの裏側を覗き見る。

◎ExtrART(エクストラート)〜異端派ヴィジュアルアート誌

file.25◎FEATURE:ヒトガタは語る
A4判・112頁・並装・1200円(税別)・ISBN978-4-88375-408-3
●三浦悦子、Mekkedori、ヒロタサトミ、垂狐、田野敦司、日隈愛香、横倉裕司、羅入、成田朱希、サワダモコ、山本有彩、塙興子、遊(アトリエ夢遊病)ほか

file.24◎FEATURE:幽玄を垣間見る
A4判・112頁・並装・1200円(税別)・ISBN978-4-88375-395-6
●上田風子、高田美苗、濵口真央、奥田鉄、土田圭介、南花奈、白野有、武田海、村山大明、日影眩、神宮字光、黒木こずゑ×最合のぼる

file.23◎FEATURE:秘めた、この思い
A4判・112頁・並装・1200円(税別)・ISBN978-4-88375-385-7
●池田ひかる、新宅和音、谷原菜摘子、野原tamago、井桁裕子、朱華、日野まき、菊地拓史・森馨、田中流、渡邊光也、千葉和成、TOKYO 2021 美術展 ほか

file.22◎FEATURE:隠されていた"美"
A4判・112頁・並装・1200円(税別)・ISBN978-4-88375-372-7
●蛭田美保子、スズキエイミ、椎木かなえ、たま、Kamerian.、ディナ・ブロツキー、井上洋介、生熊奈央、衣(はとり)、垂狐、ベルリン・悪魔の山 ほか

file.21◎FEATURE:うつろう、イメージ
A4判・112頁・並装・1200円(税別)・ISBN978-4-88375-360-4
●菅澤薫、大河原愛、有坂ゆかり、大塚咲×七菜乃、夜乃雛月、ニコライ・バタコフ、亜由美、櫻井紅子、吉田有花×ある紗、大島哲以 ほか

file.20◎FEATURE:夢幻の国を逍遥する
A4判・112頁・並装・1200円(税別)・ISBN978-4-88375-346-8
●佐久間友香、木村了子、中村キク、永井健一、長谷川友美、P.ファーガソン、池島康輔、須川まきこ、立島夕子、こやまけんいち、松下まり子 ほか

file.19◎FEATURE:その存在の、ミステリアス
A4判・112頁・並装・1200円(税別)・ISBN978-4-88375-338-3
●藤井健仁、棚田康司、モリケンイチ、後藤温子、中井結、トロイ・ブルックス、ホシノリコ、新竹季次、中川ユウキチ、宮本香那、江村玲 ほか

file.18◎FEATURE:イノセンスが見る夢
A4判・112頁・並装・1200円(税別)・ISBN978-4-88375-323-9
●美島菊名、Risa Mehmet、泥方陽菜、雨宮沙月、月夜乃散歩、ローズ・フレイマス-フレイザー、松永賢、勝野眞言、高松ヨク ほか

file.17◎FEATURE:説話的世界へようこそ
A4判・112頁・並装・1200円(税別)・ISBN978-4-88375-315-4
●夢島スイ、フォレスト・ロジャース、深瀬優子、ある紗、渡辺つぶら、ごとうゆりか、佐藤久雄、大江慶之、安蘭、ドイツのグラフィティ ほか

---

file.12◎FEATURE:愛しき、ヒトガタ
A4判・112頁・並装・1200円(税別)・ISBN978-4-88375-257-7
●中嶋清八、木村龍、宮崎郁子、清水真理、神宮字光、ジュール・パスキン、池田俊彦、「第20回岡本太郎現代芸術賞(TARO賞)展」ほか

◎トーキングヘッズ叢書(TH Seires)

No.82 もの病みのヴィジョン
A5判・224頁・並装・1389円(税別)・ISBN978-4-88375-402-1
●「病み」=「闇」のヴィジョン。人形作家・与偶トークイベントレポ、梅毒をめぐる幾つかの逸話と謎、舞踏病と死の舞踏、「吸血鬼ノスフェラトゥ」とペストのパンデミック、草間彌生の小説『すみれ強迫』、美人薄命の文化史、病と日本人、舞踊家・土方巽の〈病み〉、澁澤龍彦と病、病弱な少年、「ジョーカー」、「ベニスに死す」ほか

No.81 野生のミラクル
A5判・208頁・並装・1389円(税別)・ISBN978-4-88375-389-5
●野生からわれわれは何を学び、何を表現の糧にしてきたか。ケロッピー前田インタビュー〜野生を取り戻してテクノロジーを乗りこなせ、管理された野生、粘菌、牧神、人豚、八化けタヌキ、シュルレアリスムのアフリカ、スクリーンの変身人間、キム・ギヨンが描く〝オス〟と〝メス〟、異類婚姻譚、動物フォークロア、映画『ZOO』ほか

No.80 ウォーク・オン・ザ・ダークサイド〜闇を想い、闇を進め
A5判・224頁・並装・1389円(税別)・ISBN978-4-88375-376-5
●新たな想像力は闇から生まれる。[図版構成]濵口真央、C7、新宅和音、紺野真弓、宮本香那、萌木ひろみ、谷原菜摘子。タスマニアの美術館MONA、書肆ゲンシシャの驚異のコレクション、日本の闇を感じさせるゲゲゲスポット紀行、闇の文学史〜連鎖する自死、萩尾望都が描き始めた「楽園の裏側」、カタコンブという世界の裏ほか。

No.79 人形たちの哀歌
A5判・240頁・並装・1389円(税別)・ISBN978-4-88375-363-5
●[図版構成]田中流写真作品(人形=日隈愛香・SAKURA・ホシノリコ・舘野桂子)・清水真理・野原tamago・神宮字光、現代の〝生き人形〟〜中嶋清八・井桁裕子・衣・森馨・佐藤久雄、菅実花とリボーンドール、ロボット・アンドロイド演劇の一〇年、映画『オテサーネク』と『マジック』ほか。追悼・遠藤ミチロウなども。

No.78 ディレッタントの平成史〜令和を生きる前に振り返りたい私の「平成」
A5判・256頁・並装・1389円(税別)・ISBN978-4-88375-350-5
●私たちが感じ取ってきた「平成」を振り返る。TH的・平成年表、極私的平成の三十年間(友成純一)、平成ゾンビ考〜「終わりなき日常」から「サバイバル」へ、舞踏の平成、アニメ『どろろ』に見る内実の変容、死体ビデオと90年代悪趣味ブーム、SNSという「ネオ世間」の出現、IT盛衰、「今日の反核反戦展」、酒見賢一論ほか。

No.77 夢魔〜闇の世界からの呼び声
A5判・224頁・並装・1389円(税別)・ISBN978-4-88375-340-6
●不穏さに満ちた夢の世界へようこそ。mizunOE、飴屋晶貴、亜由美、林良文、タイナカジュンペイ、「メアリーの総て」と『フランケンシュタイン』の悪夢、《夢》は現実を超えるか〜古代記紀神話から『君の名は。』まで、ラース・フォン・トリアー「ヨーロッパ」、『エルム街の悪夢』、『鏡の国の孫悟空』、『ルクンドオ』ほか。

No.76 天使/堕天使〜閉塞したこの世界の救済者
A5判・224頁・並装・1389円(税別)・ISBN978-4-88375-330-7
●天使や堕天使から発した想像力。村田兼一、ホシノリコ、『ベルリン・天使の詩』、ボカノウスキー『天使』がいたころ、天使と日本人、イスラムの堕天使たち、「天使の玉ちゃん」と〈失われた子供時代〉、『デビルマン』飛鳥了、熊楠の天使/天子と男色ほか。ジャ・ジャンクー論(藤井省三)、アジアフォーカス2018レポなども。

トーキングヘッズ叢書（TH series） No.83
音楽、なんてストレンジな！
～音楽を通して垣間見る文化の前衛、または裏側

編　者　アトリエサード
編集長　鈴木孝（沙月樹 京）
編　集　岩田恵／望月学英・徳岡正肇
協　力　岡和田晃

発行日　2020 年 8 月 7 日

発行人　鈴木孝
発　行　有限会社アトリエサード
東京都豊島区南大塚 1-33-1 〒 170-0005
TEL.03-6304-1638 FAX.03-3946-3778
http://www.a-third.com/
th@a-third.com
振替口座／ 00160-8-728019
発　売　株式会社書苑新社
印　刷　株式会社平河工業社
定　価　本体 1389 円＋税
ISBN978-4-88375-412-0 C0370 ¥1389E

出版物一覧

http://www.a-third.com/
ご意見・ご感想をお寄せ下さい。
Web で受け付けています。
新刊案内などのメール配信申込も
Web で受付中!!
●Facebook　http://www.facebook.com/ateliertthird
●編集長 twitter　https://twitter.com/st_th

アトリエサード HP
AMAZON（書苑新社発売の本）

A F T E R W O R D

■終末ものとか滅亡ものとかわりと好きなのだが（パニック系は除く）、いまもしかしたら、その滅亡の真っ只中にいるのかもしれない。でも考えてみるに、物語で滅亡から世界を救う存在が出てくるとして、それはおおむね、ひとりかごく少数のヒーロー／ヒロインだったりするような気がする。救うのは政治じゃないんだよね。だから政治に期待しなくなっちゃったのかもなー。あと、世界を滅ぼす張本人が政治という、下手な脚本書きも書かない筋書きにならないことを願うばかりじゃ。次はExtrARTが9月下旬、THが10月末です！（S）
★弦巻稲荷日記ーCOVID19のおかげで始めたZOOM活用の編集会議は、早くからこうしておけばよかったと思うぐらい私には快適だ。ナイトランド・クォータリーでZOOMイベントを始めたが、それも結構楽しくて、継続していきたいと思っている。THもイベント始めようかな…？ 以下次号（め）

■展覧会・個展や上映・上演等の情報は、編集部あてにお送りください（なるべく発売の1カ月半前までに。本誌は1・4・7・10の各月末発売です）。
■絵画等の持ち込みは、郵送（コピーをお送りください）またはメール（HPがある場合）で受け付けています。興味を持たせて頂いた方は、特集や個展など、合うタイミングでご紹介させて頂きます。
■巻末の「TH特選品レビュー」では、ここ数ヶ月の文学・アート・映画・舞台等のレビューを募集中。1本400字以内で、数本お送り下さい。採用の方には掲載誌を進呈します（原稿料はありません）。THの色にあったものかどうかも採否の基準になります。投稿はメール（th@a-third.com）でOK。
■詳しくはホームページもご覧ください。
※応募の際には、本名・筆名・住所・TEL・E-mail・年齢・職業・趣味の傾向等簡単な自己紹介・本書のご感想を必ずお書き添え下さい。
※恐れ入りますが、原則的に採用の方にのみご連絡を差し上げています。ご了承ください。